Alcool et adolescence

Sous la direction de
Patrice Huerre et François Marty

Alcool
et adolescence

Jeunes en quête d'ivresse

Avec la collaboration de Nicole Czechowski

Albin Michel

Ouvrage publié sous la direction de
Mathilde-Mahaut Nobécourt

Sommaire

Introduction

L'alcoolisation des jeunes est un problème de santé publique. Soutenir cette position ne signifie pas que nous prenions le parti d'une idéologie hygiéniste pour une société sans plaisir ou que nous cherchions à restreindre la quête de limites, d'identité et de sens (de sensations, aussi) des adolescents d'aujourd'hui. Nous ne faisons que prendre en compte les résultats de nos observations, des études récentes de chercheurs appartenant à des disciplines différentes (psychologie, psychiatrie, médecine, épidémiologie, économie de la santé, sociologie, etc.) comme de celles que nous avons réalisées récemment nous-mêmes. Toutes ces données confirment une tendance forte : les jeunes boivent, parfois beaucoup et de plus en plus jeunes. Elles nous obligent à prendre conscience du phénomène, à en évaluer l'ampleur, à en mesurer les effets et les conséquences, à informer les jeunes, leurs familles, les pouvoirs publics et à réagir. C'est en effet un devoir (devoir de limite) des adultes de protéger les plus jeunes, sans en être complices, pour les aider à devenir adultes. Une société qui ne se soucierait pas du bien-être de sa jeunesse se condamnerait elle-même.

Les chiffres sont éloquents : alors que la consommation d'alcool aurait plutôt tendance à baisser chez les adultes de plus de 25 ans, celle des adolescents de 12 à 24 ans augmente de façon constante et débute à un âge de plus en plus précoce. Bien sûr, tous les adolescents ne sont pas concernés au même titre et il faut savoir distinguer l'usage festif et occasionnel de l'alcool de consommations lourdes et régulières. Une des difficultés liées à la consommation d'alcool chez les jeunes est celle de la prévention : prévenir les risques liés à l'alcoolisme, ceux qui en découlent pour soi et les autres. Car comment prévenir la survenue d'un risque dont les conséquences en termes de santé peuvent mettre des années à apparaître ? Comment apprécier la dépendance à l'alcool et quels moyens mettre en œuvre pour la traiter ? Si l'alcoolisme des adultes est bien connu, y compris dans ce que cette maladie a de conséquences dramatiques sur le plan personnel (médical et psychique) et social (familial et professionnel), il est plus difficile de parler de l'alcoolisme des jeunes pour la simple raison que nous manquons du recul nécessaire pour apprécier les effets d'une consommation récente, bien qu'abusive. Pourtant, comme chez les adultes, l'alcool est très souvent présent dans les accidents de la circulation, dans les faits divers, ceux de violence criminelle et/ou suicidaires. Pour ces jeunes, l'alcool s'associe volontiers à d'autres drogues, dont le cannabis[1], pour des soirées festives (les vertus de l'alcool sont connues depuis l'Antiquité pour faciliter la désinhibition, pour oublier, pour trouver en soi une certaine gaieté, etc.), mais aussi pour des « défonces » qui se veulent rapides et « efficaces ». Le plaisir n'est pas forcément et exclusivement dans la recherche de l'ivresse – même si la recherche de cette sensation agréable (en tout cas à ses débuts), qui donne l'impression de planer, d'être bien, à la fois au-dessus et à côté du monde environnant, n'est jamais totalement absente ; même si la quête de sensations fortes participe aussi souvent de la prise immodérée d'alcool. Non, ce qui est souvent intensément recherché dans ces conduites de remplissage avide, pour ne pas dire d'engouffrement, semble davantage s'apparenter à l'assommoir, une pratique qui a pour but d'être KO le plus vite possible. Cette mise hors jeu de soi-même par soi-même pose la double question de la nature du jeu dont il faudrait s'exclure et des raisons qui poussent à cette auto-exclusion.

À l'adolescence, le jeu consiste à s'approprier un corps étranger, tant il est nouveau, en surmontant et la peine d'avoir à quitter le monde de l'enfance et la peur d'aborder de nouveaux rivages. Cette mutation à haut risque pousse les adolescents à rechercher les limites de leur nouvel univers. Ils explorent ainsi les limites de leur moi (leur espace psychique) et celles de la réalité externe (leur espace social) dans lesquelles ils évoluent. Leur identité doit faire face au risque d'une rupture imposée par le changement qu'ils subissent tout en cherchant à maintenir une continuité d'existence qui n'est certes pas facile à trouver dans la tourmente pubertaire. Ajoutons à la tempête qui fait rage à l'intérieur de soi l'appel de l'autre, celui ou celle qui fait signe et qui oblige l'adolescent et l'adolescente à sortir de soi. Voilà schématiquement pour ce qui concerne le jeu. Quant aux raisons qui poussent à s'en auto-exclure, il faut les chercher dans la peur de l'échec (amoureux, sportif, scolaire, professionnel, etc.) et celle de ne pas pouvoir y faire face. La crainte de l'effondrement est toujours possible dans cette traversée tumultueuse où le naufrage serait la pire des choses. Mais lorsque le bateau est ivre, la traversée n'en est que plus délicate et l'embarcation va de Charybde en Scylla. Cette auto-exclusion dévoile alors la dépression sous-jacente, souvent à l'origine de cette mise en retrait bruyante et violente ou discrète à laquelle l'alcool participe pour beaucoup en en masquant la cause. Il n'est pas rare, bien que cela ne soit pas la règle, que l'étayage identificatoire joue un rôle dans cette quête d'un moyen artificiel pour s'en sortir. Boire comme un homme, boire comme un père, un oncle ou un grand-père, donnera une assise, un fond, à cet adolescent qui en manque.

L'alcoolisation des jeunes pose bien sûr d'autres questions et renvoie à des traditions qui, pour être bien ancrées dans notre territoire et notre culture, ne sont pas pour autant exclusivement françaises. La mondialisation va bien de ce côté-là aussi. Le produit est aussi varié que l'imagination de ceux qui le vendent est fertile : bière, vin, cocktails, alcools forts, whisky, gin, etc. Les alcooliers inventent toutes sortes de produits plus attractifs les uns que les autres, vendus parfois à peine plus cher que l'eau minérale, emballés dans des habillages séduisants, avec un taux d'alcool garanti, quand il ne s'agit pas de la contenance des cannettes qui augmente, accentuant les effets délétères du produit. Si traditionnellement on observe que la consommation est plus importante dans les milieux socioculturels les plus défavorisés, celle des jeunes n'obéit plus strictement et uniquement à cette constante des conduites sociales. Il n'est qu'à voir les pratiques des fêtes étudiantes et surtout celles dans les grandes écoles et autres facultés de médecine pour s'en convaincre ! Si la consommation abusive des parents reste un facteur de risque aggravant pour la génération des enfants (les parents boivent et les enfants trinquent), d'autres registres de causalité entrent également en jeu, à commencer par la fragilité narcissique des adolescents et, comme nous l'avons vu, leur difficulté à faire face à certaines situations angoissantes, à certains échecs dans leur vie.

Il n'y a pas de causalité unique, c'est bien l'un des enseignements que l'on peut retirer des études récentes qui ont été menées sur le sujet ; mais l'alcoolisation des jeunes s'inscrit toujours dans le cadre d'un mal-être, cette conduite traduisant une souffrance qui dit rarement son nom parce qu'elle n'est reconnue ni par le sujet lui-même ni par son entourage. On pourrait même dire qu'elle est tue, voire souvent déniée. Si l'alcoolisme est une maladie, elle est une conséquence de difficultés qui, s'agissant d'adolescents, puisent à la source de leur puberté et à leur soif de vivre, malgré l'angoisse éprouvée à la perspective de tant de nouveautés.

L'alcool tiendrait son origine étymologique de l'arabe *al-kuhl*, littéralement la « poudre d'antimoine », qui a donné le mot « khôl ». Bien que l'alcool ne puisse pas être pris seulement pour de la poudre aux yeux (il est obtenu par trituration et sublimation), par analogie, nous dit encore le *Dictionnaire historique de la langue française*, le *vini alcohol* (1594) désigne l'« esprit du vin ». Du spiritueux au spirituel, il semble n'y avoir qu'un pas : l'alcool recèle des vertus activement recherchées par ceux qui en consomment. Il n'est pourtant pas sûr qu'il donne autant qu'on lui prête. Si cet élixir possède tant d'attraits, s'il donne parfois de l'esprit à ceux qui s'en approchent, pourquoi ne pas essayer ? Pourquoi ne pas y puiser les ressources qui parfois manquent quand il faut partir à la conquête d'un autre, quand il faut se montrer assez fort aussi vis-à-vis de ses pairs pour supporter d'avoir trop imprudemment pactisé avec lui ? Pourquoi ne pas boire quand on ne peut plus faire face ? Et si l'alcool était un adjuvant et, dans certains cas, un médicament ?

L'alcool sous toutes ses formes constitue une force d'appoint pour des adolescents et des adolescentes qui doutent d'eux-mêmes ou qui cherchent absolument à éprouver des sensations. Avec l'alcool, on est loin des réactions un peu détachées que l'on rencontre parfois chez les consommateurs occasionnels de shit : « Moi, ça ne me fait rien ! » Avec l'alcool, ça ne fait jamais rien.

Cet ouvrage rassemble des textes d'auteurs qui font référence dans leurs domaines respectifs : psychiatres, psychologues, sociologues, épidémiologistes, pédiatres, psychanalystes. La plupart ont une solide expérience du terrain et, parmi eux, les cliniciens et thérapeutes qui rencontrent depuis longtemps, souvent avec leur famille, des adolescents et des adolescentes qui, un jour, ont croisé leur route avec l'alcool. Les textes qui suivent témoignent de ces parcours, expriment les réflexions de professionnels soucieux du devenir de ces jeunes qui jouent à la limite de leurs possibilités, au risque de sombrer. En lisant chaque contribution, le lecteur comprendra mieux l'ampleur et la nature du problème, au-delà des amalgames et des confusions, des lieux communs et des idées toutes faites. Il percevra aussi que des solutions existent et découvrira que des expériences innovantes, pleines d'imagination, sont tentées dans bien des régions de France, et ce dès les premières années du collège.

Que cette consommation abusive d'alcool soit l'expression d'un malaise sociétal est vraisemblable, qu'elle soit même partiellement orchestrée par l'économie, c'est ce que montrent certains articles de l'ouvrage, de même qu'elle participe à la tentation généralisée d'un repli narcissique au détriment du goût pour la rencontre avec l'autre, plus risquée. Mais notre grande enquête, celle réalisée par la collection des textes dans cet ouvrage, montre aussi que la consommation abusive d'alcool n'est jamais le fruit d'un choix mais presque toujours d'une contrainte interne, d'une dépendance. L'alcoolisme des jeunes n'est pas une fatalité, mais traduit une forme de détresse et d'impuissance à agir ; et, en ce sens, il constitue un appel aux adultes pour qu'ils leur viennent en aide. Il est d'autant plus nécessaire de poursuivre les efforts qui sont faits dans le domaine du soin et de la prévention, car nous savons aujourd'hui que, malgré toutes les difficultés, ces efforts portent leurs fruits.

Nous espérons que cet ouvrage apportera au lecteur des éclairages nouveaux sur le sujet, qu'il le rendra plus sensible à cette problématique et qu'il ouvrira des perspectives à tous ceux et à toutes celles que cette question intéresse.

François Marty et Patrice Huerre

NOTE

1. Cf. à ce sujet notre ouvrage : Huerre P. et Marty F. (dir.), *Cannabis et adolescence, les liaisons dangereuses,* Paris, Albin Michel, 2004.

I.

État des lieux

1.

De la fête à l'abus

PIERRE G. COSLIN

La consommation d'alcool induit à court terme une sensation de bien-être et de détente, de plaisir, d'excitation et de désinhibition. Intégrée à notre patrimoine socioculturel, elle concerne particulièrement les adultes du sexe masculin, mais aussi les jeunes, surtout les garçons, les filles tendant toutefois depuis quelques années à s'y adonner également. La société française est assez tolérante à cet égard, du moins lorsque cette consommation est associée à un contexte festif.

Bien que relativement acceptée et banalisée, cette consommation n'en présente pas moins une dangerosité certaine[1]. À l'adolescence, le risque de tentatives de suicide associées à l'alcool est important, en premier lieu chez les garçons pour lesquels il est trois fois plus élevé. Les pathologies qui lui sont associées affectent également le comportement alimentaire des filles pour lesquelles les boissons alcoolisées peuvent constituer un substitut alimentaire palliant la sensation de faim dans le cas de certaines boulimies. La consommation d'alcool augmente aussi le risque d'avoir des rapports sexuels non protégés ; elle entraîne une baisse de la lucidité, une sensation de fatigue et des pertes de mémoire. L'alcoolisation excessive s'associe enfin avec la prise d'autres toxiques, soit que l'alcool ait été la première substance utilisée, soit qu'il soit perçu comme un mode de sortie possible d'une autre toxicomanie, soit enfin qu'il participe à une polytoxicomanie[2]. L'alcool est par ailleurs vecteur d'accidents domestiques et de la circulation, de comportements agressifs et violents, de marginalité et de déscolarisation[3].

Toute prise modérée de boissons alcoolisées n'est bien évidemment pas à proscrire. On a, d'une part, observé les effets pervers de la prohibition dans les pays où elle est ou fut mise en place. On sait, d'autre part, que la transgression des interdits est l'une des caractéristiques de l'adolescence. L'alcool joue, de plus, un rôle important dans l'économie française, une part notable de la population vivant, directement ou indirectement, de sa production et de sa distribution.

C'est l'alcoolisation abusive qui est dangereuse. Il est possible d'en distinguer trois formes chez les adolescents. La première, assez inquiétante, peut être considérée comme un mode d'intégration, quelque peu dévié, au monde des adultes. Assez traditionnelle, elle ressemble à l'alcoolisme coutumier des pays latins.

La deuxième est plus alarmante. Elle consiste en prises sporadiques, où l'alcool est utilisé pour parvenir le plus vite possible à l'ivresse, à la « défonce ». L'ébriété n'est plus fortuite mais recherchée pour ce qu'elle permet de faire ou illusoirement d'être. Il s'agit d'une ivresse aiguë, conduisant à se sentir délivré des limites corporelles et langagières, permettant de plonger dans une sensation de bien-être et d'oublier les dangers et les soucis quotidiens. L'alcool est ici le produit d'une véritable toxicomanie et participe éventuellement à une polytoxicomanie au tabac, aux psychotropes et aux drogues illicites dont il accroît et accélère les effets. C'est un modificateur de la pensée. Il peut aussi être associé à des tranquillisants pour en exacerber les effets ou être pris à la place de psychotropes face à des difficultés d'approvisionnement passagères ou en croyant y trouver la possibilité illusoire de se désengager. Un tel usage entraîne la réprobation du corps social qui l'associe à la marginalité et aux déviances.

La dernière, la moins fréquente, est associée à une sorte d'automédication rencontrée chez des jeunes filles consommant de façon discrète, solitaire et culpabilisée, pour lesquelles l'alcool présente une fonction euphorisante, sédative, désinihibitrice et anxiolytique. De faible coût et en vente libre, il leur permet de ne pas s'autodésigner comme malades, voire de revendiquer une image de « bon-vivant »[4].

Depuis le début du xxᵉ siècle, l'adolescence est présentée comme une période difficile, caractérisée par des bouleversements physiologiques, psychologiques et sociaux. Elle le semble plus encore aujourd'hui lorsqu'on évoque la perte des repères, l'éclatement des familles et l'angoisse devant l'avenir. L'une des thématiques les plus souvent avancées à propos des jeunes concerne leurs conduites à risque, qu'il s'agisse des limites qu'ils franchissent vis-à-vis d'eux-mêmes et de la société ou de leurs transgressions. Certaines d'entre elles, la délinquance juvénile par exemple, sont du domaine de l'agir. Elles visent la possession ou la maîtrise d'objets extérieurs à eux-mêmes et se traduisent par une atteinte à autrui où le manque d'objet fondamental se révèle à travers le besoin d'appropriation. D'autres comportements risqués, telles la prise de drogue ou la consommation abusive de boissons alcoolisées, prennent place sur un autre registre : celui du corps. L'objet n'y est plus convoité pour sa possession ou sa maîtrise, mais pour s'en sentir habité. Le rapport à l'objet est alors du domaine de l'intériorité, du ressenti et de l'éprouvé[5]. Confrontés au malaise qu'ils ressentent au sein de la société, certains jeunes vont alors tenter de « soigner » par l'alcool la crise qu'ils traversent, leur consommation pouvant les conduire à une alcoolisation chronique d'abord modérée, puis de plus en plus régulière et susceptible, à moyen terme, de devenir pathogène[6].

21

À la fin des années quatre-vingt, quatre adolescents sur cinq reconnaissaient avoir consommé, ne serait-ce qu'une fois, une boisson alcoolisée. Cette première consommation avait en général été assez précoce, puisque 16 % des garçons et 10 % des jeunes filles disaient avoir pris des boissons alcoolisées avant l'âge de 7 ans, et même pour 6 % avant leur cinquième année. Cette précocité était moins manifeste chez les filles que chez les garçons, dont plus d'un quart avait déjà consommé entre 7 et 10 ans, alors qu'il fallait attendre 12 ans pour trouver l'équivalent chez les filles. Toutefois, sur l'ensemble de la population interrogée, le taux d'adolescentes ayant déjà bu de l'alcool ne différait pas significativement du taux d'adolescents consommateurs[7]. M. Choquet et S. Ledoux[8] constataient de même que 52 % des jeunes de 11 à 19 ans consommaient des boissons alcoolisées : 40 % occasionnellement ou ayant été ivres une ou deux fois dans l'année et plus de 12 % buvant une boisson alcoolisée au moins deux fois par semaine ou ayant été ivres au moins trois fois dans l'année, consommation différant selon le sexe (58 % des garçons et 47 % des filles) et augmentant considérablement avec l'âge.

Deux faits qui semblent encore d'actualité aujourd'hui ressortaient de nos travaux antérieurs. D'une part, tout paraît joué à 16 ans : si les jeunes (garçons ou filles) n'avaient pas encore consommé d'alcool, ils ne paraissaient plus devoir le faire que rarement ; ou l'on commençait à boire avant cet âge, ou l'on ne touchait pas à l'alcool. D'autre part, l'âge de première consommation semblait s'élever chez les filles, alors qu'il paraissait s'abaisser chez le garçon. La question se posait alors : les filles deviendraient-elles de plus en plus sobres ? Un tel constat, contrairement aux apparences, peut cependant s'avérer alarmant, allant moins dans le sens d'une diminution réelle de la consommation féminine que préfigurant une évolution des circonstances de leur initiation qui, comme celle des garçons, s'éloignerait du domaine festif familial pour gagner celui plus dangereux des pairs.

La situation a peu évolué dans ce début du XXIe siècle. Seuls 11 % des jeunes déclarent n'avoir jamais bu de boissons alcoolisées. Un adolescent sur deux en consomme au moins une fois par mois. La consommation régulière tout comme les premières ivresses commencent au plus tard vers 13 ou 14 ans. Elle s'accroît rapidement, les garçons consommant plus que les filles, mais ces dernières, buvant de plus en plus d'alcools forts, se rapprochent ainsi de leurs camarades[9]. À quelques variations près, les résultats des différentes enquêtes vont tous dans le même sens, mettant l'accent sur l'actualité du problème et sur sa relative prééminence dans la population masculine en ce qui concerne la consommation excessive. Selon les données françaises de l'enquête internationale Health Behaviour in School-Aged Children (HBSC) publiée en 2005, l'initiation à l'alcool se fait précocement puisque près d'un enfant de 11 ans sur quatre et trois jeunes sur cinq à 15 ans ont déjà consommé des boissons alcoolisées. Les différences liées au sexe tendent à s'estomper pour la consommation occasionnelle puisque l'on compte 65 % de garçons pour 59 % de filles. C'est également à 15 ans qu'un tiers des jeunes déclarent avoir connu des ivresses alcooliques. Les premières ivresses apparaissent vers 13 ans et demi, trois mois plus tôt chez les garçons que chez les filles. L'abus d'alcool au cours du mois écoulé, défini par une consommation égale ou supérieure à cinq boissons alcoolisées lors d'une même occasion, concerne un peu plus de 15 % des jeunes, dont la moitié de façon réitérée. Ces résultats sont assez proches de ceux obtenus lors de l'application en France en 2003 de l'European School Survey Project on Alcohol and other Drugs (ESPAD) : 70 % des garçons et 63 % des filles de 12 ans ont déjà consommé de l'alcool, la consommation régulière augmentant entre 12 et 18 ans de 4 à 22 % pour les garçons et de 2 à 7 % pour les filles.

L'abstinence reste cependant encore majoritaire en ce qui concerne les jeunes de 11 à 15 ans pris dans leur ensemble (70 % des garçons et 80 % des filles), mais son taux diminue nettement avec l'âge, particulièrement après 13 ans. Comme le rappellent M. Choquet et son équipe[10], si la consommation moyenne est de deux à trois verres par mois pour les 13-14 ans, elle est supérieure à un verre par jour à partir de 19 ans, garçons et filles confondus. L'enquête sur la santé et les consommations lors de l'appel de préparation à la défense (ESCAPAD) réalisée en 2003 met ainsi en avant que les jeunes de 17 à 18 ans sont nombreux à consommer de la bière ou du vin, mais aussi des alcools forts, généralement du whisky, de la tequila ou de la vodka.

Comme par le passé, c'est en famille que le jeune enfant découvre les boissons alcoolisées à l'occasion de fêtes, de repas conviviaux ou de vacances. Il est « invité » à prendre un peu de vin ou du champagne. Le « boire » est alors offert, proposé par les parents. Parfois survient une première ivresse, l'enfant ayant achevé les fonds des verres abandonnés au salon. De telles ivresses provoquent souvent l'amusement des adultes, voire leur dérision. L'entrée dans une consommation moins épisodique se fait un peu plus tard, vers 12-14 ans, avec les amis. C'est le « vrai » verre ; celui-ci est caché aux parents. L'adolescent découvre alors la bière et les alcools forts. Il connaît ses premières véritables ivresses. Cela lui permet de s'intégrer à des groupes de pairs, de structurer son réseau social et de se donner des références identitaires. Cela lui permet aussi d'oublier les bouleversements, les violences qu'il subit dans son corps et les questionnements identitaires qui l'obsèdent.

Après 15 ans, et surtout vers 16 ou 17 ans, avec les années lycée et les nouvelles libertés qu'elles entraînent, la consommation se fait entre copains appréciant la bière et les spiritueux, le plus souvent lors du week-end, puis lors des soirées des samedis et vendredis, dans les cafés ou les discothèques. Deux jeunes sur trois déclarent que leurs parents ne veulent pas qu'ils consomment en semaine. Mais, après 19 ans, ils s'estiment « majeurs » et la plupart disent avoir alors la « permission » de consommer ce qu'ils veulent et quand ils le veulent. C'est pour certains le temps du « boire pour boire », des consommations spontanées et non réfléchies, où l'on rompt avec la consommation familiale socialement acceptée pour consommer dans l'extrême, au-delà de ses limites, à en être malade[11].

La consommation varie donc selon les lieux et le moment. Ainsi, les premières « vraies » initiations à l'alcool, en compagnie d'autres jeunes, s'avèrent généralement nocturnes, la nuit semblant légitimer les pratiques extrêmes et excessives. La nuit est souvent vécue par les jeunes comme un espace social privilégié où peuvent s'exprimer les émotions, contrairement au jour plutôt caractérisé par la nécessité d'une maîtrise de soi. La nuit permet la désinhibition, le jeu et le plaisir. Les soirées, consacrées à la fête et à la détente, sont associées à l'alcool, à l'euphorie et à l'ivresse. Ce sont des lieux et temps de séduction et de jeu où la donne sociale est changée, où les rôles sociaux et les apparences sont modifiés et les codes de « bonne conduite » oubliés. D'autant plus qu'une certaine intemporalité peut faire perdre la notion de temps. La consommation nocturne s'inscrit dans la normalité du boire, alors que celui qui prend de l'alcool pendant la journée est vu comme alcoolique et marginal, sauf s'il s'agit de consommations exceptionnelles, événementielles ou collectives.

Ces consommations sont assez souvent associées à des jeux, l'alcool étant le seul produit toxique intégrant des pratiques ludiques. Ces jeux qui ont généralement lieu lors de fêtes et de rassemblements amicaux facilitent l'entrée dans la fête, prolongent l'euphorie et constituent en quelque sorte une parade contre l'ennui. Pour un jeune, l'ennui lors d'une fête est assimilé à un échec identitaire, à une infraction à l'encontre d'un présent qui devrait être vécu dans la joie. Pour y remédier, il faut « expérimenter ». La nature des jeux porte alors sur la compétition et la mise en avant de l'exploit, du courage et de la compétence, par exemple à travers une bonne maîtrise des quantités absorbées. Ces jeux impliquent des défis et des paris. Le déroulement et les résultats des mises à l'épreuve permettent l'expression de jugements de valeur de la part des pairs, jugements qui marquent l'estime et la popularité ou manifestent au contraire la mésestime. Ces jugements associent à chacun une certaine image, une « réputation » tant à l'intérieur qu'à l'extérieur de son groupe. En l'absence de rites initiatiques, ces jeux ne sont pas sans rappeler les ordalies, les duels et les combats rencontrés au sein de certaines sociétés, même s'ils se présentent sous des formes symboliques. En ce temps de quête identitaire qu'est l'adolescence, en cette période où l'estime de soi est si fragile, ces jeux sont un moyen simple de prouver et de se prouver qui on est. C'est aussi un moyen de séduire et de passer outre l'angoisse associée aux premiers rapports sexuels[12].

Si ludiques soient-elles, les conduites peuvent déraper et s'orienter vers des pratiques beaucoup plus extrêmes, surtout lorsque l'alcool est associé à d'autres toxiques comme le cannabis ou l'ecstasy, comme cela se rencontre souvent chez ceux qui tombent dans l'abus. La consommation ludique n'est pas si éloignée de la consommation toxicomaniaque. M. Choquet et S. Ledoux[13] relèvent ainsi chez les jeunes abusant de boissons alcoolisées certaines caractéristiques familiales, scolaires et personnelles : la difficulté du maintien de bonnes relations avec les parents, le manque d'autorité parentale, l'irrégularité de la fréquentation et du travail scolaires, l'instabilité des résultats qui en découle et le manque d'adhésion aux valeurs du monde adulte. Pour ces auteurs, l'adolescent consommateur s'avère toutefois moins asocial que rebelle, manifestant surtout son désir de ne faire ni d'être comme ses parents. Son alcoolisation est alors le symptôme d'une faillite relationnelle et d'une absence de communication, qui induisent un désarroi extrême. L'alcool permet ainsi à certains jeunes d'exprimer leur mal-être associé à l'absence de statut social et au manque de responsabilité citoyenne dans un monde où les perspectives d'avenir et de réussite sont marquées par l'incertitude. La consommation de substances psychoactives leur permet alors de créer un « temps d'à côté » opérant une rupture avec la réalité. Le rapport des temporalités sociales est au cœur des structurations des pratiques alcooliques. L'adolescent cherche des effets créant une nouvelle temporalité lui permettant de s'approprier la situation, le temps d'une soirée entre copains marquée par l'importance du jeu et de la séduction et lui procurant cette expression de sentiments intimes, si difficile aujourd'hui[14].

La consommation dans un contexte festif est également abordée par Thomazeau[15]. Elle est associée au profil du « fêtard » – qui boit pour faire la fête –, l'un des quatre types de consommateurs de boissons alcoolisées, les autres étant l'« aventurier » – qui boit pour connaître de nouvelles sensations –, le « timide » – qui boit pour faire comme les autres et s'intégrer – et le « fuyard » – qui boit pour fuir la réalité et ses problèmes. De tels profils ressortaient déjà de l'analyse des motivations à consommer mises au jour dans nos travaux : recherche d'une ambiance agréable, d'un sentiment de bien-être, de sensations fortes, d'intégration sociale, de désinhibition, etc. Nous les retrouvons encore à travers les réponses obtenues lors d'une pré-enquête non encore publiée réalisée par nos étudiants en avril 2006. Le profil du « fêtard » est nettement le plus évoqué. Trois jeunes sur dix recherchent une ambiance agréable pour consommer des boissons alcoolisées, le plus souvent lors des week-ends. Six jeunes sur dix associent leur consommation à une image festive et amicale, alors qu'ils ne sont que 10 % à évoquer leur consommation familiale. Un adolescent sur trois reconnaît un effet d'entraînement au sein du groupe : on boit plus facilement si ses amis sont eux-mêmes consommateurs. Les trois autres profils concernent nettement moins de jeunes. Seuls 13 % d'entre eux peuvent être assimilés au « fuyard », recherchant délibérément l'état d'ivresse, dont 5 % pour oublier le monde quotidien, 5 % pour se sentir plus forts et 2 % d'autres pour « tenir le coup ». L'« aventurier » ne touche que 5 % d'adolescents visant à éprouver jusqu'où ils peuvent aller. Quant au « timide », aucun adolescent interrogé ne boit pour faire comme les autres ou se faire accepter par eux ; mais un jeune sur dix consomme des boissons alcoolisées pour mieux communiquer avec les autres.

Pour les adultes, comme pour les adolescents, les boissons alcoolisées ont un rôle d'intronisation aux rituels sociologiques de la fête. Elles jalonnent pour les uns les étapes de la vie sociale, religieuse et professionnelle. Elles sont associées par les autres au besoin de s'émanciper, de se retrouver entre pairs et d'expérimenter ses limites. D'une consommation qui se voudrait modérée à l'abus, il n'y a cependant qu'un pas. Et ce pas, les adolescents le franchissent aisément. Les coutumes et la convivialité font alors oublier trop souvent que non seulement l'alcool n'est pas indispensable à l'alimentation, mais que son excès lui est même très préjudiciable. La force, la gaieté ou l'esprit que semble procurer la consommation de boissons alcoolisées s'avèrent souvent factices : l'illusion ne dure qu'un instant et si, dans un premier temps, l'alcool paraît faciliter la communication, ne renvoie-t-il pas rapidement chacun à sa solitude ?

Mais dire cela à l'adolescent n'est-il pas le meilleur moyen de lui donner envie de consommer ?

NOTES

1. Beck F., Legleye S., Peretti-Watel P., *Penser les drogues : perception des produits et des politiques publiques. Enquête sur les représentations, opinions et perceptions sur les psychotropes* (*EROPP*), Niort, OFDT, 2002 ; Dolard-Roche E., « Les représentations sociales de l'alcool », *Journal de médecine légale et de droit médical*, n° 46, 3, p. 211-214, 2003 ; Craplet M., Beck F., Legley S., Jarraud D., Ben Bouali K., Franquenot B., Rossignol C. et Gilkes Dumas G. « Avec l'alcool où en sommes-nous ? », *Toxibase*, n° 16, p. 1-17, 2004.

2. Bailly D., Parquet Ph.-L., *Les Conduites d'alcoolisation chez les adolescents*, Paris, Masson, 1992 ; Fitterling J.-M., Matens P.B., Scotti J.-R., Allen J.-S., « AIDS risk behaviors and knowledge among heterosexual alcoholics and non-injecting drug users », *Addiction*, 88, p. 1257-1265, 1993.

3. Michaud P.-A., « Dépister, investiguer et traiter le mésusage d'alcool chez les adolescents », *Alcoologie et Addictologie*, n° 25, 2003 ; Perthus I., Picard V., Gerbaud L., Clément G., Laquet A., Reynaud M. et Glandier Y., « Évaluation des consommations à risque. Intérêt d'un autoquestionnaire chez l'adolescent », *Alcoologie et Addictologie*, n° 25, 2, 99-104, 2003 ; Coslin P.G., *Ces jeunes qui désertent nos écoles*, Paris, SIDES, 2006.

4. Bailly D., Parquet Ph.-L., *Les Conduites d'alcoolisation chez les adolescents, op. cit.* ; Marcelli D., Braconnier A., Adolescence et psychopathologie, Paris, Masson, 2004 ; Coslin P.G., *Ces jeunes qui désertent nos écoles, op. cit.*

5. Coslin P.G., *Les Conduites à risque à l'adolescence*, Paris, Armand Colin, 2003.

6. Bazille P., *J'ai bu parce que j'avais soif*, Paris, Anne Carrière, 1999.

7. Coslin P.G., « L'adolescent et l'alcool », in Tap P. et Malewska-Peyre H., *Marginalités et troubles de la socialisation*, Paris, PUF, 1993 ; *Les Adolescents devant les déviances*, Paris, PUF, 1999.

8. Choquet M., Ledoux S., *Adolescents : enquête nationale*, Paris, La Documentation française-INSERM, 1994.

9. Le Garrec S., *Ces ados qui en prennent. Sociologie des consommations toxiques adolescentes*, Toulouse, Presses universitaires du Mirail, 2002 ; Coslin P.G., *Les Adolescents devant les déviances*, Paris, PUF, 1996.

10. Choquet M., Weill J., « L'alcool et les jeunes. Réflexions sur les données disponibles », Paris, Institut de recherches scientifiques sur les boissons, *Focus Alcoologie*, n° 1, 2001 ; Choquet M. *et al.*, « Les substances psychoactives chez les collégiens et lycéens : consommations en 2003 et évolutions depuis dix ans », *Tendances*, n° 35, 2004, ESPAD, 2003, INSERM, 2004 ; Choquet M., Hassler C., Morin D., *Santé des 14-20 ans de la Protection judiciaire de la jeunesse (secteur public) sept ans après*, INSERM, ministère de la Justice, direction de la Protection judiciaire de la jeunesse, 2005.

11. Le Garrec S., *Ces ados qui en prennent*, *op. cit.*, Coslin P.G., *Les Adolescents devant les déviances*, *op. cit.* ; Choquet M., « Les adolescents français face à l'alcool en 2001 », *Bulletin d'information en économie de la santé*, n° 79, 2004.

12. Le Garrec S., *Ces ados qui en prennent*, *op. cit.* ; Coslin P.G., *Les Adolescents devant les déviances*, *op. cit.*

13. Choquet M., Ledoux S., *Adolescents : enquête nationale*, *op. cit.*

14. Le Garrec S., *Ces ados qui en prennent*, *op. cit.*

15. Thomazeau A.-M., *L'Alcool : un drôle d'ami*, Paris, La Martinière Jeunesse, « Hydrogène », 2002.

2.

Un comportement à causes multiples

LAURENT KARILA, SARAH COSCAS, AMINE BENYAMINA
ET MICHEL REYNAUD

L'adolescence est une période de la vie où des phénomènes pubertaires vont entraîner des modifications majeures de l'organisme et du rapport au corps. La majorité des personnes débutent et modèlent leur consommation d'alcool à l'adolescence. C'est l'un des premiers produits rencontrés par l'adolescent, l'un des plus accessibles, souvent toléré par la famille à l'occasion de moments festifs et celui qui est le plus souvent consommé. Les risques liés à sa consommation varient en fonction du stade pubertaire de l'adolescent mais aussi en fonction de son stade de développement psychologique. Les répercussions psychologiques de l'adolescence sont importantes pour comprendre le rapport entretenu avec la consommation d'alcool et/ou d'autres drogues.

La dépendance à l'alcool est un phénomène plutôt rare à l'adolescence, son mauvais usage est beaucoup plus fréquent. Celui-ci se manifeste par des consommations en grandes quantités, en fin de semaine, entre copains, avec comme but ultime la recherche d'ivresse, avec des complications essentiellement d'ordre psychologique et social.

Tout adolescent vu en consultation de médecine (générale, scolaire ou spécialisée) devrait bénéficier d'un repérage portant sur sa consommation d'alcool et d'autres drogues. Les stratégies cliniques à mettre en place sont l'identification des modalités d'usage à risque, la recherche de facteurs de vulnérabilité et de risque d'installation d'une conduite addictive, l'évaluation et le retentissement des consommations pathologiques d'alcool.

Quelles sont les modalités d'usage à risque ?

Le médecin, l'infirmier, le psychologue, devront identifier ces différentes modalités que sont l'âge de début précoce des consommations, le caractère d'« automédication », le cumul des consommations, la recherche de « défonce » et la répétition des consommations. Celles-ci sont étroitement liées au risque d'installation d'une conduite addictive et à l'apparition de complications médicales, psychiatriques et sociales.

La précocité des consommations
L'initiation des consommations d'alcool est précoce : 70 à 80 % des individus, avant l'âge de 11 ans, ont déjà goûté de la bière, du champagne ou du vin et plus de 20 % d'entre eux ont déjà expérimenté l'ivresse. Chez les adolescents, il existe une progression des consommations d'alcool et de l'ivresse avec l'âge. L'ivresse régulière (au moins dix ivresses au cours de l'année selon l'Observatoire français des drogues et des toxicomanies) est rare avant l'âge de 16 ans alors qu'à 17-18 ans la plupart des garçons et des filles consomment de l'alcool. La consommation de premix, mélange de soda riche en sucres et en arômes et d'alcool (vodka, rhum, whisky) destiné à un public jeune, est également à prendre en considération.
La précocité des consommations est donc un facteur de risque d'installation d'abus (ou d'utilisation nocive pour la santé) et/ou de dépendance.

Le caractère d'« automédication » de la consommation
Différents types de consommations peuvent être individualisés. La première catégorie, à visée sédative, « désangoissante », antidépressive, est révélatrice de troubles psychologiques sous-jacents. Un autre mode de consommation débute le matin. Supposé aider à démarrer sa journée, il traduit le plus souvent l'installation progressive de la dépendance. Enfin, on rencontre des consommations régulières, massives et continues afin de lutter contre la solitude, l'ennui, la démotivation, qui peuvent être à l'origine de troubles du comportement.

Il est important également de savoir si l'usage a lieu en groupe ou de manière solitaire, ce qui est le plus souvent un indicateur d'augmentation de la consommation.

Le cumul des consommations
Les conduites polyaddictives sont un facteur de risque majeur sur le plan pharmacologique, neurobiologique, psychologique et social. Or les consommations fréquentes d'alcool sont très souvent associées aux consommations de tabac et/ou de cannabis. Il existe un lien fort entre l'augmentation de l'ivresse alcoolique et de l'intoxication tabagique et la consommation de cannabis.

La recherche de « défonce »
Les adolescents consommant de l'alcool en quantité élevée et/ou de manière fréquente recherchent souvent des sensations fortes, une envie d'être anesthésiés. Les ivresses alcooliques, cannabiques ou plus récemment les consommations de cocaïne en sont des exemples.

La répétition des consommations
Qu'il soit insupportable de ne pas pouvoir consommer dans certains endroits ou certaines situations, que le besoin

de consommer de l'alcool seul ou associé à d'autres drogues soit irrépressible, quotidiennement et de manière importante, indique un risque important. Répéter les consommations traduit en effet l'installation de la pathologie addictive.

Comment identifier les facteurs de risque et de vulnérabilité ?

Les facteurs de vulnérabilité à l'installation d'une conduite addictive sont les facteurs de risque liés au produit, à l'individu et à son environnement.

Les facteurs de risque liés au produit

La consommation d'alcool implique un risque d'abus, voire de *dépendance* : bien que rare à l'adolescence, on retrouve un faible pourcentage de cas de dépendance. Quelle que soit la classification diagnostique utilisée (DSM-IV révisé ou CIM-10), sa sévérité est variable selon les individus. L'abus d'alcool, ou une consommation nocive pour la santé, est beaucoup plus fréquent.

Le risque de *complications somatiques, psychologiques et sociales* qui trouvent leur origine dans l'alcool est réel. Mais les complications somatiques telles que les maladies hépatiques, digestives, neurologiques (hépatites, pancréatites, neuropathies...) que l'on rencontre chez l'adulte sont plus rares à l'adolescence que les troubles du comportement, les conduites à risque, les accidents de la voie publique, les tentatives de suicide, la dépression...

Enfin, le fait que la consommation d'alcool soit *licite et bien acceptée socialement* facilite et encourage sa consommation.

Les facteurs de risque individuels

On rencontre des *facteurs neurobiologiques et génétiques.* D'abord, la consommation répétée d'alcool est à l'origine de modifications neurobiologiques qui entraînent elles-mêmes des modifications des différents systèmes neuromodulateurs (GABA, opioïde, glutamate, noradrénaline, sérotonine et dopaminergique). Ensuite, les interactions gènes-environnement participent aussi de l'expression de la vulnérabilité aux drogues. Mais si les traitements médicamenteux peuvent modifier les altérations neurobiologiques induites par les consommations pathologiques d'alcool, il est plus difficile d'agir sur les facteurs génétiques.

L'*état psychopathologique de l'adolescent* constitue indéniablement un facteur favorisant l'initiation et la pérennisation des consommations. Il peut s'agir d'un trouble dépressif, bipolaire, anxieux (phobie sociale, trouble obsessionnel, stress posttraumatique...), de troubles de l'adaptation, psychotiques. Mais aussi de troubles des conduites alimentaires (comportement boulimique chez les filles fréquemment associé à l'alcool), ou du comportement (conduites antisociales, instabilité, agressivité, intolérance à la frustration, impulsivité, troubles des conduites) et d'hyperactivité avec déficit de l'attention (surtout chez les garçons). Les éléments psychopathologiques liés à un trouble de la personnalité antisociale ou à un état limite sont aussi à prendre en compte.

Certains *traits de personnalité* peuvent également jouer un rôle dans l'installation d'une conduite addictive tels que la faible estime de soi, la timidité, l'autodépréciation, les difficultés relationnelles, les difficultés de résolution des problèmes interpersonnels, une sensibilité aux attitudes et aux comportements des adultes.

Enfin, un niveau élevé de recherche de sensations, de nouveauté, un faible évitement du danger, un faible niveau de sociabilité, doivent également être pris en considération.

Rupture sentimentale, perte d'un être cher, antécédents ou épisodes actuels de maltraitance ou d'abus sexuel, annonce ou existence de maladies graves... les *événements de vie* jouent un rôle important dans la vulnérabilité individuelle qui amène à consommer des produits de manière addictive. Les relations conflictuelles avec ou sans violence ont également un impact.

Les facteurs de risque liés à l'environnement
L'environnement, c'est-à-dire la famille, les amis, le milieu scolaire et social, peut avoir une influence sur les modalités de consommation d'alcool et d'autres drogues chez les adolescents.

La *famille* est souvent un cadre propice à l'initiation de la consommation d'alcool (vin, bière, champagne). Les adolescents reproduisent le comportement de leurs parents, étroitement lié à leur milieu social. Les catégories socioprofessionnelles favorisant les moments de convivialité semblent jouer sur la prise d'alcool (les inactifs plus que les commerçants par exemple). De plus, il existe une liaison significative entre une histoire familiale d'alcoolodépendance et la précocité des consommations pathologiques. La famille joue un rôle protecteur important, mais en cas de défaillance ou d'absence, les situations de crise familiale, présentes ou passées, sont source de grande vulnérabilité.

Le fonctionnement familial, les liens intrafamiliaux, le type d'éducation qu'ont reçue les parents, une pathologie psychiatrique familiale, jouent un rôle important dans l'installation d'une conduite addictive.

Que les *amis* soient consommateurs joue un rôle non négligeable dans l'initiation puis l'usage régulier d'une consommation d'alcool ou d'autres drogues, alors que l'abstinence de l'entourage n'en a pas. Les différentes enquêtes épidémiologiques françaises menées sous l'égide de l'OFDT le montrent clairement. La transgression des règles, la pression du groupe, la délinquance, la marginalisation, la représentation du produit qu'en a le jeune sont d'importants éléments à considérer lors de nos entretiens cliniques.

Le *milieu scolaire* présente différents facteurs de risque d'installation d'une conduite addictive et mais aussi de protection contre ce risque.

Facteurs de risque	Facteurs de protection
Absentéisme scolaire	Compétences scolaires
Retard scolaire	Niveau élevé d'intelligence
École buissonnière	Capacité à résoudre les
Chute des résultats scolaires	problèmes
Trouble des apprentissages	
Refus ou phobie scolaires	
Rupture ou exclusion scolaires	
Absence d'encadrement pédagogique	

Le *milieu social* avec la perte des repères sociaux que représentent le chômage, la précarité, la misère, l'éclatement de la cellule familiale, l'absence de valeurs morales, est facteur de risque. De plus, il existe une corrélation significative entre la marginalisation des sujets et leur usage d'alcool et/ou d'autres substances psychoactives.

Lors des premiers entretiens avec l'adolescent consommateur vu en consultation, qu'il soit venu de lui-même ou, comme la plupart du temps, qu'il ait été amené par un tiers, repérer la vulnérabilité à l'installation d'une conduite addictive que sont les modalités d'usage, les facteurs de risque liés au produit, les facteurs individuels et environnementaux est une étape clinique importante. Tout adolescent vu en consultation de médecine devrait bénéficier d'un dépistage de son usage d'alcool et/ou d'autres substances psychoactives.

Cette étape de repérage s'inscrit dans une stratégie clinique et thérapeutique globale qui comprend également l'identification du type de consommation du patient, la recherche de dommages induits par cette consommation, l'existence ou non d'autres symptômes psychiatriques. Le clinicien s'appuie sur l'utilisation de questionnaires validés dans sa démarche diagnostique afin d'évaluer la motivation de l'adolescent à changer ses comportements et de l'aider à la développer.

Actuellement, du fait du manque de temps en consultation, des carences de formation en addictologie et de leurs convictions personnelles, rares sont les acteurs sanitaires impliqués dans la prise en charge des adolescents, qui incluent cette notion de repérage systématique des consommations de substances psychoactives dans leur pratique professionnelle. C'est pourquoi, au même titre qu'une campagne de prévention en population générale, il nous semble nécessaire de sensibiliser à l'addictologie tous les professionnels s'occupant d'adolescents.

II.

Comprendre pour soigner

3.

Une dépendance peut en cacher une autre

Spécificités psychopathologiques de l'abus d'alcool à l'adolescence

HÉLÈNE LIDA-PULIK ET NICOLE VACHER-NEILL

La pathologie de l'adolescent a comme spécificité de ne pas être encore fixée. On ne peut lui apposer une étiquette précise, les symptômes sont multiples, instables et variables, sensibles aux réponses de l'entourage. On ne peut pas non plus en prédire l'évolution. Cela doit inciter le praticien à une prudence diagnostique et une vigilance particulière lors de l'accompagnement thérapeutique. Une stigmatisation hâtive avec un pronostic pourrait affecter les marges d'évolution propres au patient adolescent.

Tout d'abord, un comportement qui dévie par rapport aux exigences familiales, scolaires et sociales ne doit pas systématiquement évoquer une pathologie. Il faut savoir en apprécier les variations. C'est le temps, comme le disait Winnicott, qui fera la différence. Seule la répétition des difficultés personnelles et relationnelles peut prendre valeur de symptôme. Elles ne doivent pas être interprétées au présent, elles s'inscrivent toujours dans une histoire. Ce qui fait souffrir l'adolescent est toujours lié aux défaillances du vécu de la petite enfance. Il faut insister sur la nécessité de revenir sur le vécu infantile pour éclairer les impasses actuelles de l'adolescent. Les théories de l'attachement sont à ce titre éclairantes. Pour le dire brièvement, plus l'attachement a été fiable, plus l'adolescent

41

pourra faire face, mais plus l'attachement a été « insécure », moins il sera à même de dépasser le conflit de dépendance qui le relie à l'enfance pour inventer une nouvelle distance à l'égard de ses parents.

C'est donc la répétition de certains agirs qui prend valeur pathologique : « C'est quand le comportement se rigidifie, s'inscrit dans la répétition que l'on rentre dans le pathologique. Le pathologique c'est cette perte d'un minimum de liberté de choix et cette contrainte à agir par des voies répétitives dont l'intéressé soupçonne à quel point ça l'invalide même s'il dit le contraire », nous dit Philippe Jeammet. Quoi qu'il en soit : qu'il s'isole, qu'il se mette en retrait, ou qu'il fuie les émotions par une quête débordée de sensations, l'excès du comportement de l'adolescent vient combler le vide dû à l'absence de relations satisfaisantes avec les autres. De toute façon on retrouve derrière ces comportements une mauvaise image, un manque d'estime de soi et un fond dépressif.

L'hospitalisation des adolescents étudiants et/ou lycéens au sein des services soins-études de la clinique Georges-Heuyer[1] constitue un temps de soins et de réflexion clinique particulièrement fécond pour l'approche des conduites addictives. Les deux cas que nous avons choisis vont nous permettre d'illustrer cette problématique de l'alcoolisation à l'adolescence et l'intérêt tout particulier que peut apporter une réponse institutionnelle face à cette conduite qui recouvre une dépendance pathologique.

Myriam

Myriam nous est adressée pour une hospitalisation avec un diagnostic d'état limite qui se confirmera. Elle va ostensiblement mal depuis deux ans, avec beaucoup de passages à l'acte : fugues avec errances, tentatives de suicide, scarifications, alcoolisations compulsives, absentéisme scolaire de plus en plus marqué chez une jeune fille brillante et qui possède des talents artistiques. Elle présente également des troubles du sommeil importants et des troubles du comportement alimentaire. Myriam s'est créé un double imaginaire et protecteur, Nadia, avec laquelle elle converse et qui lui permet d'accomplir des voyages lointains et fantastiques au travers de rêveries éveillées. Le contexte familial est difficile et conflictuel. Son histoire est marquée par des séparations et des abandons répétés. Son père étant parti lors de la grossesse de sa mère, elle ne le connaît pas. Elle a eu un premier beau-père avec qui elle a vécu de 3 à 7 ans et qui l'a adoptée. De cette union est née une demi-sœur. Mais, après avoir divorcé de sa mère, ce beau-père a renié Myriam et elle ne l'a plus jamais vu. Lorsque Myriam a 10 ans, sa mère noue une nouvelle union. Ce second beau-père investit fortement Myriam, qui est une petite fille séduisante, intelligente et douée sur le plan scolaire. Initialement forte et de tonalité incestueuse, leur relation prend une tournure passionnelle et conflictuelle à la naissance d'une nouvelle demi-sœur lorsque Myriam a 14 ans, comme si elle se sentait trahie par son beau-père. Avec l'apparition des premiers symptômes de Myriam, ce lien se dégrade encore, le beau-père ne supportant notamment pas l'absentéisme scolaire. Sa mère et son beau-père se séparent lorsqu'elle a 16 ans.

Sa mère est une femme très fragile, déprimée, qui vient nous voir surtout pour parler d'elle-même, ce que nous tenterons de freiner. Elle aurait été victime d'inceste, ce qu'elle va révéler au cours de l'hospitalisation de Myriam. D'origine étrangère, elle a été mariée très jeune à un cousin qu'elle n'aimait pas et a choisi de s'enfuir du domicile conjugal. Menacée alors par ses frères, elle a fui sa famille pour construire sa vie à leur insu.

Elle a déjà fait plusieurs dépressions sévères ayant nécessité des hospitalisations, notamment dans l'enfance de Myriam, et a tenté de se suicider à plusieurs reprises.

L'enfance de Myriam est donc scandée par des séparations. Sa mère nous apprendra qu'elle était une petite fille sage, appliquée à toujours se conformer à ce que l'autre attendait d'elle. Cependant de nombreuses manifestations d'angoisse de séparation avec une scolarisation difficile et des troubles du sommeil intenses ont marqué sa petite enfance. Elles étaient très proches, sa mère lui confiait ses souffrances d'adulte et Myriam nous dira qu'elle ne lui cachait rien. Mais, depuis la séparation d'avec le second beau-père, Myriam dit que sa mère, écrasée de tristesse, est devenue distante et relativement indifférente à sa fille. Pour l'heure et auprès de nous, la mère et la fille rivalisent de mal-être. Lors du travail de pré-admission nous constatons que, même si Myriam semble adhérer au projet d'hospitalisation, elle reste ambivalente et très inquiète à l'idée d'être éloignée de sa famille. Elle a peur de revivre une nouvelle séparation et de perdre sa place à la maison.

Au début de l'hospitalisation, Myriam se présente comme une enfant un peu sauvage, presque mutique, avec une opposition massive à la relation et aux soins. Elle s'enferme dans sa chambre, ne supporte pas qu'on l'approche, sèche les cours. Quand elle se montre, elle a toujours de longs cheveux devant le visage. Lors des entretiens, elle se recroqueville en position fœtale dans son fauteuil. Les premiers temps d'hospitalisation nous mettent à l'épreuve : nous avons le sentiment d'avoir à l'apprivoiser et nos tentatives d'approche se soldent par des tentatives de suicide ou de scarifications. Des mouvements de transgression et de violence surviennent, notamment à l'occasion du départ d'un patient ami de Myriam et également de l'absence d'un de ses infirmiers référents. Les alcoolisations se répètent, ce qu'elle banalise largement. Elle décrit une consommation irrégulière et compulsive se produisant le plus souvent lorsqu'elle est seule chez son beau-père certains week-ends. En proie à de puissantes montées d'angoisse, elle boit du vin en grande quantité jusqu'à se trouver dans un état de torpeur bienfaisante, de béatitude, état dans lequel elle est alors débarrassée de toute pensée, totalement apaisée. L'ensemble de ces comportements nous paraît recouvrir une dépression et des angoisses de séparation massives, indicibles, impossibles à vivre ou à élaborer et des défaillances narcissiques profondes. Outre des séparations multiples, cette enfant a vécu une situation de carence affective précoce auprès d'une mère abandonnée de tous, abîmée dans une souffrance dépressive et dont on peut imaginer l'absence de disponibilité psychique, l'absence de capacité d'attention et d'accordage affectif à son enfant.

Les rencontres avec la famille nous permettront de constater qu'il se reproduit dans l'institution les mêmes modes de relation qu'au sein de la famille. Nous aurons des difficultés à nous démarquer des images parentales auxquelles Myriam nous identifie. Le lien avec son beau-père se reproduit dans la tentative de séduction qu'elle exerce sur un infirmier ; elle est en conflit avec son psychiatre traitant qui est une femme, elle s'isole du groupe de patients comme de sa fratrie, ou bien noue des relations exclusives, explosives avec d'autres patients, notamment avec des jeunes filles, ce qui réfère à ses demi-sœurs. Tandis que se confirme un lien de type narcissique à sa mère, Myriam nous englobe dans ce lien, refuse de continuer à voir son thérapeute extérieur et semble se cloîtrer dans l'institution. Face à l'intensification de ses comportements autodestructeurs, nous hésitons entre deux attitudes. Ou bien proposer un cadre de soins plus coercitif, au risque de reproduire l'attitude d'emprise maternelle et de mettre en place un bras de fer avec Myriam ; en effet nous ne disposons pas avec cette jeune fille d'une marge de jeu relationnel suffisante ou d'un espace intersubjectif de nature transitionnelle qui nous permettrait de nous rapprocher d'elle de cette manière sans risque. Ou bien desserrer au contraire la prise en charge et restreindre l'éloignement d'avec sa famille pour travailler davantage les angoisses de séparation. C'est ce vers quoi nous nous orienterons, car la proximité croissante avec nous n'est manifestement pas supportable pour elle. Nous décidons d'une prise en charge plus à distance avec une ouverture du cadre de soins : c'est-à-dire une hospitalisation à temps partiel et des consultations thérapeutiques à l'extérieur de l'institution pour renforcer la fonction tierce que nous maintenons difficilement au sein de l'établissement. Dans le même temps, nous nous opposerons fermement à la demande de thérapie mère-fille que formule sa mère.

Cette seconde phase d'hospitalisation est caractérisée par une amélioration. Myriam va mieux, au sens où elle vit sa dépression et l'agit mais de manière moins auto-agressive et donc moins dangereuse. En effet, si elle n'exprime que peu d'affects dépressifs, elle se montre déprimée, démotivée, inactive, trônant au milieu du salon pendant de longues heures devant la télé, elle qui se cachait constamment auparavant. Progressivement, elle entre en relation différemment avec nous et se fait une place. Elle s'aménage un espace personnel au sein de la clinique. Les symptômes s'estompent en partie, notamment les alcoolisations. Pendant toute cette période, notre travail sera de tolérer cette situation, de ne pas être intrusifs, de maintenir les parents à distance de cet espace qui lui est consacré. Myriam fait alors un travail de verbalisation plus efficace et des médiations relationnelles s'aménagent avec elle. Nous évitons soigneusement d'agir alors que nous serions tentés de le faire par moments, rejoignant alors le désir des parents.

La poursuite de l'amélioration de l'état de santé de Myriam autorisera sa sortie du service quelques mois plus tard, pour être suivie l'année scolaire suivante en hospitalisation de jour. Elle reprendra alors une fréquentation scolaire et bénéficiera d'un hébergement en colocation avec l'une de ses amies, ce qui ne signifie pas la fin de ses difficultés mais une éclaircie symptomatique constructive.

Myriam présente un trouble sévère de la personnalité, une pathologie « limite ». De tels troubles, en efflorescence actuelle, constituent l'illustration la plus fréquente des obstacles graves à un travail de séparation et d'autonomisation au moment de l'adolescence (si l'on excepte les pathologies psychotiques). Au cœur de ces problématiques, les défaillances narcissiques et la question de la dépendance qui s'y rattache sont sévères. Il existe une intolérance à la séparation et à la dépression. Chez ces adolescents, l'impossibilité d'élaboration des affects dépressifs et la mauvaise structuration du conflit œdipien entravent le dépassement des angoisses de séparation et du conflit de dépendance. Le tiers séparateur entre l'enfant et la mère a manqué. Ils sont alors confrontés au vide, à des angoisses de néantisation. Ils éprouvent la nécessité de recourir aux éléments du monde extérieur, d'agir sur ces éléments, mais aussi de s'y étayer constamment pour combler les lacunes de leur fonctionnement imaginaire interne[2]. La relation avec l'objet est instable et menaçante. L'objet est vécu soit comme trop intrusif, soit comme abandonnant[3]. Les processus dits défensifs mis en place sont au service d'un contre-investissement de la réalité psychique interne vécue comme intolérable : mécanismes de déni, de clivage, parfois de projection et surtout externalisation et passages à l'acte. Les conflits sont escamotés plutôt que refoulés, avec un recours aux stimuli externes et aux sensations, au détriment des représentations et d'une activité de pensée[4].

Dans le cas de Myriam, on voit comment la consommation d'alcool n'est qu'un symptôme parmi d'autres, l'une des conduites agies pathologiques et autodestructrices. Ces conduites addictives, tout comme les tentatives de suicide répétées, les troubles du comportement alimentaire et les scarifications, s'articulent, nous l'avons dit, à la problématique de dépendance. Ce destin pathologique de la dépendance trouve en partie ses sources dans la prime enfance de Myriam. La carence affective précoce est liée à l'absence de disponibilité d'une mère non pas absente mais présente et déprimée, dont on peut imaginer qu'elle n'a pas été à même de répondre de manière adaptée aux besoins exprimés par l'enfant. Cela compromet souvent la mise en place d'assises narcissiques solides et crée une situation d'insécurité interne qui perdurera.

L'enfant, puis l'adolescent, cherchera alors un étayage constant sur le monde externe, de même qu'il aura recours à la recherche de sensations, d'une part pour contre-investir un monde interne angoissant, d'autre part pour trouver un substitut au lien de dépendance à la mère : « Aux objets humains, il tendra à substituer des objets fétichisés de remplacement[5] », écrit Maurice Corcos. Tel est le rôle tenu par l'alcool pour Myriam lorsqu'elle boit seule et dans l'attente de la venue de son beau-père.

David

Les parents de David sont venus en France pour trouver une situation plus satisfaisante que dans leur pays d'origine. Cette émigration réussira davantage à sa mère, chargée de recherche dans un consortium pharmaceutique, qu'à son père qui ne retrouvera jamais la même situation et devra se contenter d'un poste sous-qualifié avant de décéder brutalement.

Le couple va mal, les conflits sont fréquents en particulier à cause de l'alcoolisme du père. En dépit d'aides thérapeutiques, le divorce est prononcé et la séparation se fera dans des conditions plutôt houleuses.

David est le plus jeune de sa fratrie. Âgé de 14 ans au moment du divorce, il est confié à la garde de sa mère. Il ne dort qu'une heure par nuit, s'alimente d'une façon parfaitement anarchique et désinvestit une scolarité où il montre, par ailleurs, de grandes facilités. Le conflit avec sa mère dégénère en violences. Il est hospitalisé, une première fois pour des troubles du comportement : le diagnostic qui est alors posé est celui d'un état dépressif masqué par des défenses obsessionnelles. Lors de sa sortie de l'hôpital, on conseille une séparation en internat. Celle-ci ne peut être mise en œuvre, mais, malgré cela, sa scolarité se poursuit sans problème et il est reçu au baccalauréat. Après la mort de son père, il s'inscrit en fac de lettres et s'avère dans l'incapacité de poursuivre ce cursus. Il reste alors reclus dans sa chambre dans un isolement progressif, mais voyage toutes les nuits grâce à la fréquentation exclusive et nocturne de Jules Verne qu'il dévore. Il passe ses journées écrasé de fatigue, dans une incurie renforcée par une alcoolisation massive et régulière. Inquiète de ces alcoolisations répétées du fait des antécédents paternels, sa mère se mobilise. David commence par refuser les soins avant d'admettre qu'il est « en panne » et d'accepter une hospitalisation soins-études. Il semble alors investir la perspective d'un accompagnement surtout pédagogique.

On sait peu de chose de son histoire. Il est difficile de comprendre les raisons qui ont poussé le couple parental à émigrer. C'est la mère qui, sans regard pour l'interlocuteur, débite d'une voix monotone, aux effets hypnotiques et sans affect, quelques bribes de la saga familiale dominée par la déchéance de son époux. Leur parallélisme est troublant : elle ne voit rien, soliloque de son côté ; du sien, il supporte mal cette évocation et, tendu, semble retenir sa colère et sa honte.

Il est difficile d'aborder plus précisément l'histoire de David. On sait qu'il est né en France. Rien n'est dit de la toute première enfance ; c'est avec la première socialisation scolaire que l'agressivité dont il aurait fait preuve aurait dévoilé le dénuement absolu d'une position parentale incapable de lui poser des limites. C'est à l'école primaire qu'il est signalé comme donnant l'impression d'« être ailleurs », il est plutôt solitaire, mais c'est davantage en famille qu'il pose problème. On sait qu'à cette époque, en écho à l'abattement paternel, la mère redoublait son investissement professionnel pour assurer la survie matérielle, ce qui la rendait d'autant moins disponible à ses enfants. Cette distance fut, en particulier pour David, ressentie comme un abandon. Il commence à s'isoler dans sa chambre, supporte mal la frustration et se montre particulièrement agressif avec sa mère.

S'ensuit une longue cohorte de thérapies, régulièrement interrompues, que sa mère décline avec une froideur toute clinique. Ce sont paradoxalement les rapports d'observations et d'hospitalisations antérieures qui nous permettent d'imaginer l'ampleur du conflit conjugal et laissent entrevoir qu'à cette violence, dès l'enfance, David réagissait en « s'absentant de l'intérieur », ce qu'il fera plus tard en restant enfermé dans sa chambre. Le psychiatre qui nous l'adresse décrit l'incurie, l'alcoolisation et l'isolement des mois précédant l'hospitalisation. La lecture à haute voix de sa lettre semblant faire intrusion dans leur intimité, David et sa mère s'autorisent quelques regards à la dérobée, affichent face à l'interlocuteur le même mutisme gêné. Depuis le décès du père, leurs liens semblent

réduits à ce qui apparaît comme une solitude à deux inter-
rompue par les virées ponctuelles de David certains soirs.

À son arrivée dans le service, David reproduit dans le cadre
hospitalier un comportement quasi identique. Il s'isole dans
sa chambre, est incapable de se concentrer, essaye de travailler
et dérive vers d'autres lectures sans fin. Il inverse de la même
façon son rythme veille-sommeil, émerge dans l'après-midi et
se moule dans l'espace hospitalier, évitant toutes les médiations proposées, sort parfois avec d'autres patients et revient
parfois ivre s'écrouler dans sa chambre complètement en
désordre. Son hygiène est affligeante.

Très vite, la même inhibition se répète, David interrompt
ses études, déserte la fac. Il renonce à des études qui l'entraînent vers des dérives intellectuelles sans fin. Il se veut prag-
matique et choisit une formation professionnelle adaptée à
une intégration sociale plus rapide.

Lors des entretiens, David s'exprime peu ou douloureu-
sement, il est attentif à ce que nous pouvons lui dire ou lui
proposer. Il émerge de son aboulie, dès qu'il retrouve un peu
d'énergie il s'alcoolise de nouveau hors de la clinique. Après
avoir « récupéré », il se met à travailler pour lui-même : sa
curiosité pour les langues semble insatiable alors que paradoxalement il parle peu. Il se culpabilise avec violence de
ces répétitions et semble ne pouvoir se déprendre de cette
passivité qui le martyrise. Finalement, dans les propos de
David prédominent des idées hypocondriaques obsédantes
dont il dit ne sortir que pour des immersions éthyliques
venant obscurcir sa conscience et lui permettre d'échapper
à ses obsessions qui le parasitent en permanence. Il accepte
un traitement antidépresseur. Les idées obsédantes semblent
céder progressivement le pas.

Dans un premier temps, nous avons décidé de respecter
cette aboulie car il semblait bénéficier de cet espace de soins

où il recomposait quelques liens avec d'autres patients et expérimentait une nouvelle distance d'avec sa mère. Depuis l'hospitalisation, en dépit des propos plutôt mélancoliques de David, sa mère trouve qu'il va bien mieux, du moins se sent-elle rassurée. Mère et fils s'accordent pour souligner l'amélioration de leurs relations où un nouveau dialogue semble s'instaurer. L'addiction alcoolique est toujours primordiale.

Dans un deuxième temps, devant la répétition de sa dérive solipsiste et alcoolisée, notre accompagnement thérapeutique se fait plus ferme. Nous sommes amenés à limiter les plongées nocturnes où alternativement il s'alcoolise puis s'enfonce dans une boulimie intellectuelle dont la finalité n'a d'autre sens, selon ses dires, que de réparer ce qu'il considère comme ses longues plages d'oisiveté. Après une exclusion temporaire, nous proposons à David de se donner les moyens d'une double prise en charge thérapeutique où serait parallèlement prise en compte la perspective d'un sevrage.

Manifestement, cette symptomatologie alcoolique, avant tout, constitue le curseur à partir duquel se mobilise l'inquiétude de sa mère. Cette répétition, elle l'interprète comme l'illustration d'une duplication génétique qui résonne comme l'inéluctable d'un destin. Dès lors, quelle marge a David, ligoté dans une identification mélancolique à un père dont il semble reproduire point par point les postures ? David avait-il d'autre alternative que de dupliquer dans un redoublement identificatoire la dépendance alcoolique qui le rapprochait de son père et qui seule savait susciter la sollicitude ambivalente de sa mère ?

À reprendre l'histoire de David, ce qui frappe en premier lieu c'est l'importance du conflit conjugal qui semble très vite l'avoir confiné à un rôle de figurant à la fois parfaitement marginalisé et paradoxalement central dans l'enjeu en question. Comment ne pas interpréter ses troubles du comportement, pour lesquels il faut remarquer qu'il n'y eut aucune latence, comme autant de tentatives pour exister, faire reconnaître sa position de sujet au-delà d'une situation qui l'instrumentalisait comme otage d'un conflit qui le dépassait radicalement... à la différence de ses aînés ayant déjà, eux, quitté la cellule familiale.

À aucun moment, dans un tel contexte, il semble que la dimension dépressive sous-jacente à son comportement n'ait pu être entendue, tant l'affect dépressif semble avoir été déterritorialisé, pourrait-on dire, au profit des débordements d'une violence autre. Comment comprendre une telle surdité, si ce n'est en considérant à quel point l'angoisse d'abandon du fils devait venir faire écho au deuil de leur pays d'origine, non élaboré par ses parents et plus particulièrement par son père ?

Les facilités intellectuelles de David, reconnues rapidement comme hors du commun, lui ont manifestement servi d'étayage narcissique suffisant pour colmater les failles de cet environnement déstabilisant. Pour autant, elles ne furent pas suffisantes pour créer les conditions d'une assise relationnelle sécurisante. Comment pouvait-il gérer les conditions d'un attachement si ce n'est en déplaçant une dépendance par une autre ?

Si l'alcoolisme de David se repère à son adolescence, il semble s'inscrire dans la continuité de celui de son père. Il y a dans la description de l'incurie du père comme du fils de bien singulières similitudes qui peuvent induire un sentiment d'inquiétante étrangeté, comme s'il n'existait pas de solution de continuité entre l'une et l'autre. Du moins sont-elles également parlées par sa mère.

Il est patent de repérer à quel point les premières relations de David au monde extérieur furent marquées d'une inadéquation « créant un écart qui lui a fait sentir trop tôt, trop massivemênt et trop brutalement son impuissance devant un monde qu'il ne comprenait pas[6] », comme le souligne Philippe Jeammet. « Dans les cas de carence relationnelle précoce, ajoute-t-il, l'enfant développe une activité en quête de sensations. À la place de la mère, il recherche des sensations physiques douloureuses qui ont toujours une dimension auto-destructrice. » David n'est pas en lien, il est en parallèle.

Paradoxalement, ce ne serait que lorsqu'il est hors de lui qu'il retrouverait une réponse maternelle : depuis la sépa-ration, faute de triangulation par la présence du père, il se trouve confronté à cette relation duelle. Ses ivresses aiguës semblent, seules, pouvoir le faire échapper à la relation d'em-prise qui le lie à sa mère en la remplaçant par une autre moins énigmatique, immédiatement définissable et, à ce titre, sans doute ponctuellement, moins angoissante. Le prix à payer pour cette réassurance étant celui de la répétition. Sa mère, prête à payer le prix fort de sa dépendance, ne lui demande nullement de se projeter dans une autonomie future. Qu'il le fasse, bien qu'aucune limite n'ait été posée, représente une exigence qu'il s'inflige au nom d'une idéalité de lui-même à l'égard de laquelle, toutefois, son ambivalence le fait se dérober en permanence.

En acceptant l'hospitalisation soins-études, David a pu cependant exprimer une certaine lassitude au regard de cette insistance répétitive. Pour autant, il reste encore actuellement englué dans un présent qui varie au gré de ses « pulsions » où alcool et appétence intellectuelle alternent indifféremment.

Actuellement, il s'agit pour nous précisément de différen-cier les incidences de ces pulsions et de clarifier les enjeux transgénérationnels au regard de cette inquiétante analogie de symptômes.

Ces deux observations nous permettent de proposer les réflexions suivantes.

Elles illustrent la diversité de présentation des conduites d'alcoolisation à l'adolescence de nature compulsive (Myriam) ou régulières et pérennes (David). De même, les différences tangibles de configurations symptomatiques dans lesquelles elles s'intègrent nous montrent que les pathologies qui les sous-tendent peuvent être variables.

Cependant, comme nous avons essayé de le montrer, ces conduites addictives présentent des caractéristiques psycho-pathologiques communes qui prennent leur source dans les aménagements relationnels précoces de l'enfant à son environnement. David et Myriam figurent tous deux des « destins pathologiques de la dépendance » qui vont consti-tuer des impasses évolutives plus ou moins durables dans le cours du processus d'adolescence. Tous deux ont recours à des aménagements pathologiques de leurs comportements et à des solutions addictives qui sont à hauteur de leur attache-ment indéfectible et insoluble à l'objet maternel.

Ainsi Joyce McDougall nous convie à réfléchir à la genèse de ces solutions addictives[7]. Elle relie l'addiction aux premiers temps de la relation mère-enfant, retrouvant en cela la théorie winnicottienne, « surtout si le bébé est censé colmater les manques du propre monde interne de la mère. Il en découle que, compte tenu des angoisses, des peurs et des désirs que la mère ressent et qu'elle transmet à son bébé, elle risque de provoquer ce qu'on peut conceptualiser comme une rela-tion addictive à sa présence et aux soins qu'elle lui prodigue. Autrement dit, c'est la mère qui est dans un état de dépen-dance vis-à-vis de son bébé ».

Dans ces deux cas cliniques, nous retrouvons du côté maternel une grande difficulté à instaurer un espace transitionnel satis-faisant ; prises également dans une problématique personnelle difficile, elles-mêmes en instance d'abandon par leur partenaire (père franchement abandonnique dans un cas, parfaitement défaillant dans l'autre, femmes abandonnées et mères frigides), ces mères n'ont pu apporter une attention suffisante à leurs enfants. Dans la relation à leur mère, Myriam et David « n'ont eu d'autre alternative qu'à se conformer aux attentes que leurs mères projetaient sur eux ». Enfants abandonnés secondairement par des pères incapables d'apporter une triangulation satisfaisante, ils ont été livrés radicalement à l'aléatoire maternel et ont dû se tourner vers l'extérieur pour échapper à cette emprise. Or, comme le dit encore Joyce McDougall, « les objets addictifs ne résolvent que momentanément la tension affective, car ce sont des solutions somatiques et non psychologiques, censées remplacer la fonction maternelle manquante. Lorsque manquent les représentations parentales sécurisantes auxquelles l'enfant devrait s'identifier afin de pouvoir s'autoassurer dans des moments de débordement affectif, plus tard, comme quand il était petit, il recherchera fatalement dans le monde externe une solution au manque d'introjection d'un environnement maternant : il aura recours à la drogue, la nourriture, l'alcool, le tabac, les médicaments… pour pallier les états de tension douloureuse ».

Les soins institutionnels, tels que nous les avons décrits, paraissent adaptés dans bon nombre de ces situations lorsqu'ils permettent de travailler pendant une durée suffisante.

En premier lieu, l'institution permet de mettre en place un cadre de soins qui vient contenir les mouvements pulsionnels de l'adolescent et pose des limites à ses comportements. Nous l'avons souligné : sans objet, l'appétence de l'enfant devenu adolescent, sa pulsionnalité ne sont que violence en quête d'apaisement et de limites à éprouver. L'institution joue là un rôle palliatif d'une fonction tierce défaillante ou manquante pour ces jeunes.

Les adolescents comme Myriam ou David vont ainsi pouvoir prendre appui au quotidien sur cet environnement étayant, y compris par ce qu'il a de concret.

Au sein de ce cadre qui ménage une distance nouvelle avec les parents vont pouvoir prendre place des expériences relationnelles inédites et des émotions nouvelles. « La violence et la répétition seront progressivement remplacées par une satisfaction de l'échange et une intériorisation possible des affects jusqu'alors interdite parce que systématiquement déniée et projetée comme objet externe menaçant le moi », écrit Philippe Jeammet.

Mais il faudra bien entendu prendre garde à l'écueil qui consisterait à reproduire une relation de dépendance qui viendrait combler l'adolescent, en s'identifiant sans aucune distance aux figures parentales. On aurait alors substitué une dépendance à une autre (de la même façon que l'adolescent a construit ses symptômes), ce qui non seulement ne résout rien mais pourrait s'avérer dangereux. Ainsi, chez Myriam, tout rapprochement avec elle est susceptible de susciter un nouveau passage à l'acte.

Le dispositif institutionnel nous permet donc d'aborder dans un second temps les soubassements psychopathologiques du symptôme, de le décrypter en somme pour mieux orienter notre travail vers les enjeux essentiels. Dans la situation de Myriam, les menaces d'abandon et le lien narcissique à la mère sont sur le devant de la scène. Chez David, l'aliénation par des projections maternelles inconscientes mortifères le confond à l'image paternelle et fige son destin. Dans les deux cas, les enjeux transgénérationnels sont omniprésents et doivent être explorés.

Il apparaît clairement ici qu'une prise en charge globale du sujet est nécessaire, mais qu'elle ne saurait s'en tenir au symptôme apparent de l'alcoolisation. Elle autorise au contraire un processus de réflexion et de subjectivation qui conditionne le devenir de ces patients. Pour autant, le symptôme doit être pris en compte et l'on n'hésitera pas, au besoin, à instituer un suivi comportemental parallèle et extérieur à l'institution dans les situations de consommation intense qui pourraient compromettre l'approche infrasymptomatique.

NOTES

1. Fondation Santé des étudiants de France.

2. Bergeret J., « Les états limites », *Revue française de psychanalyse*, 34, n° 4, 1970, p. 601-633.

3. Botbol M. *et al.*, « Une psychothérapie par l'environnement. Soigner les états limites au quotidien », *Enfances et psy*, septembre 2000, p. 96-104.

4. Cahn R., « Thérapies des actes/actes de thérapie », *Adolescence*, n° 5,2, 1987, p. 237-252.

5. Corcos M., « Conduites de dépendance à l'adolescence. La circulaire ou les métamorphoses secrètes de l'absence », *Revue française de psychanalyse*, n° 2, 2004, p. 469-493.

6. Jeammet Ph., dans son article « Les liens, fondement du sujet, de la contrainte au plaisir », in *Adolescence. Le récit et le lien*, t. 20, n° 2, 2002.

7. McDougall J., *Éros aux mille et un visages*, Paris, Gallimard, « Connaissance de l'inconscient », 1996, chapitre 11 « Néobesoins et solutions addictives ».

4.

La dépendance, un déni de perte

La dépression masquée

FRANÇOIS MARTY

La consommation abusive d'alcool chez les adolescents pose le problème de leur fonctionnement psychique et celui des aménagements qu'ils trouvent ou tentent de trouver pour faire face à certaines difficultés de leur vie. C'est du moins sous cet angle que nous tenterons ici d'examiner ce qui paraît être au cœur de la problématique de ces jeunes consommateurs abusifs d'alcool : nous poserons l'hypothèse que la dépendance qu'ils développent vis-à-vis du produit traduit leur tentative pour éviter de rencontrer et d'affronter la dépression qui est en eux. En buvant, ils luttent sans le savoir contre la peur de s'effondrer et cherchent à mettre de côté ce qui pourrait les menacer. Mais ce qui les menace est à l'intérieur d'eux, ce qui les oblige à mettre en place des stratégies qui les rendent encore plus dépendants. D'où vient cette dépression qu'ils dénient ou cherchent à fuir et en quoi la dépendance aurait-elle un rapport avec la dépression ? C'est ce que nous nous proposons d'examiner dans ce texte.

Le problème de la dépression

La dépression est une manifestation affective réaction-nelle à la perte d'objet ou à la perte d'amour de la part de

59

l'objet, qui se traduit par un affect de tristesse, une inhibition psychomotrice, un ralentissement de l'action, des idées suicidaires, une autodévalorisation, une baisse de l'estime de soi, un sentiment de fatigue, souvent accompagné de troubles du sommeil ; une douleur morale enfin, parfois intense, qui semble accabler le sujet. Tous ces signes ne sont pas nécessairement présents dans le tableau de la dépression. Elle peut être considérée comme l'expression d'une souffrance traduisant une difficulté majeure à faire le deuil d'un objet, mais elle peut être aussi envisagée comme une tentative d'élaboration psychique de l'angoisse liée à cette perte de l'objet. On distinguera la dépression mélancolique (versant psychotique) où domine une très forte douleur morale, la culpabilité, la persécution – l'auto-accusation pouvant aller jusqu'au délire –, de la dépression névrotique (versant décompensation névrotique) dans laquelle le sentiment de culpabilité est plus discret, la douleur morale moins intense. Dans le premier tableau il s'agit d'un effondrement des défenses laissant apparaître le risque d'une évolution vers la psychose bipolaire, la phase mélancoliforme de cette affection étant alors souvent gravissime avec un fort risque de passage à l'acte suicidaire. La dépression névrotique, quant à elle, se manifeste à l'occasion d'événements de vie traumatisants relevant tous de près ou de loin de l'expérience de la perte d'objet. La fragilité narcissique de ces personnalités favorise la décompensation névrotique. Dans les deux situations, le sujet ne parvient pas à élaborer cette expérience du deuil de l'objet, le moi du sujet prenant en quelque sorte la place de l'objet perdu dans le cas de la mélancolie, tandis que le travail de deuil momentanément ou plus durablement entravé conduit le sujet névrosé à mettre en place des conduites et des stratégies antidépressives variées.

Si Freud[1] a davantage travaillé la question de la mélancolie comme pathologie du deuil que celle de la dépression

60

névrotique à proprement parler, il a pourtant perçu le travail qu'effectue l'enfant pour réagir face à l'absence de l'objet maternel en la symbolisant par le jeu (de la bobine). Il a mis en évidence la façon dont l'enfant en jouant s'approprie une expérience pour ne pas la subir et a montré ainsi comment l'enfant échappe à la détresse de la disparition de l'objet primaire en cherchant à maîtriser l'angoisse liée à cette perte d'objet par la représentation. On peut considérer que Freud s'est intéressé à l'affect dépressif, avec sa théorisation de la mélancolie, comme pathologie du deuil, façon fondamentale de poser la première pierre d'un édifice dont la construction se poursuivra après lui. Dans la mélancolie, « l'ombre de l'objet tombe sur le moi[2] », pour reprendre sa célèbre formule, indiquant clairement le repli narcissique où l'objet perdu est devenu le moi du sujet. Cette régression narcissique masque l'agressivité initialement dirigée vers l'objet et secondairement retournée contre le moi du sujet. L'édifice, ce sont Melanie Klein et Donald W. Winnicott qui vont, parmi les tout premiers, en poursuivre la construction en éclairant les modalités dépressives du lien à l'objet comme expression affective normale éprouvée par l'enfant lorsqu'il est confronté à l'absence de l'objet primaire et surtout à sa propre agressivité destructrice dirigée vers cet objet, entraînant une culpabilité, source de dépressivité. La position dépressive kleinienne et winnicottienne suppose au préalable une attaque de l'objet, une projection de cette agressivité du sujet sur l'objet et une culpabilité liée à cette destructivité provoquée par un surmoi précoce. La réparation de l'objet détruit ou endommagé fait suite à ces mouvements psychiques du jeune enfant. Il conviendra donc de distinguer nettement la position dépressive comme moment dépressif normal, s'inscrivant dans un processus de maturation psychique, de la maladie dépressive qui, elle, caractérise un état dans lequel le sujet ne trouve pas d'apaisement à sa détresse, consécutivement à l'abandon ou à la perte d'un objet libidinalement très investi par le sujet. Il ne trouve pas de solution réparatrice envers l'objet, ni de restauration narcissique pour lui-même. On mesure combien l'appréciation du problème dépressif dépend de la qualité des étayages narcissiques, de celle de l'intériorisation des objets, de la solidité des défenses du moi, de la façon dont l'expérience de séparation d'avec l'objet primaire aura été vécue par l'enfant.

On devine sans peine l'impact que ces expériences précoces auront le moment venu, lorsque l'adolescent aura à revivre ces éprouvés de perte, lorsqu'il devra résister à la violence interne de ses propres mouvements pubertaires. Cet impact des expériences précoces entrera en résonance avec celui, traumatique, de la puberté et des effets potentiellement désorganisateurs qu'elle peut avoir sur la vie psychique. Peut-on penser que la consommation de produits (alcool ou cannabis) vienne jouer le rôle d'amortisseur dans ce vécu traumatique, qu'elle serait un évitement de l'élaboration ou un mode de traitement particulier de réélaboration de la position dépressive qui se rejouerait à l'adolescence[3] ?

Blessure narcissique et perte objectale favorisent la survenue d'un affect dépressif à l'adolescence. L'élaboration psychique permet habituellement de faire le deuil des objets infantiles et d'intégrer la nouveauté pubertaire. L'affect dépressif peut donc être considéré comme faisant partie de toute expérience adolescente. La dépression clinique n'apparaît que lorsque le travail d'élaboration psychique est en échec et que le caractère traumatique du pubertaire déborde par effraction le pare-excitations et les capacités de contenance psychique de l'adolescent. Dans ce cas, cependant, la solution dépressive est constructive et maintient un certain mode de fonctionnement psychique dans lequel le sujet reste en lien, même de façon douloureuse, avec l'objet interne. Mais on est en droit de se demander jusqu'à quel point il s'agit de l'objet interne. Ne devrait-on pas, comme le suggère P. Denis, évoquer l'objet dépressif comme un substitut de l'objet perdu, comme une façon de supporter son absence sans pour autant en intégrer la perte dans un véritable travail de deuil ? Cette construction protège néanmoins le sujet, mieux que d'autres montages (pervers en particulier), d'une désorganisation psychotique ou psychosomatique. L'agrippement à l'objet dans un mouvement dramatique pour ne pas subir sa perte comme une disparition de soi vient là parfois comme une autre solution, de nature addictive[4].

Ce bref survol de la problématique dépressive laisse entrevoir les achoppements que l'enfant, puis l'adolescent, peut connaître dans son traitement et son dépassement. Pour en mesurer la difficulté, il n'est qu'à prendre en compte les expériences précoces de séparation[5], où, selon la nature des étayages narcissiques qui ont participé à la construction subjective de l'enfant, l'expérience sera riche d'individuation ou dramatique d'arrachement, provoquant des angoisses de mort, des angoisses d'effondrement catastrophiques. Il n'est pas rare, dans ce dernier cas, d'observer la mise en place de défenses plus rigides comme autant de recherches de solutions (aménagements pervers, addictions, notamment) permettant au sujet de survivre à cette menace d'effondrement.

L'économie psychique de la dépendance

La solution perverse, l'élaboration phobique[6], la dépression et la dépendance ont ceci de commun entre elles qu'elles appartiennent toutes à l'économie narcissique. Mais elles ne sont pas équivalentes pour autant, elles ne présentent pas toutes la même qualité d'élaboration, la solution n'est pas chaque fois comparable. La phobie offre au sujet la possibilité de projeter sur l'objet externe une part de l'angoisse et de l'agressivité qui lui est liée. La peur de l'objet est une façon de maintenir un lien avec lui et de traiter en même temps la question de la destructivité. L'angoisse est fixée sur un objet externe, mais l'objet est intériorisé, ce qui constitue la meilleure façon de ne pas le perdre ; le sujet entretient avec lui des relations de conflictualité, voire de désir si l'on considère que, dans l'élaboration phobique, le sujet craint consciemment ce qu'il désire inconsciemment. La peur de l'objet est ici l'expression du désir (amour et/ou haine) pour lui ; la dimension œdipienne est fortement présente. Sujet et objet sont clairement distingués, au prix de cette fixation anxieuse. Avec la dépression, la fragilité narcissique est au premier plan ; l'élaboration semble plus longue, plus difficile, plus coûteuse pour le sujet et elle masque à ses propres yeux son désir en retournant contre lui l'agressivité qui est destinée à un autre. Mais, sauf lorsque la dépression se dégrade en mélancolie, lorsque le travail de la dépression échoue, le sujet, comme dans la phobie, s'appuie sur cette solution pour se construire ; l'objet construit le sujet. On peut même parler des bienfaits de la dépression[7] si l'on pense que c'est un temps que le sujet se donne à lui-même pour trouver, à son rythme (à vrai dire c'est plutôt celui de l'inconscient), la solution à ses conflits internes. Malgré ses voiles, ses affres, la dépression est une solution porteuse d'avenir pour le sujet si, encore une fois, elle reste dans le registre névrotique.

Avec la dépendance, la nécessité de recourir à un objet externe révèle la fragilité narcissique, la faillite de la négociation entre soi et l'autre, entre investissement narcissique et investissement objectal. C'est la très forte pression pulsionnelle qui ne trouve pas de défenses internes suffisantes pour la mettre à distance ou pour en médiatiser la demande de satisfaction qui contraint le sujet à trouver cet expédient. Le sujet ne semble se tenir qu'en s'appuyant sur cet étai. L'aspect prothétique est manifeste, l'objet a du mal à s'intérioriser. L'objet de dépendance, parce qu'il est trop accroché au corps, ne remplace pas l'objet transitionnel qui, lui, n'a pu se mettre en place. La dépendance établit un circuit court de satisfaction, sans en passer par l'autre. Il y manque l'espace du jeu, l'espace de l'illusion, de l'hallucination entre soi et l'autre. Mais cet objet ersatz, cette prothèse de relation, semble faire l'affaire pour le sujet, s'il accepte d'en être totalement dépendant. L'objet de dépendance calme l'angoisse en suturant le manque, mais se paye au prix de la dépendance que le sujet doit à cet objet. L'objet est toujours un objet partiel, un objet que le sujet ne peut promouvoir à la dimension d'un autre. La solution addictive se classe nettement du côté des états limites où l'incertitude identitaire domine le tableau, la conflictualité psychique y est embryonnaire. De ce point de vue, la solution addictive ressemble à la solution perverse, l'objet addictif est proche de l'objet fétiche. Quant à la perversion, précisément, elle donne au sujet l'illusion de la solution parfaite en faisant l'économie de l'angoisse de la perte, de la souffrance que peut représenter le désir comme expression du manque. Elle donne au sujet l'illusion de la toute-puissance et de la complétude narcissiques. Mais elle est tellement narcissique qu'elle en sacrifie l'autre, qu'elle réduit l'objet à un instrument de sa jouissance. Privé de l'apport de l'objet dans la relation intersubjective, le mode de fonctionnement pervers est relativement pauvre et présente des rigidités telles que le sujet est obligé d'en passer par des scénarios ritualisés, chaque fois identiques, sous peine d'éprouver une angoisse catastrophique d'anéantissement. Humainement, c'est la pire des solutions parce qu'elle aliène le sujet et son objet à son scénario dans une mise en scène toute narcissique où l'altérité est exclue et où la recherche de satisfaction est impérative et ne souffre aucun délai, aucune faille. La jouissance est à ce prix. Économiquement, c'est une solution qui s'avère plus coûteuse qu'il n'y paraît initialement.

L'objet addictif est contingent dès lors qu'il est disponible comme objet partiel. L'alcool (ou le cannabis) pourrait se substituer par fixation ou régression à un objet fétiche, venant combler le vide laissé par la perte de l'objet ; le vide et non la place. Constituant un aménagement pervers, il empêche le travail de la dépression et y substitue un analgésique, comme un recours pour solliciter le registre sensoriel et perceptif plutôt que celui de la représentation. Il fait faire au sujet toxicomane l'économie d'une relation intersubjective pour obtenir le plaisir recherché et l'apaisement des tensions que ce sujet ne peut parvenir à apaiser, faute de traces psychiques, de représentations permettant de garder en soi les souvenirs de satisfaction. Le recours répétitif, impérieux, à l'objet de dépendance, voire à des procédés autocalmants bien concrets, ne relève-t-il pas d'un défaut d'auto-érotisme ?

L'adolescent qui est dans une position de refus au nom de son exigence de plaisir croit se libérer de la contrainte qu'un tel investissement demande. Il pense se libérer et faire ce qui lui plaît. En réalité, il ne fait qu'obéir à un maître encore plus exigeant, parce que inconnu de lui, qui le pousse sans relâche à chercher cette voie courte du plaisir. Le refus de l'effort le conduit à s'opposer à toute proposition émanant du monde des adultes et particulièrement de celui des parents. L'inves-tissement du refus masque en réalité une difficulté à accepter ce qui vient de l'extérieur, de ce qui n'est pas lui. Ce refus des propositions externes correspond souvent exactement à sa difficulté à tolérer la discontinuité de son développement et va de pair avec le refus du féminin en lui. Ce refus traduit, enfin et surtout, l'importance de sa dépendance à l'égard des objets externes sur lesquels il cherche un étayage à défaut d'avoir intériorisé ces objets.

La dépendance est-elle un évitement de la dépression ?

La dépression est un travail psychique, un moyen particulier de traiter l'angoisse de perte d'objet[8]. Le recours à l'aménagement pervers, voire à la perversion, via le fétiche, ou à la dépendance, constitue une tentative de nier (contourner ?) la perte de l'objet et traduit un défaut de son introjection. Dans tous ces cas, il s'agit d'une mesure conservatoire. Les objets addictifs ne sont pas intériorisés, ils appartiennent à la réalité externe. Le sujet ne les hallucine pas, il ne les crée pas mais doit les trouver en dehors de lui et les retrouver sans cesse pour qu'ils puissent jouer leur rôle : colmater l'angoisse. N'étant pas intériorisés, ils ne peuvent qu'être recherchés dans la réalité externe, d'où la dépendance qui s'ensuit pour le sujet vis-à-vis de ces objets de la réalité.

Rémy a 15 ans. Il vient me consulter pour une dépression qui ne dit pas son nom. Il est triste, parle d'une voix faible. Ses yeux sont rougis par l'insomnie, l'angoisse. Il est amoureux d'une fille de sa classe et semble perdu dès qu'il la quitte pour rentrer chez lui. Il ne pense qu'à elle, cherche à la voir en dehors de l'école. Elle est agréable avec lui pendant le temps scolaire, mais elle donne l'impression de ne pas rechercher sa compagnie en dehors. Rémy l'attend, l'espère, la colle. Elle s'éloigne de lui et finit par rompre. Une autre histoire commence, quelques mois plus tard. Le scénario se rejoue à l'identique. Rémy est comme un amoureux transi, dans l'attente anxieuse que l'aimée vienne vers lui, le rassure de sa présence. Son angoisse se calme lorsqu'elle lui sourit, lorsqu'elle accepte de faire quelques pas avec lui. Sa vie entière semble dépendre du regard de son amie. Il est collé à elle, paralysé dans une passivité qui lui donne un air pathétique.

Sa mère est « morte d'inquiétude » pour son fils, dès qu'il s'éloigne d'elle. Le père tente en vain de rassurer Rémy et, plus il le rassure, plus Rémy s'angoisse. Chaque fois qu'il doit prendre l'avion pour partir en vacances, quinze jours avant, Rémy a peur. Il a ce vertige phobique, ce vacillement, perte des repères, de la stabilité de base où le sujet ne sait plus dans quel espace il se trouve. La phobie du transport aérien peut être entendue comme l'expression d'une angoisse de séparation, la peur de la chute et celle de ne plus pouvoir revenir en arrière. L'immobilité dans la phobie confronte le sujet à l'impossibilité de se réfugier dans le corps maternel. Rémy pense jour et nuit à ce moment, se demandant comment il va faire pour lutter contre cette angoisse épouvantable qui le prend quand il entre dans la carlingue. Cette peur lui gâche le plaisir de rêver à l'île lointaine où il va se rendre, la mer bleue qu'il imagine, les plages, les poissons, etc. Non, il ne peut pas, il a trop peur de ce voyage en avion.

Lors d'une absence prolongée de ses parents, Rémy a découvert les vertus de l'alcool. Ayant goûté une première fois aux liqueurs familiales, il y est revenu à plusieurs reprises, leur trouvant des qualités qu'il ne soupçonnait pas. Il s'arme ainsi d'audace pour échapper à l'étouffement parental et pour trouver l'énergie d'affronter les filles.

Au moment de quitter sa mère pour aller voir du côté des filles, il rejoue avec ses amies l'angoisse qu'il éprouve et que sa mère ne parvient pas à calmer. Il cherche auprès d'elles une mère secourable qui lui donnerait confiance. Il attend d'elles qu'elles se comportent comme des mères. Elles semblent accepter un temps et puis finalement se détournent de lui, apeurées par sa passivité. Il attend du collage à l'objet qu'il ne le quitte plus. En collant à elle comme il colle aux filles, il essaye de rassurer sa mère en annulant la distance avec les autres (le voyage augmente la distance, l'avion décolle le sujet de l'objet, du sol maternel), en figeant le lien à l'autre.

Rémy semble avoir besoin d'un objet d'étayage externe (alcool ou filles), comme s'il ne l'avait pas en lui-même, comme s'il n'avait pas fait le deuil de cet objet maternel secourable. Il est toujours dans une détresse semblable à celle d'un nouveau-né, dépendant de la mère pour sa survie psychique. Il n'a pas instauré de jeu dans la relation avec l'autre ; il se tient au contraire serré, collé, sans espace, de peur de perdre l'objet dont il a tant besoin. Cette dépendance affective traduit sa difficulté à se sevrer de l'objet primaire, à asseoir une sécurité interne faite de confiance et de fiabilité vis-à-vis de l'objet maternel. La phobie de Rémy dit l'angoisse de la perte (la sienne et celle de sa mère) et traduit la tentative qu'il fait pour maintenir ce lien à l'objet. Addicté à l'objet, il n'a pas de marge de manœuvre, attendant toujours que l'objet veuille bien de lui. Il est à sa merci.

La dépendance est une construction originale, une façon particulière de traiter le problème de l'angoisse fondamentale qu'éprouve tout sujet confronté à la menace de la perte de l'objet. Elle s'apparente au montage pervers en donnant l'illusion que l'objet est toujours à disposition, toujours là. Elle tente de faire l'économie de l'angoisse liée à son absence ou à sa perte. Avec l'objet addictif, le sujet cherche à colmater cette angoisse, faute d'avoir pu intérioriser l'objet, faute de s'en être nourri en l'introjectant. Dans la dépendance, le statut de l'objet n'est pas assuré, le sujet ne peut faire autrement que de s'appuyer sur un objet externe, faute de l'avoir installé en lui. Ce travail qui consiste à intérioriser l'objet, à surmonter l'angoisse liée à sa perte, appartient au processus de la névrose qui contribue à donner au sujet le bénéfice de cette intériorisation de l'objet. Avec la névrose, la conflictualité psychique permet de renoncer à l'objet primaire, de surmonter l'angoisse liée à sa perte. Avec l'identification, elle donne au sujet le moyen de s'enrichir de cet objet absent. La dialectique investissement narcissique/investissement objectal nourrit et enrichit le sujet. La dépression est un travail particulier qui offre au sujet la possibilité de traiter cette angoisse fondamentale, même si c'est au prix d'une souffrance intense qui laisse apparaître les défauts de la construction subjective : tyrannie du surmoi, insuffisance des étayages narcissiques qui renforcent la tendance du sujet à retourner contre lui-même l'agressivité destinée à l'objet. La dépression est une solution face à l'angoisse de perte, d'une qualité supérieure à celle qui est trouvée avec la dépendance, dans la mesure où elle introduit à la conflictualité psychique, tandis que la dépendance l'évite. L'une est une opération d'intégration d'une expérience permettant la transformation du sujet dans son rapport à l'angoisse. L'autre est une immobilisation du sujet dans une opération de protection contre une menace d'effondrement et contre la survenue de la douleur psychique. La dépression est également une opération douloureuse, psychiquement, dans laquelle le sujet s'approprie cette expérience, là où, avec la dépendance, le sujet reste à la frontière de son monde interne.

Ne peut-on pas penser que, pour certains adolescents, le recours à l'objet addictif est une façon de traiter leur dépression, là où pour d'autres ce procédé ne fonctionne pas ? La solution addictive n'est pas l'équivalent d'un travail psychique, elle n'est pas de même nature que celui qui est à l'œuvre dans la dépression. Cette solution est suspensive, elle met à distance la douleur de penser. Dans l'histoire de Rémy, l'objet de la dépendance pathologique peut être un autre qui n'est pas reconnu dans sa fonction tierce. L'objet de la dépendance est toujours un objet partiel.

Une latence artificielle

Faisons un pas de plus dans la compréhension psychopathologique de la dépendance comme solution psychique, qu'elle soit consommation massive d'alcool que nous percevons (pour l'instant) comme une recherche d'anesthésie, un évitement de la douleur de penser, un évitement du travail de la dépression ou qu'elle se présente sous les traits de la dépendance à l'objet d'amour. Il est frappant de voir combien la dépendance à ce type d'objet constitue véritablement une latence artificielle, l'adolescent mettant en sommeil un pan de sa vie psychique – et, en particulier, de sa problématique dépressive/agressive –, repoussant à plus tard le moment où le sujet se sentira capable d'affronter pour la traiter cette pathologie dépressive qui l'anime en le minant. Avec la dépendance, c'est moins un traitement de sa dépression qu'un report de l'abord de cette question dépressive : latence artificielle, comme une plongée dans un sommeil, artificiel lui aussi où, finalement, c'est le monde des sensations qui domine au détriment des représentations. Il s'agit là d'un registre beaucoup plus proche de celui du corps que de celui de la psyché, plus proche de la sensorialité que de celui de la symbolisation. De manière régressive, ces adolescents s'intéressent plus à la volupté du sensoriel qu'au travail d'élaboration psychique pour essayer de contenir et de transformer leur sentiment dépressif. Peut-être faut-il y voir une quête d'éprouvés, voire des retrouvailles avec les liens primitifs au corps maternel, ce qui a échoué à constituer pour eux des auto-érotismes suffisamment structurants pour asseoir leur narcissisme.

Ce qui est recherché serait un monde psychiquement sans conflits, où tout ce qui est douloureux, qui fait limite et qui oblige à penser serait mis à distance. Les effets de l'alcool, pour reprendre cet exemple, donnent à l'adolescent l'illusion

71

de la facilité et d'un certain bien-être, au prix d'une absence à soi-même. Si l'alcool permet au sujet de lâcher prise, ce relâchement n'a pas la valeur libératrice d'une négociation avec soi-même, ni celle d'une transformation de l'activité en passivité. Si l'alcool désinhibe et « virilise » les adolescents (le cannabis aurait plutôt tendance à les « féminiser » en leur faisant lâcher leur côté actif, leur côté phallique), il ne permet pas que s'effectue en eux ce travail psychique nécessaire pour intégrer leur passivité, pour accepter le féminin en eux. L'alcool est une défense contre ce travail du féminin ; il participe à son refus, même si, par ses effets désinhibiteurs, il en laisse voir la trace dans les effusions affectives qui suivent les alcoolisations massives.

Une latence artificielle n'est pas une latence

La suspension sans travail de pensée, sans travail de latence, constitue un mode de fonctionnement dans lequel la vie psychique ne se transforme pas. En apparence, du moins.

Je pense à cet homme de 30 ans, Louis, venu consulter pour dépression. Vers l'âge de 11 ans, il perd son père ; au même moment, sa mère se déprime gravement. Deux ans plus tard, il commence à fumer du cannabis, puis développe une polytoxicomanie (alcool, cocaïne, quelques essais avec l'héroïne). Vers la trentaine, il ne reste de ce tableau qu'une dépendance aux jeux. Ce n'est d'ailleurs pas pour cette dépendance que Louis est venu consulter. Mais avec la diminution de la consommation des produits toxiques, il ne pouvait plus faire face seul à ce qui lui arrivait, à ce qui menaçait son équilibre psychique. C'est à ce moment-là qu'est apparue une forte dépression. L'entrée en toxicomanie à l'adolescence avait contribué à mettre en latence le vécu dépressif que cet homme ne pouvait affronter à l'âge de 12 ou 13 ans. Non seulement il n'a pu l'affronter ni le vivre, mais il a dû soutenir sa propre mère qui s'est effondrée brutalement. À la sortie de sa toxicomanie, il retrouve ce qu'il avait laissé de côté : sa dépression. Cet homme n'a pu faire le deuil de son père, occupé qu'il était à soutenir sa mère. Avait-il commencé à rivaliser avec lui ? La mort du père à l'entrée de l'œdipe pubertaire peut résonner pour le fils comme un accomplissement de vœux parricides. Il n'a pu se consacrer à faire le deuil de son enfance au moment où la génitalité l'appelait vers de nouveaux investissements d'objets. Confronté à tant de sollicitations, à tant de mouvements psychiques intenses et contradictoires, il s'est réfugié dans un autre monde, protégé de la douleur de ces deuils impossibles à travailler, de cette culpabilité inconsciente qui a commencé à émerger au début de sa psychothérapie. À peine entré en adolescence, il s'est mis entre parenthèses.

Cet exemple montre d'un côté l'échec du travail de latence. Mettre de côté ne suffit pas pour que le travail de latence opère ; les contenus qui sont écartés momentanément de la conscience parce qu'ils sont porteurs d'une douleur trop vive finissent par revenir sur le devant de la scène avec une valeur toujours fortement traumatogène. La latence offre à l'enfant qui s'y engage une sorte de répit dans l'excitation qu'apporte la sexualité infantile. Elle permet à l'enfant, sous la pression même de la poussée pulsionnelle, comme nous l'indique si justement Anna Freud[9], de construire quelques défenses pour se protéger efficacement de cet envahissement pulsionnel qui menace le moi de l'enfant. Ce qui est mis en latence, ce sont des questions, même si ces questions prennent la forme de théories. Comme toutes théories, d'ailleurs, elles seront tôt ou tard remises en question. Ce qui est mis en latence, ce sont des ébauches de traitement de contenus psychiques qui restent encore trop énigmatiques et menaçants pour l'enfant pour qu'il puisse poursuivre son élaboration. La latence intervient donc comme suspension d'un travail psychique en cours. Elle n'est pas seulement mise à distance d'affects trop pénibles, elle n'est pas pur dépôt, mais mise en souffrance, au secret dans le préconscient, de problématiques qui profitent secrètement des avancées du moi conscient de l'enfant pour poursuivre leur chemin. Le refoulement de la latence laisse place à de multiples échanges entre les instances psychiques de l'enfant, il lui permet d'entretenir des relations intimes entre conscient et inconscient ; « ça » continue à travailler, même si, en apparence, l'enfant s'est assagi. Le feu continue de couver sous la cendre, préparant en secret, comme Cendrillon (cette enfant de la cendre), une métamorphose, une renaissance que rien ne pouvait laisser prévoir. Cette transformation n'est possible que parce que, sous le couvert du refoulement de la sexualité infantile à l'œuvre dans la latence, la libido ne suspend pas ses investissements ; le travail psychique se poursuit, entre défense et poussée pulsionnelle, la violence de la pulsion étant maintenant mieux contenue grâce aux mécanismes de défense du moi, dans le travail de la conflictualité psychique. Dans le cas de Louis, le caractère traumatique des événements vécus dans la vie réelle ne semble pas lui avoir permis de refouler de façon satisfaisante ce travail de deuil, resté impossible à accomplir. Il ne s'agissait pas d'une suspension, d'une mise en sommeil de contenus psychiques inélaborables, mais d'une véritable interruption de ce travail de deuil, au seuil de son entrée en adolescence. Nous avons là l'exemple même de ce que la psychothérapie ou l'analyse d'adulte offre comme deuxième chance à l'adolescent. Elle reprend une question laissée de côté par l'enfant entrant en adolescence, l'adolescence n'ayant pas réussi à transformer cette problématique. Le processus d'adolescence est en panne, il ne constitue pas une deuxième chance offerte à l'enfant pour résoudre ses questions. Ce sera au travail analytique d'accomplir cette reprise, ce sera lui la deuxième chance offerte à l'enfant. L'analyse, dans ce cas, reprend ce que le processus d'adolescence a laissé de côté, en souffrance.

En consommant tous ces produits, Louis a tenté d'échapper à la conflictualité œdipienne pubertaire, recherchant dans les vertus d'oubli et d'anesthésie de l'alcool et du cannabis une alternative à l'affrontement de la dépression en lui. Il a confié aux toxiques le soin de lui éviter ce travail psychique. Dans ce sens-là, cette mise entre parenthèses toxicomaniaque est un échec de l'élaboration psychique. Peut-être a-t-il utilisé l'alcool et le cannabis comme un moyen de se protéger de sa violence pubertaire pour se consacrer à sa propre survie en aidant sa mère à survivre. Il a dû renoncer à conquérir la femme dans la mère pour sauver la mère dans la femme, celle qui venait de perdre son mari.

L'écart ainsi réalisé par cette coupure, ce détournement de soi qu'a entrepris Louis au moment de son entrée en adolescence, lui a-t-il permis de reprendre ce qui a été mis momentanément de côté, même si c'est quinze ans plus tard ? Cette capacité de mettre en réserve des contenus de pensée, qui ne peuvent pas être travaillés sur le moment même, permet peut-être au sujet de les transformer après coup, ne serait-ce qu'a minima, pour les rendre tolérables, voire de les reprendre pour en élaborer la problématique dans le cadre d'une psychothérapie. C'est cette transformation-là qui s'est vraisemblablement opérée en lui quand il a pu abandonner, partiellement, il est vrai, sa pratique toxicomaniaque et que sa dépression a refait surface au grand jour. Il a pu tolérer alors ce qu'il ne pouvait pas depuis l'entrée en adolescence. Il a bien fallu qu'un certain travail psychique se soit opéré en lui pour que se reprenne cette question de la dépression, question que pourtant il avait cherché à enterrer à un moment de son histoire où il ne pouvait l'affronter. Peut-être faut-il admettre que le travail de latence prend des tours divers : même dans les situations où il semble en grande difficulté, voire absent, il se poursuit quand même, à bas bruit, suffisamment en tout cas pour permettre non seulement la survie psychique, mais aussi une certaine qualité de transformation de la vie psychique. Peut-être pouvons-nous voir, dans l'usage des toxiques dans ces situations particulièrement fragilisantes au plan narcissique pour le sujet, une façon de geler, d'immobiliser les forces en présence ; une sorte de trêve du fonctionnement psychique qui ne signifie pas pour autant un arrêt ou, pire, une défaite. Au contraire, il semble que l'exemple de Louis nous conduise à penser qu'il s'agirait là d'une capacité limite pour survivre, comme une manifestation des pulsions d'auto-conservation, capacité d'autant plus efficace que cette mise à couvert pendant une période de vulnérabilité contribue à protéger la vie psychique du sujet en l'endormant.

Le problème que nous avons examiné s'avère être celui de la dépendance pathologique à l'objet, moins celui du produit (de l'objet) que du processus qui lie, et parfois attache, le sujet à l'objet. Ces adolescents rencontrent une difficulté grandissante à quitter le registre narcissique de leurs investissements pour névrotiser leurs conflits internes. La fonction prothétique du produit les empêche de mettre l'objet à la bonne distance, ni trop près (collé, addicté, partiel) ni trop loin (comme lorsque l'investissement auto-érotique se replie sur le sujet, mettant l'objet hors de portée ; ou comme dans la phobie qui échoue lorsque l'objet devient trop menaçant, voire persécuteur). Finalement, c'est la dialectique de la relation dynamique entre investissements narcissiques et objectaux qui est au centre de notre réflexion et particulièrement la résistance narcissique à l'investissement de l'objet[10]

76

qui prend des accents, non pas nouveaux, mais renouvelés dans leur intensité, au moment de l'adolescence. C'est de cette économie particulière de la dépendance pathologique à l'objet qu'il est toujours question dans les problématiques de consommation massive de produits toxiques (comme l'alcool ou le cannabis, par exemple) ou dans les relations de dépendance pathologique à quelqu'un. Ce qui vient à manquer, ce n'est pas l'objet, précisément, mais le tiers, celui qui va permettre que la dépendance à l'objet se transforme en relation intersubjective dans l'autonomie et le désir.

La dépendance tente de maintenir l'illusion de la permanence d'un objet qui n'est plus là et que le sujet n'a pu intérioriser. C'est un déni de perte. Comme si dépendre d'un objet était préférable à vivre sans lui, l'absence de l'objet renvoyant le sujet à un vécu de perte sans représentation, ni symbolisation. La dépendance indique dans ce cas que le travail psychique du deuil de cet objet ne s'est pas fait. Reste une dépression qui ne peut dire son nom, contre laquelle le sujet lutte et que la dépendance masque. Se séparer de l'objet de la dépendance ferait alors courir le risque au sujet de se sentir vide d'objet. Or la nature a horreur du vide. La solution thérapeutique n'est donc pas sans risque si elle se donne pour seule perspective l'abandon de la consommation abusive. Si cela reste un objectif à terme, le chemin sera encore long avant que le sujet puisse tolérer l'absence d'un objet dont il a encore terriblement besoin. C'est pourquoi le traitement de la dépendance passe par celui de la dépression qui lui est sous-jacente, condition pour que le sujet puisse faire le deuil de cet objet et du procédé qu'il a mis en place pour lutter contre la souffrance que lui procurent l'absence et le manque d'objet. Affronter la dépression est la condition pour passer du besoin au désir. Tout le monde ne le supporte pas.

NOTES

1. Freud S., « Au-delà du principe de plaisir » (1920), in *Essais de psychanalyse*, Paris, éd. 1970, p. 7-85.

2. Freud S., « Deuil et mélancolie » (1915), in *Métapsychologie*, Paris, Gallimard, 1968, p. 147-174.

3. Gutton Ph., « Pratiques de l'incorporation », *Adolescence*, t. 2, n° 2, 1984, p. 315-338.

4. Corcos M., Jeammet Ph. *et al.*, « Dépression et dépressivité dans les troubles addictifs chez l'adolescent », in *Les Dépressions à l'adolescence*, Paris, Dunod, 2005, p. 139-162.

5. Mahler M., « Les concepts de symbiose et de séparation-individuation » (1968), in *Psychose infantile*, Paris, Payot, 1973, p. 19-40.

6. Birraux A., « L'élaboration phobique », *Adolescence*, t. 7, n° 2, 1990, p. 25-42.

7. Fedida P., *Les Bienfaits de la dépression*, Paris, Odile Jacob, 2001.

8. Chabert C. *et al.*, *Figures de la dépression*, Paris, Dunod, 2005.

9. Freud A., *Le Moi et les mécanismes de défense*, Paris, PUF, 1949.

10. Marty F., « À propos de la résistance narcissique à l'investissement de l'objet à l'adolescence », *Le Carnet psy*, n° 38, 1998, p. 20-22.

5.

Alcoolique, une identité

ANNIE BIRRAUX

S'il y a de nombreuses sortes de résolutions, il n'en existe qu'une efficace, celle qui puise sa force dans un puissant courant de libido : la résolution qui vient du surmoi est souvent aussi impuissante que celle de l'ivrogne invétéré de renoncer à la boisson[1].

L'intérêt scientifique et politique pour les effets de l'alcool – ce vieux toxique universel – semble avoir trouvé une nouvelle jeunesse dans un contexte médiatique sensibilisé aux effets des toxicomanies, du dopage et des dépendances, et très appliqué à définir des normes sanitaires de la consommation alimentaire.

Les lieux communs de l'alcoolisme

Pendant des décennies l'ivresse, qu'elle fût criminelle au volant ou violente et obscène dans le secret des familles ou des alcôves, demeurait sinon admissible en tout cas excusable, tout se passant comme si l'alcoolisation compagnonnait naturellement avec les misères humaines. Des associations sportives ou religieuses combattaient l'immoralité de la conduite, mais il ne semble pas que se soit posée la question de savoir pourquoi l'alcool s'imposait si souvent comme solution aux problèmes des hommes.

On connaissait les terrains favorables, les métiers exposés : les travailleurs de fond, les mineurs, les marins-pêcheurs, les cantonniers ; on les excusait : la dureté des conditions de travail les exonérait d'avoir à chercher quelque raison à leur conduite. On savait aussi la géographie de cette hyperconsommation : les régions pauvres que la modernité tardait à visiter : les fermes du Massif central ou de Bretagne, le Nord et ses corons. L'image de l'alcoolique se confondait avec celle du taré, né par malchance dans un berceau que les fées avaient oublié et quasiment contraint par les habitudes de s'alcooliser dès la première tétée au sein ou au biberon. La péjoration les accompagnait dès leurs premières années d'école et le mépris qui s'abattait sur les parents alcooliques avait de quoi précipiter leur progéniture dans les mêmes ornières éthérées que leurs aînés. Pour dire les choses autrement, la société ne faisait pas de cadeaux aux « pauvres » qui cherchaient refuge dans l'alcool et leurs enfants en trinquaient manifestement.

Il y avait d'ailleurs dans la dénomination du phénomène un positionnement qui tendait à ne pas soumettre tous les hyperconsommateurs au même opprobre public puisque l'on parlait d'« alcoolisme mondain » ou d'« amour du vin » pour décliner des conduites identiques de consommation excessive chez des personnes dont il était nécessaire de ne pas ternir la réputation. L'alcoolisation avait sa hiérarchie et ses nobliaux. Chez ceux-ci, l'ivresse festive, celle du samedi ou du soir de paie, cédait le pas aux alcoolisations chroniques mais silencieuses sur lesquelles la société tirait une chape d'ignorance feinte, protégeant avant tout le statut de la famille.

Dans ces années-là, l'hyperconsommation d'alcool de l'adolescent ne faisait pas problème de santé publique. Il était même d'usage qu'une ou deux ivresses témoignent de l'entrée du jeune dans la vie adulte, au décours du service militaire ou avant celui-ci. L'alcoolisation chronique demeurait en théorie un problème d'adulte, plus spécialement masculin d'ailleurs, soit parce que l'alcoolisme féminin était réellement plus rare, soit parce qu'il était caché ou empêché par un environnement coercitif. Des ligues éducatives et des associations sportives ou familiales conjuguaient leurs efforts pour lutter contre les conséquences d'un fléau dont elles mesuraient localement l'effet dévastateur, mais l'intérêt scientifique que l'on pouvait porter à l'intoxication alcoolique demeurait limité. Il était circonscrit aux champs de la médecine et de la psychiatrie en raison des affections organiques et des troubles comportementaux et relationnels que celle-là entraînait ; éventuellement, il intéressait la justice, mais ne concernait pas spécifiquement les adolescents.

Au cours des quatre dernières décennies et pour des raisons qui sont sans doute plurielles (politiques de santé publique, de sécurité publique, d'éducation, psychologie, criminologie, diététique), l'objet « alcool » a abandonné sa désuétude et s'est vu sinon promu en tout cas réinvesti au rang des « toxiques d'intérêt public » au même titre que le cannabis et le tabac. Du même coup se sont posées la question de la rencontre avec le produit (quid du premier verre, de la première cigarette ou de la première fumette ?) question antérieurement balayée par l'implicite de l'hérédité ou du milieu, et celle, confortable, de l'assuétude et de la dépendance. « L'adolescent et l'alcool » ont ainsi fait le titre d'un nouveau chantier.

Les raisons de la rencontre

Ce qui touche à la toxicomanie n'échappe ni à la banalisation ni à l'excès de commentaires. A fortiori l'alcoolisation est-elle concernée par ce constat.

Mais si, vraisemblablement, tout ce que nous pouvons savoir sur le phénomène a déjà été écrit, il est important d'insister sur le fait que toute assimilation simpliste du consommateur occasionnel, voire accidentel, au sujet dont l'alcoolisme est un mode de vie est une grave confusion. Il existe plusieurs types de commerce avec l'alcool et nous ne pouvons placer sous la même rubrique les jeunes qui s'enivrent occasionnellement et ceux qui commencent leur journée par un café mouillé. Une terminologie actuelle de l'addictologie qui fait de l'alcoolique épisodique ou chronique un « abuseur » vient doublement renforcer l'intérêt de cette mise en garde. D'une part, parce que ce terme sexualise implicitement[2] la posture sans avoir la prudence de différencier les objets de consommation en question, d'autre part parce qu'il criminalise une conduite qui somme toute, concernant l'« abus d'alcool », est victimaire plus qu'a priori agressive envers l'autre. Il faut donc se méfier des mots qui véhiculent trop d'images.

Mon propos, s'il est théorique, est d'abord clinique et c'est à partir de consultations ou de prises en charge dans la durée que je l'étaierai, d'abord d'une manière descriptive avant de discuter certains points.

La phénoménologie de la rencontre laisse apparaître une diversité des motifs de contact avec le produit et donc des modèles d'alcoolisation.

Certains adolescents disent *être tombés dans l'alcool par hasard*. Ils racontent la soirée avec les copains, le traquenard des boissons qu'on ne peut ni refuser ni choisir : le guet-apens en somme, une ivresse dont on émerge étonné mais transformé, un brin hébété, gêné peut-être, mais rarement coupable ; ils en rient volontiers, ils disent aussi leur conviction de pouvoir maîtriser ce type d'expérience malgré le constat progressif que l'on aime ces états artificiels tout en niant en être dépendant. Ces jeunes arrivent souvent chez le psychanalyste ou le psychologue en raison d'un accident de parcours (coma, accident de la circulation, violence plus souvent que contrainte parentale). Il est rare qu'ils aient une demande propre. Pour ma part, je n'ai jamais cru aux effets du hasard, mais il est évident qu'il existe des situations dont le sujet ne sait quoi dire, car elles ne sont source ni de figuration ni de mentalisation. La prise d'alcool comme pare-excitations est un fait. Le bien-être immédiatement ressenti après l'absorption du produit colmate l'angoisse d'une situation inconfortable et même traumatique et il est, pour certains adolescents, difficile de penser que ce besoin d'alcool est en relation avec un quelconque malaise interne.

C'est l'histoire de ce garçon de 16 ans, adressé en consultation à la suite d'une chute de scooter, heureusement sans gravité, mais qui s'avéra avoir eu lieu sous l'emprise d'une alcoolémie élevée. Il aurait dû être au lycée mais avait séché parce qu'il avait rencontré des copains qui l'avaient « entraîné ». Dernier enfant d'une famille de trois enfants, il ne voyait plus sa mère depuis le divorce des parents lorsqu'il avait 12 ans et se présentait comme un garçon passif et tristounet, sans passion pour des études qu'il suivait à contrecœur, attendant sa majorité pour faire de la musique. La prise en charge révéla une alcoolisation à la bière déjà installée, quasi quotidienne, que l'entourage soupçonnait mais que le jeune banalisait. Il avait en fait commencé à boire deux ans auparavant, après une peine de cœur qui avait révélé à ses proches sa fragilité, insoupçonnée jusque-là, compte tenu des allures qu'il se donnait. Ce garçon n'avait pas les mots pour dire ses rêves, ses fantasmes, ses souffrances, sa vie, et ne donna pas suite à la proposition d'une thérapie.

Certains adolescents, plus rarement, abordent directement *les bénéfices thérapeutiques de leur alcoolisme* : ils boivent quand ils sont angoissés, avant un examen qu'ils redoutent, mais aussi bien avant un rendez-vous difficile ou même avant d'aller au lycée. Leur discours évoque des inhibitions préjudiciables à l'image qu'ils ont d'eux, quelquefois des phobies organisées sur lesquelles ils sont plus discrets. Ils boivent souvent en bande, « pour se donner du courage ». Le rituel de « la piste » en Bretagne, consistant à décider en groupe d'écumer tous les bistrots de la région jusqu'à une heure avancée du lendemain, demeure ainsi une manière particulière de faire la preuve de sa bonne santé physique et mentale au regard des copains, lesquels partagent ce même besoin ; le périple est jalonné d'épreuves à risque (escalader des toits, passer sur des trains à l'arrêt dans les gares) et semble avoir pour fonction non seulement de soulager l'angoisse mais de donner l'occasion de performances dont chaque membre du groupe peut témoigner alors qu'il aurait pu douter que le sujet en fût capable.

Cette manière « collective » de s'alcooliser cesse généralement sous la pression des femmes, au moment de l'installation en couple. Il n'empêche qu'elle peut constituer pour quelques-uns un mode d'entrée dans l'alcoolisme et qu'elle demeure une cause fréquente d'accidents majeurs.

D'autres jeunes s'alcoolisent pour *braver l'interdit*. C'est une situation qui est particulièrement observée aux États-Unis, où la vente d'alcool est interdite aux mineurs. Mais des situations similaires existent en France : les jeunes, très jeunes, se réunissent dans un lieu privé, appartement, cave ou garage désaffecté et consomment jusqu'à plus soif, pour un challenge qui peut mener jusqu'au coma.

Un jeune garçon me racontait qu'il s'agissait de voir jusqu'où on pouvait aller. Il y avait bien des filles avec eux, mais elles buvaient aussi. Ce jeune racontait que les filles ne les intéressaient pas, qu'ils « déconnaient entre eux » jusqu'au malaise : pas besoin d'orgasme, disait-il !

Boire en compagnie de filles jusqu'à l'extinction de la conscience ! L'ivresse alcoolique se substituait ainsi à une autre petite mort fantasmatiquement plus dangereuse. Dans cette « bravade d'interdits » se dissimule à peine la peur de la rencontre de l'autre sexe. L'anticipation d'une conduite adulte interdite peut donner l'illusion d'une maturité acquise, surtout s'il n'est point besoin d'en faire la preuve.

Ces catégories concernent les alcoolisations précoces dont il existe sur le plan phénoménologique des variantes et mixages tels qu'il est difficile de réduire la cause à un motif unique. Toute classification serait un artifice dans lequel l'« histoire du sujet alcoolique » perdrait de son épaisseur et de sa complexité. Le déclenchement de la conduite addictive est toujours à replacer dans un contexte historique, psychologique et social pour livrer les clés de sa motivation profonde. S'agit-il d'une ivresse solitaire, à deux, en groupe ? S'agit-il d'un alcoolisme associé à la prise d'autres substances ? L'idée répandue que l'alcoolique prend de tout et que la recherche du bien-être n'est pas exigeante quant au produit ne me paraît pas fondée. Il semble aujourd'hui de bon ton de diaboliser la prise de toxiques, mais les amalgames ne nous aident pas dans le travail de compréhension des phénomènes, ni dans celui de la prévention. La toxicomanie alcoolique n'est pas systématiquement une polytoxicomanie. De même que le cannabis ne fait pas nécessairement le lit de la consommation de l'héroïne, même si l'héroïnomane a probablement consommé du cannabis, d'une part celui ou celle qui a occasionnellement le vin gai ne devient pas nécessairement alcoolique et, d'autre part, celui qui fait de l'alcool son compagnon de vie n'a pas forcément de l'appétit pour d'autres substances anesthésiantes.

L'alcoolisme dans l'œuvre de Freud

Nous ne pouvons résumer la question de l'alcoolisme dans l'œuvre de Freud sans citer l'article d'Alain de Mijolla et de S. Shentoub qui demeure un fondamental de la question[3]. Je garde à l'esprit l'idée que « tout est dit et que l'on vient trop tard » !

Sachant que Freud n'a pas construit de « théorie » de l'alcoolisme, ces auteurs ont travaillé l'articulation d'une succession de notes et de réflexions pour en faire un ensemble. Contrairement à ce qu'ils annonçaient avec modestie en 1972, ce texte n'a pas vieilli et demeure une référence.

Tout d'abord, l'absence de théorie psychanalytique constituée de la toxicomanie dans l'édifice de la psychopathologie psychanalytique interroge de Mijolla et Shentoub dans la mesure où Freud entretenait avec les drogues un rapport ambigu. On sait qu'il avait renoncé à l'usage de la cocaïne après la mort d'un ami, bien qu'il eût découvert les effets thérapeutiques de celle-là. On sait qu'il était dépendant du tabac : c'était un grand fumeur de cigares, qui en consommait une vingtaine quotidiennement, et « les souffrances qu'il endurait lorsqu'il ne pouvait fumer étaient insupportables ». La nicotine avait probablement pour lui les vertus d'un viatique et le fait d'en être privé, soit par nécessité, dans les années de sa maladie, soit par obligation, en raison des privations de la guerre, lui faisait vivre un véritable calvaire. En revanche, l'alcool ne le tenta pas. Dans sa correspondance avec Ludwig Binswanger il écrivait : « Eh bien, j'ai toujours été très sobre, presque abstinent, mais j'ai toujours eu beaucoup de respect pour un solide buveur [...]. Seuls ceux qui arrivent à s'enivrer avec une boisson sans alcool – Dieu, la religion – m'ont toujours paru un peu bizarres. » Cela illustre le fait que la polytoxicomanie n'est pas nécessairement le destin du toxicomane pour lequel toutes les substances ne se valent pas. Encore une fois, nombreux sont les alcooliques invétérés ou les grands fumeurs de tabac qui n'ont jamais touché au cannabis.

Le travail de De Mijolla et Shentoub fait donc émerger la théorie freudienne en se centrant successivement sur trois périodes de l'œuvre. Les auteurs justifient ce découpage en raison de l'histoire de la théorie psychanalytique à laquelle il correspond : cela soulignant la continuité de la pensée et sa cohérence malgré l'absence d'un article de synthèse sur la question.

La première partie regroupe les articles et ouvrages d'avant *L'Interprétation des rêves*. L'alcoolisme, à la manière du fait divers exemplaire des « habitudes morbides et désordres dus à l'imagination », va illustrer la présentation de la névrose obsessionnelle à partir des mécanismes de substitution et de compulsion de répétition. Il sert d'exemple aussi aux premières considérations freudiennes sur la projection. Ces textes pré-analytiques portent en eux des ébauches des contenus sexuels de la question puisque « l'alcoolique ne s'avoue jamais que la boisson l'a rendu impuissant... [puisque] quelle que soit la quantité d'alcool qu'il supporte, il rejette cette notion into-lérable... c'est la femme qui est responsable, d'où délire de jalousie... ». Mais ces mentions demeurent lapidaires. Freud tente d'appréhender la valeur économique de la satisfac-tion alcoolique en regard de ce dont elle prend la place. Il écrit : « J'en suis venu à croire que la masturbation était la seule grande habitude, "le besoin primitif", et que les autres appétits tels que le besoin d'alcool, de morphine, de tabac n'en sont que les substituts, les produits de remplacement. » L'étayage métapsychologique de ces hypothèses apparaîtra dans la deuxième série des textes proposés. L'approche de la projection, mécanisme dont Freud débat dans sa corres-pondance avec Jung en 1908, demeure d'ailleurs, à ce stade,

« psychologique », encore que le rejet d'une représentation intolérable nous oriente déjà du côté du déni et de la perversion, idée qui sera reprise ultérieurement[4].

Le deuxième ensemble de textes court jusqu'au grand tournant des années 1920 et dès *Les Trois Essais* et *Le Trait d'esprit*, l'usage des toxiques et l'alcoolisme sont indexés au titre de pratiques érotiques et acquièrent une véritable valeur économique.

On sait que ces deux ouvrages furent écrits la même année, dans la même pièce et sur deux tables contiguës. Freud passait de l'un à l'autre en fonction de son humeur et, cent cinquante ans plus tard, ils portent témoignage de l'indissociabilité du fonctionnement psychique et du développement sexuel du petit d'homme. Les questions débattues relatives à l'alcoolisme sont, d'une part, celle de la sensibilité érogène de la zone labiale et celle du rôle probable d'un excès congénital de cette érogénéité, encore que cette sorte de prédisposition ne puisse être assimilée à un destin ni à une hérédité morbide ; d'autre part, celle de la psychogenèse de l'esprit et du plaisir, à partir de la notion d'épargne de l'effort psychique et du plaisir du non-sens. Les travaux de cette période contribuent à la compréhension de nos relations d'objet, qu'elles soient amoureusement paisibles, toxiques ou délétères. L'alcool est, ici, mis en résonance avec l'objet primitif et l'alcoolisation avec le besoin d'amour dont on sait qu'il s'émousse lorsque la satisfaction est facile à obtenir. Les développements ultérieurs sur l'auto-érotisme de l'alcoolique s'appuieront ainsi sur *Les Trois Essais*.

Selon les auteurs c'est dans l'article sur « Le plus général des rabaissements de la vie amoureuse » que Freud s'oppose à l'interprétation qui substitue l'alcool à un objet d'amour sans valeur. D'abord parce qu'« en raison de l'instauration en deux temps du choix d'objet avec, entre les deux, l'intervention de la barrière contre l'inceste, l'objet final de la pulsion sexuelle n'est plus l'objet originaire mais seulement son substitut ». Ensuite parce que « les pulsions amoureuses sont difficilement éducables », et que le résultat dépasse le but idéal que l'on se fixerait ou au contraire ne l'atteint pas. Mais de Mijolla et Shentoub le notent avec humour, Freud se laissant entraîner par des positions contre-transférentielles passionnelles évoque cependant qu'en raison des vicissitudes de la relation amoureuse, l'alcool est peut-être le seul objet d'amour a-conflictuel.

Cet article orienterait vers un modèle narcissique de l'alcoolisme. La relation duelle, exclusive, du buveur et de son verre nourrit en effet des représentations d'omnipotence solitaire. Les alcooliques, même les « vins tristes », ne ressentent ni culpabilité ni remords après leurs excès et leurs regrets « honteux » dissimulent mal la trace d'un sentiment quasiment triomphal. J'ai souvenir d'un patient qui après ses ivresses disait chercher parmi les témoins l'assurance qu'il les avait étonnés par ses prestations !

Néanmoins l'économie auto-érotique ne me semble pas révocable. Mais cet auto-érotisme, qu'il soit masturbatoire ou qu'il qualifie « ce comportement sexuel infantile précoce par lequel une pulsion partielle se retrouve comme composante d'un plaisir d'organe » (ce dernier trait, si évident, dans l'image populaire du consommateur sirotant au comptoir, dans la lumière blême des néons, une énième bière) laisserait, par moments, le pas à une autre représentation à la fois plus festive et plus « objectale », car même si Narcisse ne reconnaît pas l'autre, au moins tente-t-il de le faire exister *in abstentia* en se perdant dans le culte de sa propre image.

« Lorsque l'objet originaire d'une motion de désir s'est perdu à la suite d'un refoulement, il est fréquemment représenté par une série d'objets substitutifs, dont aucun ne suffit pleinement », dit Freud dans cet article. Le commentaire des auteurs précise : « Car la relation avec un objet personnifié s'y dévoile très différente du phénomène alcoolique... Par la facilité même de son obtention, l'alcool masque la dure réalité de la perte de l'objet originaire du désir, et le processus alcoolique peut se concevoir dynamiquement et économiquement comme la négation d'un deuil, voire de tout deuil possible, et comme un véritable court-circuitage de tout travail psychique élaborant la perte objectale. »

Les développements ultérieurs auxquels donnent corps « Deuil et mélancolie », « L'homme aux loups », « Analyse sans fin, analyse avec fin », « Le clivage du moi dans les processus de défense » confirmeront cette hypothèse des exégètes : « Les malades alcooliques, sous l'influence mal connue de l'histoire de leurs pulsions, semblent détacher leur moi de la réalité pour instaurer une nouvelle réalité qui n'est pas un compromis au sens d'un symptôme névrotique, ni une formation délirante, nouvelle réalité psychique du psychotique, mais une substance toxique extérieure au sujet, l'alcool, centre et marque pour l'observateur, privé d'un coup de références coutumières, d'une organisation psychique particulière. Cependant, et par ailleurs dans le même souffle, ils peuvent reconnaître l'existence de la réalité (de la différence des sexes, de la menace de la castration, de la perte de l'objet) et selon les nuances, dans des mécanismes qui diffèrent pour chacun d'eux, en tirer les conséquences correctes, voire l'aménager de façon névrotique ou psychotique[5]. » Prolongeant cet extrait, il sera question du modèle pervers et de l'alcool comme fétiche avec les réserves concernant la qualité toxique ingérée.

Les écrits de Freud postérieurs à la deuxième topique soit reprennent des idées déjà exposées, soit ouvrent sur des voies plus métaphysiques. *Malaise dans la civilisation* en demeure le modèle. La réflexion concernant l'alcool et son usage prend une coloration compassionnelle « car la vie humaine telle qu'elle nous est imposée est trop lourde, nous inflige trop de peines, de déceptions, de tâches insolubles ». Le pessimisme freudien inciterait-il à plaider pour le recours aux plaisirs des stupéfiants ? On pourrait le penser. Ce serait sans doute oublier la place accordée aux plaisirs intellectuels, au trait d'esprit et à l'humour, mais ces sublimes procédés du rire permettent-ils toujours d'asphyxier la souffrance physique ou psychique de la guerre, de la maladie et du vieillissement ?

En tout cas, pas de moralisme dans la conception freudienne de la dépendance. Le toxique est un outil de plaisir commode et un facteur d'insensibilisation et de suppression de la souffrance. Comme dans le mot d'esprit la motivation du consommateur pourrait être celle de la recherche du plaisir psychique du non-sens. Il ne s'agirait que de répudier la contrainte logique de la communication à quelque niveau qu'elle soit.

Une recherche d'identité

À mon sens, la question essentielle demeure celle de la consommation d'alcool comme emblème identitaire ou celle de l'économie du fonctionnement psychique des jeunes qui optent pour ce mode de vie. D'une façon subsidiaire puisqu'il y est déjà en partie répondu se pose celle de l'« accrochage » de l'alcoolique à son toxique.

Ces vraies questions se dégagent difficilement d'un certain nombre de généralités qui ont été maintes fois rebattues : la fixation orale, le choix d'objet homosexuel, l'auto-érotisme, la dimension paranoïaque ou l'importance de la projection dans le système de défense, la typologie de la mère ou de la femme d'alcoolique, etc. Il résulte que tout un chacun croit savoir pourquoi l'autre boit alors que la conduite alcoolique demeure encore tristement énigmatique.

Il nous paraît donc nécessaire de réfléchir à la consommation d'un toxique et à ses excès dans un certain contexte singulier, historique et culturel. Nous savons que la valeur de l'usage participe d'une symbolique dans laquelle se constitue l'identité, et qui rend incertaine toute prévention par prohibition. Mais pour désamorcer par avance la notion d'escalade et les lieux communs qui tentent d'expliquer l'installation dans la toxicomanie par des pratiques strictement sociales, rappelons que Freud ne croit pas au péché de l'habitude, « ce mot sans aucune valeur explicative », et qu'il affirme en connaissance de cause que tout un chacun qui prend un temps un produit toxique ne devient pas pour autant toxicomane.

Au-delà d'une impulsion autothérapique contre l'angoisse ou la dépression à laquelle l'inefficacité du procédé devrait logiquement mettre un terme, qu'est-ce qui peut amener le sujet à s'installer dans l'alcoolisation ?

Si la conduite de l'alcoolique suggère un type de fonctionnement psychique, c'est vers l'insatiabilité du boulimique et vers son avidité compulsive qu'elle nous oriente. Le langage populaire est d'ailleurs riche d'expressions imagées telles que « plein comme une barrique », « chargé », « bourré », qui visent avec justesse moins la vacuité de l'abstinence que l'excès de la prise. Une expression régionale bretonne plus ancienne, « tomber dans la liche », connote, quant à elle seule, la tyrannie des exigences orales alors qu'être « beurré comme une tartine » dédouane de l'abus en renvoyant à l'innocence des plaisirs de l'enfance.

Notons aussi que sur l'illustration du terme « avide », le *Littré* choisit des exemples guerriers : une nation avide de gloire, être avide de sang, de carnage ou, citant Crébillon : « Tu n'en fis pas assez reine de sang avide, il fallait joindre encore l'inceste au parricide ! » Cupidité, bestialité, feraient de l'avidité moins une qualité triviale qu'un vice, et son sens aurait du mal à prendre de la hauteur même lorsqu'il s'agirait d'avidité du savoir. *Le Petit Robert* décline, lui, des synonymes vulgaires : gloutonnerie, voracité, concupiscence, convoitise, de sorte que nous versons très vite, au plan sémantique, dans le registre d'une vie pulsionnelle chaotique.

Dans sa conduite, l'alcoolique me semble flirter avec cette avidité-là, tous azimuts. Tout se passe comme s'il devait à chaque instant réexpérimenter son sentiment d'existence. Tout se passe comme s'il ne se sentait vivre qu'après avoir fait taire son besoin insatiable d'être rempli, saturé d'un produit à seule fin de ne plus éprouver ce qu'il est.

C., 25 ans, nous donne à voir les mises en scène ordinaires de cette affection. Adolescent prolongé, il vit de petits boulots le jour et a, la nuit, ce que je comprendrai après quelques semaines, un statut de pilier de bar, en attendant de voir la consécration de talents littéraires qu'il soumet aux éditeurs. Il est demandeur d'une analyse. Il y réfléchit depuis longtemps. Il a une aventure sentimentale avec une jeune femme, elle-même en analyse et avec laquelle il a fait un enfant, mais sa compagne estime qu'il boit un peu trop et qu'il est violent, aussi estime-t-elle que leur relation est un échec. Lui parle de sa sensibilité aux problèmes du monde et du « feu de ses idéaux ». Il conçoit le besoin de se faire aider. Il y a réfléchi. Il pense qu'une analyse doit lui convenir car il est intéressé par une certaine manière de penser et de poser les problèmes.

Ce grand gaillard sympathique, cultivé, originaire d'Afrique centrale, aborda sa thérapie en tentant de reconstruire une généalogie confuse bien que « prestigieuse ». Son récit insistait sur la grandeur des lignées paternelle et maternelle, lignées de chefs fortunés dont il ne portait malheureusement pas le nom. Le père était amiral et la mère fille ou nièce d'un homme politique. Les cousins avaient contribué au développement de son pays ou étaient en poste à l'étranger dans la diplomatie. Pour des raisons qui m'échappaient, il pensait que ce contexte le destinait à être poète et historien de sa famille. Mais il se vivait de la race des maudits, de Rimbaud à Dylan Thomas et de ceux qui n'avaient pu être reconnus qu'après leur mort. Il serait de cette race, le premier poète africain !

Ce récit romantique de sa vie était traversé de séquences qui témoignaient d'une véritable détresse narcissique : lui, le poète, se demandait si l'écriture de la négritude n'était pas, par essence, illisible par les Blancs, et même par la femme qui disait l'aimer puisqu'elle critiquait ses brouillons... Lui, l'écrivain, pensait que lorsque sa famille découvrirait son œuvre, elle ne le comprendrait pas, parce qu'elle n'avait pas nécessairement la même culture.

Quelques semaines passèrent, deux ou trois. C. s'alcoolisait quotidiennement. De manière insistante il posait la question de savoir ce qu'il était venu faire chez moi et, à partir de ce moment, il n'économisa point ses capacités projectives.

Il m'avait raconté, dans un moment de sobriété, qu'il se souvenait peu de son enfance mais qu'il lui était revenu en mémoire que, lorsqu'il était très petit et qu'une de ses sœurs naquit (il demeurait très imprécis sur sa fratrie, l'âge de ses frères et sœurs ; je n'ai jamais pu me constituer une représentation de sa famille), il attendait la fin du biberon qu'il buvait même quand il n'avait pas faim. La nourrice d'ailleurs en mettait, selon lui, toujours beaucoup plus qu'il n'en fallait au bébé pour qu'il puisse boire. Il disait éprouver souvent cette envie de manger ce que l'autre semblait laisser dans son assiette et il pensait souvent aussi qu'on le servait moins bien que les autres.

Un jour où il s'allongeait sur le divan dans un état d'ébriété tel qu'il avait du mal à tenir droit, et que je dus l'empêcher de tomber en lui soutenant le bras, il me dit : « Je suis grise. » J'entendis confusément en pensant à une excitation œdipienne : « Je suis grisé ». Je repris : « Grisé » ? « Non, me répondit-il, je suis saoul, je suis grise. » Je repris alors : « Non, vous êtes noir ! »

Suivit un long effet de sidération pendant lequel je m'interrogeai sur ce qui m'avait poussée à cette interprétation. Il se taisait, puis il associa sur la légende familiale qu'il s'était constituée. La réalité lui était insupportable : il avait été séparé de sa mère lorsqu'il avait 3 ans et élevé par la troisième femme de son père, serveur de bar dans la ville où il habitait. Le père rêvait d'être écrivain, mais la nécessité de quitter l'Afrique pour travailler l'avait obligé à renoncer à ses ambitions et à changer de nom. Mon patient avait quitté son village lorsqu'il avait 8-9 ans, élevé à l'époque par une grand-mère qui était au service de diplomates internationaux. Je n'en sus pas plus, sauf le caractère insupportable de la chambre de bonne dans laquelle il logeait avec elle, la rue, le mensonge sur son adresse au lycée, les sorties nocturnes précoces, la solitude.

C. s'était réfugié dans un rêve. L'alcool anesthésiait son rapport à la réalité et lui permettait de se « néo-historiciser ».

Je ne le revis qu'une fois, quelques semaines plus tard. Il venait m'informer qu'il arrêtait son analyse, qu'il me paierait plus tard, qu'il partait travailler à l'étranger où il avait des propositions intéressantes. Il portait des anneaux aux oreilles, une sorte de scarification au sourcil (ce qui à l'époque était très rare). Il n'était pas certain que l'analyse, telle que je la pratiquais, lui convenait car je ne prenais pas assez en compte les problèmes du corps. Il avait entendu parler des « packs » pour le traitement des alcooliques et des gens violents et c'est vers ce type de soins qu'il irait dès qu'il le pourrait. Je ne pus le faire changer d'avis.

Épiphénomènes

L'alcoolisation de C. m'amène à trois types de constats.

Le premier concerne son déni de dépendance. Même dans ses ivresses, ce garçon refusait l'idée qu'il fût alcoolique. Or le bout de route que nous avons fait ensemble me permet de dire qu'il était continuellement imprégné et souvent ivre, dès le matin. Il ne s'excusait jamais de ses états ébrieux comme si l'alcool irriguait son sentiment d'existence. La vie n'était pas celle dont il avait rêvé mais il semblait qu'au moins l'alcool lui permettait de distordre son rapport à la réalité de telle façon qu'il pouvait entretenir sa « légende », une histoire finalement entre lui et lui puisqu'il était toujours ivre en face de l'autre. Il vivait essentiellement sur les revenus de la mère de son enfant, cherchait un travail dans le monde de l'édition, mais n'avait jamais pu se présenter à un entretien d'embauche. Il n'avait pas d'amis, sauf ceux qu'il rencontrait dans le bar où il donnait un coup de main de temps en temps. Il y avait rencontré sa compagne. Cette situation d'isolement ne lui pesait pas parce qu'il la niait. Il se présentait même comme un individu dont les relations étaient nombreuses : il connaissait tout le monde mais il avait peur de devoir renoncer à son image en « aimant quiconque ». De sa compagne, il disait qu'il tenait à elle en tant que mère de son enfant. Le monde bouillonnant et alcoolisé des bistrots était son univers et, bien qu'il fût anonyme, celui-ci le maintenait dans un état d'excitation psychique qui lui procurait la sensation de vivre un grand destin.

Le deuxième a trait à sa sexuation et à son identité. J'entendais chez ce patient un discours féminin, bien qu'aucun

96

signe physique extérieur ne pût orienter vers une recherche de féminité de sa part. Il trébuchait sur les qualificatifs masculins alors qu'il s'exprimait très bien, et son discours était truffé de métaphores féminines : son père était « beau comme une liane ; il était « beurré comme une tartine »... De plus, on entendait qu'il se vivait comme une petite fille passive, en demande d'être comblée, en attente d'un sein toujours disponible ou d'un regard qui le ferait « s'incarner ». Il attendait la reconnaissance de ses talents, mais ne faisait rien pour se soumettre à cette épreuve sinon d'interminables bavardages nocturnes arrosés avec des rencontres d'un soir. Et, si le succès n'était pas à sa porte, c'était la faute de l'autre, toujours. L'homme des sociétés occidentales était pour lui une caricature de la masculinité, laborieuse et satisfaite d'elle-même. Du côté de son identité, il y avait chez ce garçon intelligent, surprenant dans la connaissance qu'il avait de la littérature, comme une nécessité de colmater la brèche et la souffrance de la séparation en jouant l'évitement des liens. Il optait pour la « mêmeté » plutôt que pour la différence. Sur le plan transférentiel, tout se passait comme si l'investissement de sa cure (« alcoolisé », mais quand même) avait été possible tant qu'il avait eu l'impression que j'adhérais à son récit, c'est-à-dire que je lui renvoyais l'image de lui-même qu'il se construisait dans la fiction. Le voile se levant avec la révélation d'un aspect de son identité dans le « vous êtes noir » l'amena à renoncer immédiatement à son mythe, mais, simultanément, à me fuir pour se garder la possibilité de le reconstruire ailleurs.

À mon sens, il y eut là, dans le transfert, effet d'une vicissitude de l'individuation, de la conquête précoce de l'identité, vicissitude archaïque qui bloquait la balance des investissements aux stades auto-érotique et narcissique.

De l'auto-érotisme au narcissisme

C., malgré les césures des ivresses trop profondes, tint la relation contractuelle de l'analyse pendant près d'un an. Il était souvent dans l'incapacité d'associer et sommeillait, voire s'endormait, mais se réveillait à la fin de la séance à ma voix. Lors des premiers entretiens auxquels il s'était présenté dans un état de sobriété absolue, il avait évité de me parler de son alcoolisme. J'avais saisi, dans ses motivations, son désir de s'approprier les sources du plaisir de sa compagne, et je n'avais pas été insensible à son lyrisme. Je découvris sa dépendance alcoolique dans les premières semaines de sa cure, en même temps que son discours me sensibilisait à sa position féminine. Dans le transfert, il me semblait qu'il s'agissait moins d'un non-renoncement à la bisexualité psychique que d'un désir de collage, de fusion avec mon image ou avec l'image qu'il aurait souhaité que je lui propose de lui-même. Il me reprochait de ne rien dire bien que je ne sois pas « silencieuse », mais tout se passait comme s'il n'en avait jamais assez, comme s'il était en attente de mots pour le remplir et colmater sa brèche identitaire. Aucun ne convenait. Lorsqu'il m'arrivait de tenter de parler de ses ivresses, il me répondait que je ne pouvais pas comprendre, puis il me disait : « Dites-moi ce que vous en pensez » et, comme je demeurais réservée, il me reprochait de ne pas l'aider et quittait le divan en me disant qu'il ne lui restait plus qu'à aller boire !

L'idée qu'on ne le considère point à sa juste valeur (laquelle ?) lui était insupportable. En fait, il semblait ne pas pouvoir supporter son image comme s'il était habité par la honte de lui-même et c'est cette image qu'il estompait avec des vapeurs d'alcool.

Comment dire, et sur quelles certitudes asseoir les impressions, les intuitions collectées au cours de ce travail ? C'est en relisant l'article cité supra que j'ai ressorti ces notes. Effectivement, C. pouvait fonctionner comme un névrosé. C'est d'ailleurs ce qui se passa au cours des entretiens préliminaires où la nature de sa souffrance, le discours sur l'absence maternelle, l'attachement aux idéaux du père, le conflit avec sa compagne après la naissance d'un bébé rival, entraient, et comme thématiques internes et comme qualités de discours, dans le champ d'une problématique névrotique colorée par la biappartenance culturelle, bien qu'il dise avoir fait ses études en France. Il y avait des sujets sur lesquels il ne s'attardait pas (la composition familiale, ses séjours en Afrique, une sœur originaire du Canada…). Malgré quelques séances « maniaques » pendant lesquelles le foisonnement des associations permettait l'émergence de quelques traits d'esprit de qualité, ce patient n'était pas délirant. Il avait construit un récit dont il savait la part mensongère. Sa mythomanie lui suffisait, sorte de néoréalité à laquelle il était capable de renoncer lorsqu'elle était démasquée, à condition qu'il puisse la mettre en scène dans un autre décor.

Il citait souvent Dylan Thomas et je pense aujourd'hui que, s'il tentait de coller à l'image du poète, celle-ci peut nous instruire sur les processus d'alcoolisation. Il racontait ainsi que « Thomas avait coincé son doigt dans une bouteille de bière et qu'il se déplaçait ainsi avec sa bouteille et rencontrait toutes sortes de gens au point que la bouteille de bière devint pour lui le symbole de son moi, le passeport qui lui permettait d'aller de la foule à la littérature et vice versa[6] ». Pour dire les choses autrement, comme pour Dylan Thomas, l'emblème narcissique de ce patient était l'alcool. Il ne pouvait se regarder vivre qu'ivre ou éventuellement dans des gueules de bois du lendemain qu'il fallait immédiatement dissiper en recommençant à boire, tant elles lui révélaient le caractère douloureux de la sobriété. Il était profondément malheureux, ni psychotique ni pervers, mais tel un bourgeon prénévrotique que les promesses d'une floraison exubérante n'auraient finalement pas gratifié, sans doute dans l'état de celui qu'habitait une angoisse de la catastrophe narcissique. Après s'être délecté un jour d'autosatisfecit à propos d'un texte qu'il devait proposer à la publication dans un hebdomadaire, il conclut sa réflexion vaniteuse en faisant référence au poète : « Cet homme à la dérive qui s'accroche encore aux épaves flottantes de la convention littéraire. » Je pense qu'il était sincère.

Comme chez Dylan Thomas, on notait chez cet homme l'impossibilité d'une prise de conscience de la limite, un peu à la façon des petits escrocs. Ni l'expérience préalable, ni l'avertissement de sa compagne (souvent d'ailleurs d'une tolérance problématique) n'étaient en aucune façon, pour lui, des signaux sensibles. L'ivresse comateuse n'était pas non plus une expérience suffisamment effrayante pour stopper les excès de consommation. Il semblait absorber son toxique avec la conviction qu'il faisait provision de vitamines qui le rendaient plus fort pour des lendemains qui pourtant déchantaient toujours. J'avais quelquefois l'impression d'être au théâtre, dans une scène immuable dans sa dramaturgie, mais répétée chaque soir.

Et lui-même semblait ne pas se poser de questions ; il se récitait : il n'y avait pas de plainte ; son addiction ne semblait pas un problème, la sobriété était une souffrance sans nom. J'écoutais un homme ivre et j'entendais l'histoire d'un personnage aspirant à sa contemplation mais dans l'impossibilité de s'assurer de son image, comme si elle était transparente.

Cette posture plaidait en faveur d'une inorganisation plus que d'une régression. Tout se passait en effet comme si, à l'instar encore de Dylan Thomas, il était en quête d'un sentiment d'existence, d'un éprouvé narcissique qui « tienne », qui soit source de satisfaction aussi grande que celle que lui procuraient les excitations auto-érotiques orales. Ce que « je mesurais dans le transfert et le contre-transfert, c'était l'impossibilité de donner corps à une forme consistante et achevée de son existant ». Je me disais que demain serait un autre jour, qu'il serait lavé de sa gueule de bois, que l'expérience qu'il venait de vivre serait intériorisée et permettrait quelque amorce d'élaboration. Il n'en finissait pas de proposer des images de lui-même dont les désinences étaient des fictions, des parades, à la fois foisonnantes de richesses et complètement stériles puisqu'elles ne lui assuraient aucune sécurité interne. Son sentiment d'existence était dépendant de son ivresse. Sans alcool, il était vide. Ivre, il était un autre et il se sentait vivre.

Pour penser l'alcoolisation à l'adolescence…

« Ce que nous crient cette avidité et cette impuissance ne révèle pas, comme le croyait Pascal, qu'il y eût autrefois dans l'homme un véritable bonheur[7]. » Cette hypothèse de la bonne mère Nature des origines et des effets corrupteurs de la culture, ou celle de l'Éden et du péché, est difficile à tenir. De même qu'est difficile à tenir l'hypothèse que l'alcoolisme soit le symptôme d'un évitement de la castration. C. n'était pas un alcoolique épisodique, mais un sujet qui avait choisi l'alcool comme emblème identitaire, qui ne pouvait pas se passer de sa bouteille et qui n'en avait jamais assez. Cette avidité signe ici une sorte d'« envie délétère », au sens kleinien du terme : d'abord d'insatisfaction profonde, puis de désir pour l'objet sans élaboration des raisons de la convoitise. L'envie de l'alcoolique est une manière d'éviter l'éloignement de l'objet, l'ennui, mais aussi la stérilité du moi et l'appauvrissement de l'environnement.

Si l'« avidité alcoolique » résulte d'un achoppement de la formation du moi qui n'arrive pas à s'appréhender dans sa cohérence et dans son identité, il est cependant peu probable que ce schéma suffise à rendre compte de toutes les formes d'alcoolisation (c'est en cela que l'alcoolisme n'est pas une toxicomanie ordinaire).

C'était un fait : C. ne pouvait, dans la réalité, renoncer à sa néoténie et aux angoisses qu'elle engendrait, mais il ne pouvait pas non plus sacrifier sa mégalomanie infantile bien que celle-ci fût tyrannique. L'alcool lui permettait d'être insensible à l'une et d'entretenir l'autre dans son versant gratifiant. À jeun, il était effondré ; alcoolisé, il s'éprouvait grandiose. Cette alternance quotidienne d'états mettait en lumière sa fragilité. L'estime de soi était bien mince lorsqu'il était sobre et suscitait un vécu de persécution : le monde était injuste, personne ne souhaitait lui donner sa chance. Il renflouait artificiellement son narcissisme dans son ébriété en versant alors dans un auto-érotisme compulsif qui maintenait son sentiment d'existence et son coefficient d'autosatisfaction.

Il semble que jusqu'à la puberté, C. avait été un garçon bien tranquille. Il disait avoir commencé à boire dans le milieu qu'il fréquentait à l'université, « pour trouver l'inspiration » ; il modifiait quelquefois son récit mais les premières ivresses me semblaient contemporaines de ses premiers émois amoureux, lesquels avaient la forme d'« implosions narcissiques ». La fragilité identitaire de ce garçon s'était certainement vu bousculer par la puberté et ses conditions bien obscures de vie. Son fonctionnement projectif participait d'une stratégie défensive transitoire face aux menaces internes d'effondrement pubertaire et comme une manière d'éviter un deuil de sa toute-puissance infantile. Si l'on admet que la projection est un mécanisme de défense participant de la construction de l'appareil psychique, indispensable aux origines de la pensée mais néanmoins susceptible de ne pas aboutir à la différenciation normale des espaces externe et interne, on retiendra l'alcoolisation comme conséquence différée de l'achoppement de cette édification structurelle : la projection échoue chez l'alcoolique à débarrasser le sujet de sa mauvaiseté, laquelle résulterait (cf. les modalités du transfert) de la perception endogène du désinvestissement libidinal de l'objet externe. L'objet a déçu et l'investissement libidinal lui a été retiré ; c'est le sujet qui décide que l'objet ne mérite plus son intérêt ni son amour. La libido devient donc stagnante et est source de désagrément sauf si elle est mise au service du moi. Alors, elle nourrit la haine, la rancune, l'envie destructrice, la mégalomanie, l'égoïsme, c'est-à-dire qu'elle alimente un fonctionnement auto-érotique qui n'est pas supportable dans la nudité du moi. L'alcoolique ne peut pas vivre narcissiquement avec cette image de lui-même. Il va devoir transformer ces éprouvés en perceptions externes, annuler l'espace de différenciation des perceptions pour se mouvoir dans un monde qu'il construira à son gré[8], d'où l'usage fréquent de la projection que Freud signalait dans ses premiers travaux.

Cette question du réinvestissement auto-érotique du moi comme conséquence d'un fonctionnement projectif qui n'atteint pas son but a été posée, dès 1907, dans la correspondance entre Freud et Jung au sujet de la projection dans la paranoïa. Elle est exemplarisée par des évocations de la problématique alcoolique, mais il ne semble pas qu'elle ait été pensée dans les liens qu'elle entretient avec la poussée pulsionnelle de la puberté et la réorganisation du monde interne de l'adolescent.

La poussée pulsionnelle de la puberté entraîne un effondrement des défenses jusque-là mises en place pour protéger le moi (son identité) des agressions internes et externes. L'adolescent va reconstruire par essais et erreurs son organisation psychique de telle façon qu'il continue d'éprouver un sentiment de continuité d'avec son histoire infantile. Ce que l'on constate chez les adolescents qui s'alcoolisent, c'est l'impossible renoncement à la toute-puissance mégalomaniaque de leur petite enfance. Chez ces jeunes, toute déception, privation, frustration est indistinctement éprouvée comme une blessure narcissique profonde, mais surtout est ressentie comme une faillite de l'environnement. La sexualité est fonctionnellement génitale mais psychiquement infantile : l'autre devant toujours confirmer : « Tu es le plus beau, le plus puissant, le plus… le plus… », jusqu'à l'épuisement, ce qui justifiera la déception et le retour vers des conduites auto-érotiques.

Les habitudes sociales peuvent expliquer les statistiques : la consommation de l'alcool par région, les premières alcoolisations. L'habitude de la « tournée » ou d'une invitation à boire qui doit être reprise par chacun des participants (douze verres si vous êtes douze) a été modérée ces dernières années par les tenanciers eux-mêmes, mais demeure une pratique assez courante à l'occasion de fêtes, débouchant nécessairement sur des ivresses exhibées ; mais cela ne rend pas compte des alcoolisations chroniques et identitaires, lesquelles ne sont pas des phénomènes prioritairement sociaux, mais d'abord des expressions singulières d'un mal-être, d'une impossibilité d'assumer une place d'adulte dans une société dont les exigences ne sont pas en phase avec les désirs infantiles inconscients du sujet.

Je ne pense pas avoir fait le tour de la question de l'alcoolisme à l'adolescence[9]. Ce que j'ai voulu montrer, c'est que l'alcoolisation colmate une fragilité identitaire archaïque, laquelle est menacée d'effondrement par les ondes de la puberté. Le risque pour le sujet est de perdre son sentiment de continuité d'existence. Les associations type AA le savent bien. Ce que j'ai donc tenté de mettre en évidence, c'est que l'alcool pouvait prendre la place d'un emblème identitaire là où l'unité du moi était impossible ou fragilisée : l'alcool se substitue à un autre (un objet) qui étaie, contient et valorise dans l'illusion. L'homme ivre n'est jamais seul.

Ce que nous ignorons, c'est à quel moment de souffrance l'appétence du jeune pour l'alcool devient un commerce vital, car il est évident qu'un certain nombre d'adolescents au moi fragile ne deviennent pas alcooliques. Peut-être faut-il pour cela des facteurs surdéterminants parmi lesquels, d'un côté, la solitude, de l'autre, l'entraînement par le groupe ou la prégnance de modèles culturels locaux. Ce qui me paraît évident, c'est qu'il s'agit d'un contexte qui n'autorise pas à dire son mal-être, sa fragilité, ses angoisses, mais au contraire favorise l'agir. Il y a dans les milieux familiaux des jeunes alcooliques un véritable déficit de parole, sauf dans le registre de l'insatisfaction, du reproche, spécialement entre père et fils. Mais cela est une autre histoire !

Ces aperçus ne sont pas les seuls qui gauchissent aujourd'hui l'approche préventive et thérapeutique de l'alcoolisation et de l'alcoolisme. D'autres idées revendiquant le label de la scientificité n'en sont pas moins hasardeuses : ainsi, celles qui tendent à mettre sur le même plan et sous le chapeau d'une « dépendance anormale, voire dangereuse » la prise quotidienne d'un somnifère, la consommation de café, la consommation irrégulière d'un apéritif et l'alcoolisation massive et chronique n'aident pas, non plus, à sortir des vapeurs du sujet.

NOTES

1. Freud S., *Le Président Thomas Woodrow Wilson, Portrait psychologique*, Paris, Albin Michel, 1967, cité par de Mijolla A. et Shentoub S., in « Repères théoriques et place de l'alcoolisme dans l'œuvre de Freud », *Revue française de psychanalyse*, 1972, t. XXXVI. p. 73.

2. C'est faire preuve de bien peu de discrimination – et ce n'est pas sans conséquence – que d'utiliser le terme d'« abuseur » pour caractériser le sujet qui « abuse d'alcool ». D'une part, l'abus devient une conduite d'hyperconsommation tous azimuts : on abuse de l'alcool, de l'héroïne, du beurre ou du sucre, et aussi bien de la télévision ou des jeux vidéo. D'autre part, cette conduite est contaminée par la représentation que l'on a du terme dans les « abus sexuels » et est gravement stigmatisée. Or un « abuseur » n'est pas n'importe qui.

3. De Mijolla A. et Shentoub S., « Repères théoriques et place de l'alcoolisme dans l'œuvre de Freud », art. cit.

4. C'est dans *Le Président Schreber* que Freud y revient. Après avoir exposé les mécanismes de la paranoïa et le fantasme de désir homosexuel sous-jacent, Freud évoque comme exemple d'un délire de jalousie un malade alcoolique. Les auteurs signalent que bien des idées de ce texte sur l'homosexualité, la levée des inhibitions et l'érosion des sublimations étaient inspirées des travaux d'Abraham et seront ensuite largement reprises et développées par les collègues.

5. In *Résultats, idées, problèmes*, Paris, PUF, 1984.

6. Thomas D., *Œuvres*, Paris, Le Seuil, 1970. L'anecdote est relatée dans l'introduction.

7. Pascal, *Pensées*, II, 425, Gallimard, La Pléiade.

8. La projection doit être expliquée. Quelle est la condition pour qu'un processus interne, investi d'affect, soit projeté à l'extérieur ? Un coup d'œil sur le normal : notre conscience à l'origine ne perçoit que deux sortes de choses. Tournée vers l'extérieur, les perceptions (P) qui en elles-mêmes ne sont pas investies d'affect et qui ont des qualités ; provenant de l'intérieur, elle fait l'expérience de « sentiments », ce sont des extériorisations des pulsions qui prennent certains organes comme support ; ils sont peu qualitatifs, en revanche susceptibles d'un fort investissement quantitatif. Ce qui présente cette quantité est localisé à l'intérieur, ce qui est qualitatif et sans affect à l'extérieur. Ce sont là naturellement de grossiers schémas.

Ce qui nous parvient de l'extrémité P rencontre immédiatement la croyance, ce qui est produit endopsychiquement est soumis à l'épreuve de réalité qui consiste en une réduction aux P et à la tendance au refoulement qui est directement dirigée contre les qualités de déplaisir des sentiments.

9. Quelle a été l'enfance des alcooliques ? La question vaudrait une véritable recherche et en tout cas dissiperait l'idée que l'alcoolisation est un problème social. Ce sont souvent des sujets qui n'arrivent pas à faire le deuil de leur toute-puissance infantile et qui n'arrivent pas à investir cette aspiration mégalomaniaque dans une activité qui soit « payante » sur le plan de leur image.

6.

Histoire d'un déplacement, déplacement d'une histoire

La question de la dépendance

MAURICE CORCOS

Nous ne sommes pas tous égaux face aux dépendances. On reconnaît en effet aujourd'hui d'incontestables facteurs de vulnérabilité biologique face aux produits, que ce soit l'alcool, les psychotropes, les diverses drogues. On sait par exemple que certaines ethnies sont beaucoup plus tolérantes voire résistantes aux prises d'alcool, et d'autres particulièrement sensibles.

Mais la vulnérabilité psychologique est à nos yeux aussi très importante à considérer. Il est question ici d'une vulnérabilité individuelle, familiale et historique, car l'être humain est un être historique et social (en lien avec l'autre) qui n'a rien de définitif, mais dont le fonctionnement psychologique peut être lié (composants plus que déterminants) à certaines lignes de force qui ont pu présider à son développement. Cette vulnérabilité psychopathologique varie en fonction des histoires singulières de chacun et reste soumise au hasard et à la contingence.

Les origines

Nous considérons qu'avant d'être dépendant à un produit, quel qu'il soit, on est dépendant tout court. Avant l'adolescence où ces conduites addictives émergent spectaculairement, il y a déjà dans l'enfance une problématique, souvent silencieuse, de dépendance majeure aux objets parentaux, laquelle se réifie et s'organise peu ou prou à l'adolescence. C'est le cas lorsque l'enfant naît et se développe dans cette dépendance, du fait d'événements singuliers lors des interrelations précoces mère-enfant, qu'il s'agisse de traumatismes générant des liens en excès ou de problématiques de carence avec une absence de continuité des soins, des séparations, une maltraitance générant des éprouvés d'absence en soi et à soi en regard de l'absence de l'autre. Pour ce qui concerne la relation mère-enfant, rappelons que l'identification à la mère dépend de ce qu'elle parvient à transmettre (consciemment ou à son insu) et de ce que parvient à en percevoir et à se représenter l'enfant en fonction de son équipement biologique. Du côté de la mère, ce qui se transmet (fantasmatique réprimée, dépression, faux-self, entraves névrotiques ou plus gravement identitaires…), qui reste indéfini et souvent préconscient, se matérialise dans le caractère et le corps, sans accéder forcément à une formation symptomatique spectaculaire. Il est de l'ordre du « mal-être », malaise généré par le recouvrement défensif, des troubles réactivés par la grossesse, et destiné à protéger la mère d'une désorganisation narcissique, appréhendée grave.

Lorsque cette problématique de dépendance aux parents n'est pas suffisamment élaborée, elle se manifestera d'autant plus violemment à l'adolescence, se déplaçant vers une dépendance aux produits. Ce déplacement par rapport aux objets parentaux primaires se manifeste par une substitution majeure du point de vue économique : celle de la recherche de sensations prodiguées par le produit, pour contenir des émotions primaires indicibles (conglomérats d'affects et de préreprésentations). Le sujet essaie de substituer à une difficile gestion de la dépendance émotionnelle aux parents une illusion de la gestion de la dépendance aux sensations délivrées par les produits.

De fait, on constate que les adolescents addictifs, entre autres à l'alcool, ont une relation avec leur objet d'addiction comparable à celle qu'ils entretenaient et entretiennent encore avec leur objet de dépendance primaire. Ils nouent avec leur produit d'addiction les mêmes liens d'aliénation mortifères et fusionnels qu'avec leurs propres parents, entretenant l'illusion qu'ils pourraient mieux contrôler ces nouveaux objets d'addiction, extra-humains. « Je pourrai m'arrêter quand je veux », cette phrase que tout le monde a entendue en témoigne. Or nous savons que l'alcool, les psychotropes et les drogues ont des effets biologiques qui verrouillent le système addictif primaire et rendent d'autant plus difficile le sevrage effectif de la conduite, sans compter l'impact de deux autres verrous, psychologique et social, qui vont rapidement s'installer.

Au total : avant que ne s'impose à ces adolescents un type d'addiction, il y a une problématique de dépendance primaire. Une étude INSERM, *Les Conduites de dépendance*[1], qui comparait les dimensions psychopathologiques communes aux alcooliques, aux troubles alimentaires et aux toxicomanes, a confirmé cette dépendance primaire en mettant en évidence une vulnérabilité basale d'ordre anxio-dépressive majeure. C'est cette dépression d'ordre anaclitique, appréhendée grave car source de désorganisation majeure de la personnalité, qui est épongée, contenue par l'alcool, le trouble alimentaire ou l'addiction au produit toxique.

Alcool et autres addictions : la question de la dépendance

Pourquoi l'alcoolisme plutôt que d'autres addictions ? La question ne se pose que dans un deuxième temps. Nous avons montré qu'il fallait considérer dans un premier temps l'existence d'une dépendance primaire. Ce « choix », qui n'en est pas un car il s'impose au sujet, est lié à plusieurs facteurs, le premier étant le facteur d'imitation et d'identification quand il existe des conduites similaires chez les proches. L'enfant se saisit de cette problématique, par exemple alcoolique, pour plus ou moins inconsciemment l'incarner et l'exposer. C'est une façon d'être avec le parent dans la même conduite dans une communauté de détresse et de jouissance.

Parmi les facteurs de vulnérabilité sociaux et familiaux, il y a donc les facteurs d'imitation, ce que confirment les données épidémiologiques ; la forte corrélation entre le début précoce de consommation d'alcool (autour de 11 ans) et la consommation d'alcool dans la famille est à ce titre significative. Il en est de même pour les tentatives de suicide et pour la consommation de drogues et les troubles des conduites alimentaires, pour lesquels on retrouve des antécédents familiaux de formes symptomatiques mineures ou avérées..

On note que les patientes boulimiques pures, ou mixtes (avec des épisodes anorexiques), consomment de l'alcool plus régulièrement, jusqu'à l'ivresse, que les patientes anorexiques restrictives pures. Les patientes boulimiques qui n'ont plus la maîtrise alimentaire et, en deçà, psychique et relationnelle que gardent obstinément les anorexiques, n'arrivant plus à gérer leur dépendance par la conduite alimentaire, éprouvent le besoin de recourir à un autre produit, souvent l'alcool mais aussi le cannabis, les psychotropes. Leurs défenses contre les tensions anxieuses, la dépression ou bien des désorganisations identitaires graves, qu'elles essayaient de contrôler par l'anorexie, étant débordées ; la boulimie vient ici pour contrôler cette excitation, avant le recours aux psychotropes et parfois aux automutilations et aux tentatives de suicide, visant à contrôler cette tension primaire. Contrairement à ce que certains pourraient penser, les boulimiques ne consomment pas d'alcool pendant les repas, mais dans des manifestations d'ivresse solitaires qui ponctuent des épisodes de crises boulimiques. Notons que la consommation de vin et de spiritueux est nettement plus importante que la bière (plus fréquente chez les garçons).

Certains sujets vont donc devoir se saisir de produits addictifs de plus en plus forts, ou en consommer plusieurs en passant d'une addiction à une autre, pour éponger leur besoin de dépendance. La pratique clinique nous montre qu'il y a souvent des co-addictions, nécessaires « économiquement parlant » pour « calmer » des tensions source de distorsions identitaires sévères.

Les passages à l'acte suicidaires n'expriment pas nécessairement une volonté de mort, mais témoignent plutôt de l'illusion d'arrêter le processus avec l'idée de renaître de ses cendres. Les suicides à répétition sont aussi à considérer dans leur dimension addictive.

Certaines données épidémiologiques avérées concernant l'adolescent prouvent qu'il y a des pathologies psychiatriques où la vulnérabilité aux consommations addictives est très importante : les troubles bipolaires et tous les troubles de l'humeur en général, les angoisses de type obsessionnel et phobique.

Il n'y a donc pas de personnalité alcoolique mais des sujets dont les difficultés psychologiques ou les maladies mentales favorisent des conduites addictives. L'addiction est souvent dans un premier temps une « trouvaille » autothérapeutique, le (mauvais) traitement qu'ils s'infligent. Il faut cependant signaler que l'alcoolisme au sens de l'autodépendance est rare chez les adolescents ; on peut observer des consommations importantes et régulières, des états d'ivresse, mais rarement une alcoolo-dépendance, celle-ci se constituant plutôt à l'âge adulte.

Malgré cette rareté, il faut être vigilant au passage de la consommation occasionnelle à celle très régulière et enfin à l'alcoolo-dépendance avec l'apparition de syndromes de sevrage physique et psychologique. Ces comportements face à l'alcool à l'adolescence constituent des facteurs de risque à l'âge adulte. Le plus inquiétant est la précocité des premières conduites, qui entraînera des conséquences biologiques, psychologiques et sociales (exclusion, identité de compensation) importantes, lesquelles ne seront pas sans effets sur l'estime de soi, qui, altérée, renforcera la nécessité du recours au produit dans un cercle vicieux sans fin.

Les enfants et les adolescents sont très à l'écoute des mouvements d'humeur et d'anxiété ou de la détresse de leurs parents ; on peut même avancer qu'ils sont mis en position d'observateurs de cette détresse-là sans pour autant qu'il y ait de manichéisme de la part des parents souffrants. Une des façons de contenir ou illusoirement de « réparer » ces troubles parentaux qui se manifestent parfois dans l'alcoolisme, c'est de verser eux-mêmes dans l'alcoolisme, pour rester fidèles, pour ne pas trahir une détresse dans laquelle ils trouvent en partie leur origine. L'enfant toujours préalablement vulnérable, baignant dans une ambiance d'alcoolisation (incluant les amis), va avoir tendance à imiter ou à s'identifier au parent ou à l'ami dans la détresse afin d'essayer, via cette pathologie, de découvrir (en l'incarnant) ce qui arrive à ce parent ou ami. Mais le jeune est également le témoin fasciné de l'excitation, de la désinhibition, voire de la jouissance plus ou moins perverse qu'autorise cet état d'ivresse et qui contribue à le fasciner.

Ceux qui au contraire manifestent une conduite aversive, une mise à distance vis-à-vis du comportement de leurs parents, sont en relative bonne santé psychique car ils se séparent par le dégoût (les autres sont fascinés par le goût, sont happés par l'excitation qu'ils perçoivent). Cependant cette séparation peut être coûteuse en termes d'identification et de contre-identification lorsque dans le dégoût persiste le goût... Même en opposition. Un adolescent ne peut contre-investir la souffrance de ses géniteurs sauf à un prix élevé en termes de faux-self, pseudo-résilience.

Les limites et la loi

En prenant appui sur la clinique, nous pouvons argumenter certaines constructions théoriques. À une conduite agie, comme l'est l'addiction, correspondent une effraction de la limite de l'espace psychique et son débordement comme contenant de la conflictualité de l'adolescent. Ce débordement va se traduire par le pouvoir qu'exerce le trouble du comportement sur l'entourage de l'adolescent, la famille et les parents, mais les thérapeutes également dans la dynamique transférentielle. Il y a empiètement sur le territoire de ces personnes proches, sur lesquelles s'exercent ainsi une violence et une maîtrise plus ou moins importantes selon les cas, mais toujours présentes. On se trouve ainsi face à un sujet « persécuteur persécuté » dont l'estime personnelle, profondément altérée, l'empêche de réagir sans haine et l'oblige à maîtriser la situation en lui imprimant une espèce de terreur affective.

Dans ce contexte, la loi permet de limiter certains débordements, de les contenir (sans nécessairement les interdire), mais elle n'a d'effet que si elle est incarnée. Celui qui dit la loi, plus que la justice ou le psychiatre, c'est le père ou la mère. La tolérance voire le laxisme de certains parents, sans être pervers, témoignent bien souvent de leur incapacité à s'imposer des limites à eux-mêmes. Un parent alcoolique dans un état de détresse ne pourra bien évidemment pas incarner, véhiculer la loi ; au contraire, il exposera les jouissances perverses qu'il y a à déborder les limites. Lorsque l'on fixe des limites à un adolescent, il sera bien entendu tenté de les tester, mais la loi n'est pas forcément arbitraire, elle peut être explicite. Une loi qui dit : « Ne vous mettez pas dans ces états-là, ne conduisez pas en état d'ébriété, ne vous mettez pas dans des situations à risque, lorsque vous êtes alcoolisés » doit laisser entendre que c'est pour protéger et non pour interdire. L'interdiction arbitraire sans texte d'accompagnement est à haut risque d'effets contre-productifs. À ce titre, les campagnes de prévention ont leur importance, de même que le rôle du médecin lorsqu'il signifie à l'adolescent la réalité des risques biologiques, psychologiques, sociaux.

Mais il ne faut pas perdre de vue que l'adolescent, entre l'enfance et l'âge adulte, est encore très à l'affût des modèles parentaux. Il est clair que si les parents disent ou font l'inverse de la loi, celle-ci aura peu de poids.

Il n'y a pas de fatalité à ce que le sujet s'installe dans l'alcoolo-dépendance, si la prévention est précoce et que ce qui sous-tend cette conduite est traité en psychothérapie, sachant que dans le même temps il est nécessaire de contrôler médicalement l'addiction. Dans ces cas de dépendance à une substance débutant à l'adolescence, l'abord psychothérapeutique individuel, non anonyme, doit être privilégié pour permettre une réappropriation subjective de la souffrance, parer aux risques de l'auto-entretien de la brûlure intérieure et du clivage (le sujet posant, avec la chronicité, la « maladie » comme indépendante de sa volonté, comme extérieure à sa psyché).

NOTE

1. Corcos M., Flament M., Jeammet Ph., *Les Conduites de dépendance*, Paris, Masson, 2003.

III.

L'envers du décor

7.

Pourvu qu'on ait l'ivresse et le flacon

MARIE LE FOURN

L'adolescence en général est ce temps d'un au-delà du vivre : celui d'une soif à exister. Pour Jean Trémolières, « la soif est, paraît-il, une souffrance terrible... C'est elle qui pousse le tout nouveau-né à crier et à chercher à téter. Il y a probablement là en même temps l'effroi de la séparation d'avec le corps maternel, la première expérience de solitude. Nous l'appelons soif parce qu'elle semble calmée par le lait maternel, mais c'est en même temps : toucher, sentir, être étreint, une expérience beaucoup plus globale et unique car, dans notre monde, on ne se laisse pas avoir soif. [...] ». De cette soif faite de faim de ces liquides qui nourrissent, l'adolescent est friand. Plus que n'importe quel autre aliment, le liquide est porteur de messages, de convivialité, de possibilités de rencontres. En effet, l'adolescent a soif d'identité, soif d'exister, de se montrer, de vivre, de provoquer, parfois même de transgresser ! Alors il boit.

Les liquides et leurs packagings proposent à ces passagers allant vers le monde de l'adulte de nouvelles attitudes, gestuelles, de nouveaux signifiants, de nouvelles incorporations pour se différencier coûte que coûte et déambuler, parés à paraître, décidés à être. Dans cette lutte entre vivre et exister, l'adolescent est clivé dans ce temps des transformations physiques, psychiques et sociales, qui fait se heurter en un même moment logique le monde du passé et celui du devenir. En lui, il cherche à conquérir un nouvel ordre social sans vouloir « quitter » le monde de l'enfance dont il « sait » encore se nourrir. L'adolescence reste un temps et une dynamique qui fait que le sujet oscille entre des moments de « régression » et des moments de « création » pour être et se sentir différent.

Les liquides et leurs bouteilles étant pour l'adolescent(e) avant tout des signifiants qui résonnent en lui/elle telles des perfusions identitaires lui permettant, dans cette période de crise d'originalité juvénile, de se construire avec un « prêt-à-porter » identitaire et avec des identifications « en pelures d'oignons », pour reprendre l'expression de Winnicott : « On devient ce que l'on boit. » L'adolescent se réduit à un ou quelques traits et fait que cette réduction métonymique devient un signe pour lui ou pour les autres, parfois un stigmate.

Ce que les adolescents souhaitent, c'est cette « identité d'un moment » où ils se reconnaissent un instant sincèrement dans ce qu'ils souhaitent être, sans pouvoir pour autant se projeter dans l'avenir.

Alors, ivres d'une envie de vivre, ils ont soif… et le liquide devient un support de communication, et le liquide alcool peut provoquer du clivage.

« Boire un coup » n'est multiple que de lui-même, il peut donc être répété à l'excès. « Boire est donc un verbe dont l'emploi économise une série de précisions, celle de son contenu privilégié comme celle de sa mesure. » Voici un acte qui met en scène l'adolescent et sa problématique : « Je vais boire un coup chez des copains ! », une phrase en double lien : raisonnable dans l'énoncé et en même temps n'excluant ni l'excès ni la transgression. Dans l'alcool, tout est réuni symboliquement pour être à cet âge incontournable et fascinant : les potentielles rencontres, se penser pensant et créatif, prendre le risque de l'ivresse et celui de la déréalisation, de l'amnésie.

Alors si la bouteille s'en mêle !

L'alcool

« L'alcool symbolise l'union des deux éléments contraires, l'eau et le feu » ; il est aussi le symbole de l'aspiration créatrice, ce qui submerge, ce qui enflamme. L'alcool réalise la synthèse de l'eau et du feu, du féminin et du masculin. Cette eau de feu trouve sa place assez facilement dans la problématique adolescente, l'alcool clive et en même temps crée « un tout ».

Les bouteilles alcoolisées ciblées pour les jeunes se placent entre le feu et la glace, du rouge brûlant au blanc-bleu glacé. Les noms évoquent la vodka, aspect verre dépoli, tendance frappée, que l'on aurait soigneusement laissée au congélateur, ou bien le vinyle brillant d'un rouge baiser façon gloss. Pour le goût, c'est aussi tranchant que la couleur : du piment à l'amer, citron vert et cactus, le panel est plutôt âpre et piquant, brûlant et salivant, goût métallique et astringent. L'un va toujours avec l'autre, du tout ou rien, évoquant ainsi métaphoriquement les pulsions éros et thanatos.

N'avez-vous pas remarqué ce nouvel équipement, cette nouvelle compagne ou plutôt cet accessoire ? Tout près du téléphone portable, dans l'autre main, dans le sac à dos ou sur la table de travail… trônent bouteilles et cannettes. Affichant des couleurs fluo, des messages énergétiques, de séduction, la bouteille fait partie intégrante de la panoplie, du complément vestimentaire ; elle est symbole de mystère, de secret et de savoir. Flacon fermé qui contiendrait une mystérieuse alchimie.

L'accessoire

Aujourd'hui, les adolescents aiment ce qui se transporte, ce qui est nouveau. Accessoire ? Mais oui ! La bouteille est devenue résolument nomade, elle se fait mini. Le terme d'« accessoire » veut dire étymologiquement « s'en aller », « marcher devant ». On trouve dans les origines latines les sens de « rébellion » et d'« acte de se séparer ». L'adolescent fait sien son corps, il lui apporte le carburant de son choix.

Pour reprendre cette idée de l'« accessoire transportable » ou de l'« aliment accessoire », la cannette serait plutôt une convivialité de la rue, du chantier, de la grève, du lycée…, du mouvement. Là aussi, on joue avec l'espace de liberté, de déplacement, le choix de la non-contrainte des lieux. Il en est de même pour les bouteilles aux « bouchons biberons » qui se laissent sur le coin du bureau, sur la table de la fac, et ce quel que soit son contenu. De toute façon, personne n'ira vous le boire, c'est votre « dose » à vous. Plus actuelle, la minibouteille avec bouchon à vis, gourde à vis… Pour une utilisation prolongée dans la journée.

Par exemple : le champagne se boit aujourd'hui aussi à la paille comme un soda en discothèque, voire, encore plus chic, au goulot comme une bière : « Le champagne à la paille, c'est plus pratique pour préserver le rouge à lèvres », « Et puis boire du champagne ça rend paf assez vite. » Jean-Paul Gaultier rhabille le flacon de Piper d'un corset de vinyle écarlate comme celui de la chanteuse Madonna. Les petites nouvelles s'appellent « baby » ; laquées rouge, elles se ferment avec un bouchon à vis. Le petit flacon individuel : Pop, bleu comme la nuit des nomades, ludique, de chez Pommery, qui avait un ton un peu solennel, est aujourd'hui dans tous les lieux branchés. Il existe depuis peu en rose plutôt féminin version champagne rosé. Le champagne est, à cet effet, vendu en bouteilles de quart (= deux verres). Pour rester branchées, les petites bouteilles sont relookées chaque année par des stylistes ; c'est le champagne de saison (Summer Time et Winter Time, bord de piscine ou très coin du feu et ski).

Il faut noter, dans les pratiques du transport des boissons, en discothèque ou dans certaines soirées, une nouvelle donnée : il s'agit de la phobie de retrouver dans le verre un produit toxique annihilant toute volonté. L'Union des métiers et des industries de l'hôtellerie fait même de la prévention dans les magazines : « Drogue du viol, ne quittez pas votre verre des yeux. À votre insu, une nouvelle drogue, le GHB, peut-être facilement versée dans votre verre. Inodore, incolore et sans saveur, son effet est rapide. Elle provoque des pertes de mémoire et supprime pendant quelques heures votre volonté, le temps d'un viol. Surveillez votre verre même lorsque vous êtes avec des proches. » De ce fait, les pratiques dans les lieux de fête ont changé ; on transporte sa consommation qui vous a été vendue encapsulée. « En fait, ça dépend de ce que tu bois, si c'est une Despé ou une bière, alors les gars ils dansent avec. Mais une fille, elle préfère souvent finir son verre ou alors on se surveille les verres les uns les autres. Si t'es toute seule, alors tu danses avec ton verre. » Le verre ou la cannette devient là aussi un accessoire et il n'est pas question de les laisser à portée d'intentions malveillantes. La boisson se transporte en même temps que son sac à main. Elle fait partie du « look ». Actuellement et plus que jamais, utilisateurs et produits doivent être vus et être sous le regard.

En dehors du fait qu'un produit doit, pour être vendu, être reconnu par son packaging, il doit aussi désormais « valoriser » le client, car le client le transporte et s'affiche avec le produit. « Vu et être vu » en serait la devise, il existerait donc un « look des bouteilles ».

Les produits doivent transporter vos rêves et vos espoirs. L'emballage vous fait supposer être un gagneur, une personne tonique, un homme ou une femme moderne qui boit/mange comme il veut et, bien sûr, comme le produit est toujours disponible, quand il veut. Du « vu et être vu » au « quand je veux où je veux ». Suprême liberté que de l'afficher. On « présente » également sa puissance, son pouvoir réel ou imaginaire, sa soif de conquête, de soi, sa sexualité. Les packagings affichent l'importance de se servir de ce nouveau territoire et de ce nouvel espace : « Du métal dans le nez, un tatouage sur le ventre, décidément… La Fischer ne passe pas inaperçue. » Et nous sommes en pleine expansion des tatouages et des piercings.

La pratique du boire est plus que jamais sous le regard, autant dans l'acte que dans l'effet de mémoire. Boire, pour les adolescents, c'est souvent boire beaucoup, alors ils préfèrent dormir sur place ou bien l'un d'entre eux se « sacrifie » pour ne pas boire mais conduire. Ces pratiques vont avec tout ce qui a déjà été écrit sur les effets de l'alcool et de l'ivresse, l'amnésie, la désinhibition ou le fait de croire que l'on pourrait « serrer une fille qui chauffe de trop ».

Il y a bien sûr le risque de l'ivresse, pris ensemble, et le risque de ne plus se souvenir ensemble. C'est sans compter sur l'image. Ces photos prises des corps qui chavirent, tombent, se roulent par terre, ces mines ridicules et drôles de celui qui a trop bu… ces photos de celui qui est malade et ne se tient plus, et plus encore ces photos qui viennent témoigner d'attitudes burlesques. Tout est prétexte pour se souvenir, dans l'esprit Jackass, genre caméra cachée ; les images témoignent… On est loin de l'ivresse honteuse et près d'une ivresse glorieuse. Le temps où l'on disait que l'on « tenait l'alcool » n'est pas dépassé, mais il n'est pas grave du tout dans leur discours d'avoir liquidé une bouteille de whisky à trois, s'être « mis minables » et ne pas boire une goutte d'alcool dans la semaine. « On peut ne rien manger avant pour être sûr d'être ivre, de toute façon dans les fêtes il n'y a jamais rien à manger, seulement à boire. » (Pour les adolescents, il s'agit exceptionnellement de l'ivresse de l'ivrogne mais d'une ivresse à tonalité addictive, où transgression et jouissance de l'instant sont entremêlées.)

Les collections qui témoignent

Pour les boissons aussi, les photos gardent la mémoire. Les photos avant la fête : genre munitions, tableau de toutes les bouteilles à boire (elles sont assez rares) ; les photos prises après la fête : plutôt « cadavres », les « mortes », celles d'après la bataille, version table couvertes de bouteilles vides ; et les photos collections : celles-ci sont les plus nombreuses. Il y a une certaine pudeur à montrer une photo de collection (« Qu'est-ce que vous allez penser de moi ? »). Le nombre fait lecture, souvenir de fêtes mais aussi des copains qui ont pensé à garder une bouteille plutôt que de la jeter. La collection est aussi une provocation et une façon de dire : « Je les ai toutes eues ! », avec toute l'ambiguïté imaginaire de cette expression.

Les publicitaires le savent et les bouteilles sont conçues pour les collections en séries limitées, gravées, par exemple les Desperados. Les bouteilles sont produites pour des occasions particulières, exemple : les boissons roses qui ciblent plutôt les filles et qui font événement pour la Saint-Valentin, pour l'été... Les bouteilles se font relooker encore et encore. Les produits peuvent être éphémères et n'exister que pour une saison et ainsi deviennent rares. Les collections mélangent facilement les alcools, les boissons énergisantes, elles trônent sur une étagère, souvent pêle-mêle. Elles sont pour beaucoup d'adolescent(e)s des trophées.

Les bouteilles sur Internet

Les sites de beuveries ne sont pas rares et laissent toujours une place aux bouteilles. Avec la collection qui s'agrandit au fil des soirées. On trouve aussi sur certains sites des recettes : pour vomir ; pour ne pas vomir, pour être le plus saoul le plus vite possible, et parfois on trouve quelques recettes de cocktails, des mélanges personnels.

Être saoul le plus vite possible arrive souvent dans les échanges sur l'alcool que j'ai eus avec les ados. Il existe des jeux pour boire ensemble, être saoul ensemble, et le temps est compté. « Vingt-cinq minutes et il faut penser à remplir les verres d'avance ! », ce qu'ils appellent les « shooters ». Alors surenchères et fantasmes s'emballent. Ils décrivent les alcools que l'on enflamme juste dans la bouche pour mieux s'enivrer, le retour de l'absinthe, cette fée verte qui fond sur le sucre…

Lorsque l'on échange sur leurs pratiques, ils disent volontiers que, lors de certaines soirées, ils boivent pour boire, que les soirées « open bar » ont plus de succès que les autres, que « boire, c'est boire pour boire, c'est le corps qui décide, c'est le corps qui tient ou qui tombe », « alors le corps est mort… et c'est mort ! ». « De plus, ils le font bien exprès de nous attirer avec leurs boissons, elles sont irrésistibles » : référencer aux « malternatives », aux bières sucrées. Alors, lorsqu'on leur demande ce qu'ils pensent du goût de l'alcool, pour eux l'alcool n'a pas de goût. L'alcool : « C'est des bouteilles, de l'ivresse… une liberté de penser. » Ils regrettent que certaines bières aromatisées soient moins sucrées qu'avant (avant la nouvelle réforme pour éviter que les boissons hypersucrées ne masquent trop le goût de l'alcool) : « C'est moins bon, plus amer… On sent plus le goût de l'alcool, mais c'est pas grave, par contre, ça vous retourne grave, je sais que je vais être saoul parce que je ne tiens pas l'alcool, mais je bois. » « Je regarde le degré sur les bouteilles, elles sont souvent comme la bière, c'est pas fort. » Les slogans se servent de leurs degrés pour être attirants ou dédramatiser lorsque le pourcentage est moins important que d'habitude : comme cette bière qui « ne titre qu'à 3° » et qui a pour slogan : « C'est du 3ᵉ degré », ou cette autre « malternative » qui avec ses « 4 % vol. », où « vol » est inscrit comme s'il s'envolait.

Alors ils le disent avec beaucoup de désinvolture : « 3 %, c'est vraiment rien ! » C'est une obligation d'inscrire le degré d'alcool sur les boissons. Sur les « malternatives », c'est une gloire ! Le mot « alcool » est souvent inscrit d'une autre couleur ou surligné, par exemple : « Extrême ice ALCOHOL drink ! »

Les mots utilisés sont du vocabulaire des ados : « Ça déchire ! » ; les références à la mort sont nombreuses (ces références étaient probablement déjà présentes dans les pratiques du boire adulte : « être raide mort », « tombé cuit »). Être ivre et ne plus se souvenir, c'est l'expérience de l'irréversibilité qui n'arrive pas à se jouer ; alors, comme dans une jouissance masturbatoire, on essaye encore ! Les noms des cocktails sont évocateurs et les mélanges évoquent le poison. Ce sont les boissons énergisantes qui prennent le relais dans les mélanges, elles s'appellent Virus, TNT, Explosion...

Si les vodkas ont des goûts de caramel, chocolat, vanille, fleurs et autres épices, les gels douches, les parfums se donnent des allures mangeables-buvables. Une crème pour le corps au chocolat après une douche au lait figue-amande ou caramel-noisette, voici des corps aux peaux alléchantes qui se veulent à croquer. Intérieur et extérieur du corps s'enveloppent de limites perméables. Les marges, les frontières, les seuils sont des imaginaires fertiles en symboles (contaminations, intrusions, possessions...). Le corps humain est une enveloppe, une cuirasse, la métaphore d'un espace fini. Pour entrer et sortir de cet espace corps il faut bien sûr des rituels. Ce corps qui permet à l'humain d'établir une communication avec les autres et avec lui-même. Or, avec l'oralité, on touche justement à cet espace symbolique où ce qui est incorporé ferait office de transformation, c'est le propre même de l'incorporation. À l'adolescence, se laisser toucher c'est accepter les rencontres et leurs risques, surtout avec l'imaginaire des liquides, empreint d'images de sexualité.

Boire et rencontrer

Si certains champagnes se boivent à la paille, les vins parfois aussi tentent de proposer la rencontre et certaines étiquettes sont sans ambiguïté. Par exemple, le couple de fillettes « sexual wines », à boire à la paille, qui portent les noms de « Wine for men » et « Wine for women », ou encore une gamme de vins aux étiquettes en forme de verres à pied, « la garantie du plaisir », étiquettes toutes plus colorées tendance vert anis, orange-rose, bleu tendre, où l'on peut lire des promesses de rencontres : « Dites-le avec Grenache Caresse 2005. Plonger mes yeux dans tes yeux. Sentir la pastilla qui cuit, les épices du tagine. Je danserai avec toi. Tu me feras tourner la tête », ou : « Dites-le avec Sauvignon Polisson : un dîner sur la plage coquillages et crustacés. Se lécher les doigts de flux et de reflux enivrés. » On trouve les mêmes en petits formats et les autres ne sont pas moins prometteurs : Merlot l'Enchanteur, Envoûtant Chardonnay, Syrah Canaille, Volupté en Viognier, Syrah Petits Bisous, Coquin Cabernet. Délicieuses promesses d'une gorgée partagée pour mélanger saveurs et idées à choisir.

Mais les adolescents n'aiment pas le vin, trop inscrit du côté des boissons de l'adulte ; alors ils se distancient de cette rencontre avec ce que boit l'adulte, même si le marketing se veut séducteur et jeune à travers les mots. Les adolescents n'adhèrent pas pour autant. La rencontre, ils se la fabriquent et, s'ils ont du vin à boire, ils vont le « désadultiser ». Par exemple, ce père qui pour l'anniversaire de sa fille lui offre un cubitainer de bon vin ; ce vin est accepté et aussitôt customisé, relooké pour être buvable : pour la soirée il sera mélangé à du cola ; lorsque je demande comment cela s'appelle, le père me répond : « Un sacrilège », et la fille me dit : « Un Kalimucho. » Finalement c'est une recette très connue des adolescents(e)s. S'agit-il alors pour l'adolescent(e) d'une manière d'agir sa mise à distance d'avec sa position inscestuelle ? Même les boissons à base de vin finement pétillant aux allures tendances ne font pas l'unanimité : « On sent… trop le vin ! » Il y a un profond clivage entre l'adulte et l'adolescent à propos de leur boire, souvent considéré comme « imbuvable » par l'adulte lui-même.

Le liquide recherché, c'est le clin d'œil provocateur : du fluo, du rose, de l'eau rouge, de l'eau noire… des liquides qui dégoutent les adultes exactement comme le vin-cola ! Idéal lorsque l'on est en quête de ses origines réelles, imaginaires et symboliques, mais également dans un processus actif d'individuation. L'adolescent cherche justement d'où il vient, où il va et qui il est. Être unique, il boit unique !

Le liquide plus que tout autre « aliment » est vécu par les adolescents comme une prise de position d'autonomie, d'individuation. La nourriture, le temps du repas, tant solide que liquide, a toujours été lieu de conflits, la cuisine lieu d'échanges, de demandes… Lorsqu'il boit un Kryo, une Boomerang, une Pinkly ou un Blue Shark mélangé avec une boisson énergétique comme le Red bull, des boissons à l'herbe de bison ou une Extrême Chillout, n'est-il pas dans une prise d'indépendance, d'individuation et de construction de son corps psychique et social ? Désirant se construire avec ce qu'il est, ce qu'il veut... ce qu'il boit ; il y a dans leurs pratiques une quête d'indépendance, de recherche de différenciation, de mise à distance de leur trop grande proximité et de leur inquiétude à partager trop longtemps les mêmes aliments que leurs parents. Cette crainte d'incorporation du même renverrait l'adolescent vers un monde de fantasmes incestueux.

Les bouteilles, les slogans affichent cette quête de différence ; ils insistent sur l'aspect créatif : faire ses mélanges se glisse du côté de la rencontre, mais aussi de l'initiative de l'inventivité de cette différence. « Nouvelle couleur, nouvelle saveur, nouvelle fraîcheur, une bière comme vous n'en avez jamais vu », « Différente, fraîche et fruitée », « Dévissez, créez, dégustez... », « Gardez l'inspiration et l'esprit vif », « Parce que nous aimons la différence et adorons surprendre ». Il existe même des ateliers créatifs sur les sites Internet de certaines boissons. « Penser » est à la mode, ce qui vient renforcer l'idée que ce que les jeunes se font de l'alcool, celui-ci permettrait de penser librement. L'alcool rendrait intelligent ! Beaucoup d'affiches proposent des bouteilles où le liquide se fait jaillissant, évanescent, psychédélique. Il existe même un vin pétillant aux arômes de pêche et épices qui s'appelle « esprit », en grec *psyché*. Comme penser ce que pensent les adultes, c'est vraiment un risque, il faut boire différent.

Une chose est sûre, les adolescents ont fortement besoin de repères, de quêtes de filiation, un moyen de leur expression (y compris alimentaire) reste leur création. À peine sont-ils décryptés par le monde adulte qu'ils changent de codes, alors se crée un nouveau langage de nouveaux modes à boire. La gamme de ces produits individuels, transportables et visibles permet aux acteurs de se valoriser, comme une forme d'accordage produits-sujet.

Et ce sont les adultes qui s'accaparent les façons de dire avec l'alcool. On peut noter que les marques se sont vite adaptées ; du coup les sirops sortent leurs gammes « expression vins » (sirops à mélanger avec du vin) avec des noms prometteurs : Double Jeu : pomme-gingembre ; Sortilège : pamplemousse rose-litchi ; Automne Royal : châtaigne-vanille ; Escapade : framboise-rose. On trouve des mélanges différents dans la gamme « expression bières ». Cela a toujours été le cas avec les kirs, mais là le sirop est mis en mots. Éternelle question du faire jeune.

Actuellement l'alcool est vendeur. Les packagings se confondent ; certaines bouteilles de parfum, d'alcool ou de gel douche ont la même allure. La séduction est liquide. De même certaines eaux n'hésitent pas à vendre des symboliques d'alcool. Des affiches aux ambiances torrides avec des femmes alanguies, des hommes perlés de sueur, dont les slogans laissent croire à des cocktails : si l'eau veut être du côté des jeunes, elle doit rester du côté de la nuit, du sensuel, du mélange ; souriantes et impétueuses, les eaux se vendent intenses, rouges, pétillantes, allumeuses, d'une « alcoolisation imaginaire ». Le consommateur a besoin de rêve, l'eau lui en donne. Le liquide fait partie de l'herméneutique, les publicitaires le savent et l'adolescent, légitimement, en est dupe ou, du moins, accepte de l'être.

Prévenir à l'adolescence des risques liés à l'alcool reste tout à fait souhaitable ; mais voilà, n'y a-t-il pas, en ce temps du développement, une gageure. Laissons le dernier mot à George Bernard Shaw : « L'alcool est un anesthésique, qui permet de supporter l'opération de la vie. »

8.

Quand le marketing cible les jeunes

VIVIANE MAHLER

Les adolescents sont considérés par la très grande majorité des entreprises comme des cibles privilégiées, et les marques d'alcool ne dérogent pas à cette règle. Déployant le même argumentaire selon lequel les ados, surinformés, sont « libres de choisir », elles n'ont de cesse d'établir une relation personnelle avec chaque jeune. Hervé Chabalier le souligne clairement dans son rapport sur la prévention et la lutte contre l'alcoolisme, remis en novembre 2005 au ministre de la Santé : « Les jeunes de 17 à 18 ans dépensent de 26 à 42 millions d'euros par mois dans l'alcool. » Des sommes assez importantes pour faire d'eux une « cible clairement identifiée » de l'industrie de l'alcool.

Un double discours bien rodé

Officiellement, les marques prônent la prévention. Les marques d'alcool, comme celles de tabac, le disent publiquement sur tous leurs sites, leurs produits ne sont pas recommandés pour les jeunes mineurs. Pernod-Ricard est un exemple emblématique. L'entreprise, aujourd'hui numéro deux mondial des vins et spiritueux, est semble-t-il la marque

132

qui participe au plus grand nombre d'organismes nationaux et internationaux de prévention[1] et « dénonce les ivresses, en particulier chez les jeunes adultes » sur son site. Depuis 2002, elle a passé un accord avec la Sécurité routière stipulant que « dans les soirées auxquelles leurs marques seront associées, en discothèques ou bars d'ambiance, les sociétés du groupe mettront en place un dispositif à forte visibilité comprenant des affiches, des documents d'information, des porte-clefs ainsi que la distribution gratuite d'éthylotests[2] ». Dans ce cadre elle annonce avoir distribué en 2005 plus de 300 000 éthylotests chimiques. Mais, en parallèle, la marque Ricard mène une opération de promotion directement à destination des jeunes : une grande tournée musicale en 2006 avec Amel Bent, et une opération « Ricard live music » qui propose aux jeunes musiciens amateurs de promouvoir leur groupe et de les faire tourner. Autre offre ouverte à tous : faire partie de leur « World music jam » et de recevoir une newsletter régulière. Une bonne façon de créer des liens privilégiés et d'élaborer un listing renseigné de jeunes à peu de frais.

Autre exemple, la Smirnoff Ice dit s'afficher clairement comme un alcool pour adultes : « Nous visons un public adulte, avec un produit haut de gamme relativement cher, interdit à la vente aux moins de 18 ans », affirmait le PDG Jean-Louis Lepeltier, au moment de son lancement en novembre 2003[3]. Ce qui n'empêche cette boisson, titrant 5,6°, d'être vendue sans problème aux mineurs dans toutes les boîtes fréquentées par les ados et d'être devenue numéro un des boissons alcoolisées prêtes à boire.

La Fédération française des spiritueux affirme aussi « prôner l'abstinence pour les mineurs », mais poursuit sans ambages : « L'ivresse, notamment chez les jeunes, est rarement due à la consommation d'une unique boisson. Ce sont souvent l'accumulation des situations à consommer et l'envie de déroger à la règle d'une consommation raisonnable qui engendrent l'ivresse occasionnelle. Dans les cas d'ivresse, les spiritueux font partie des boissons consommées, sans en être la principale. Leur présence dans la consommation occasionnelle plus que dans la consommation quotidienne en est la cause[4]. » Petit bijou d'argumentation pour tenter d'expliquer que les spiritueux n'ont rien à voir avec l'ivresse des jeunes. Pourtant, nul n'ignore que la vodka est une des boissons alcoolisées favorites des jeunes, en particulier dans les soirées étudiantes. De même qu'on sait fort bien que quelques verres de vodka suffisent pour atteindre la « défonce » recherchée, sans parler de la fameuse consommation « TGV », composée de trois spiritueux, tequila, gin et vodka. Autant de raisons qui expliquent que le linéaire vodka est celui qui a le plus progressé en grandes et moyennes surfaces (+ 25 cm) en 2005[5].

Des partenariats… pseudo-préventifs

Afin de « lutter contre une consommation excessive ou inappropriée des boissons alcoolisées », plus de 150 marques d'alcool se sont regroupées en 1990 dans une association spécifique, « Entreprise et Prévention », dont le site a été rebaptisé ensuite d'un nom plus attractif : soifdevivre. com. Cette association a lancé, en partenariat avec la Prévention routière, l'opération « Le conducteur désigné[6] », pour les jeunes de 15 à 25 ans, « pour démontrer qu'on peut faire la fête sans finir dans le fossé ». Cette « solution simple et efficace au problème de l'alcool au volant et des sorties du samedi soir » s'adresse aux discothèques, bars d'ambiance, mais aussi aux bureaux des élèves des grandes écoles.

Elle a aussi organisé une tournée d'été en 2006, « Born to stay alive », tournée… des boîtes de nuit, pour participer à l'animation et vendre une borne éthylotest surnommée « Ckikiconduit » et tout un matériel d'information. Cette opération lui permet de cantonner les propos de prévention aux risques routiers : seul le conducteur doit être sobre, les autres… peuvent boire sans restriction, encourageant ainsi la tendance actuelle des jeunes à consommer jusqu'à la défonce. De telles méthodes expliquent en partie qu'alors que l'ensemble de la consommation française d'alcool a tendance à diminuer, celle des jeunes augmente. D'ailleurs, si l'association consacre une section de son site à l'alcoolisme, elle n'hésite pas à y affirmer : « Difficile de définir une consommation "normale". Une dose inoffensive pour certains fait courir des risques à d'autres. Le passage à la dépendance est presque plus une question de vulnérabilité que de quantité. Les dépressifs, impulsifs, anxieux, psychologiquement fragiles, tous ceux qui ont des phobies (sociales, sexuelles, etc.), des difficultés à communiquer, ont une sensibilité plus aiguë face à l'alcool. » Et plus loin, présentant plus spécialement aux jeunes les « effets de l'alcool sur l'organisme[7] », le site explique certes que la quantité d'alcool dans le sang varie en fonction du poids, de l'âge et du sexe, mais ne diffuse à aucun moment les normes de consommation recommandées.

Des boissons spécialement conçues pour le jeune public

Constatant que les jeunes se désintéressaient de la boisson de prédilection de leurs parents, le vin, et ayant repéré en revanche leur goût prononcé pour le sucre, les alcooliers ont conçu des produits pour eux. C'est ainsi qu'ont surgi en 1996 les « premix », des mélanges de sodas sucrés et d'alcool fort, de 5 à 8°, en cannettes de 25 ou 33 cl. Ces cocktails tout prêts, whisky coca ou gin-fizz, vendus en supermarchés à côté des cannettes de sodas, firent très vite recette[8]. Six mois après leur lancement, ils étaient connus par plus des trois quarts des 13-18 ans[9]. En conséquence, les premix furent taxés par deux fois[10] et leurs ventes s'en ressentirent aussitôt.

Depuis, l'industrie des produits alcoolisés est revenue à l'attaque avec des produits prêts à boire, dénommés « alcopops » ou « malternatives » : « Des boissons alcoolisées préconditionnées sucrées, colorées et agréables à boire, avec quelque chose d'insolent qui plaît aux jeunes[11]. »

Les bières se sont aromatisées à la vodka, à la tequila, au whisky, ou au rhum, oscillant entre 6 et 12°. Pour les filles furent concoctées les Smirnoff Ice (vodka, soda et malt) ou les Bacardi Breezer (rhum et jus de fruits à 5°). Jusqu'au Ricard qui s'est lancé en 2004 avec des packs de cannettes, combinant le « bon » dosage d'eau et d'alcool à 7,5°.

« Du fait de leur apparence et de leur goût, les alcopops visent à l'évidence un public jeune, attentif aux modes et aux marques, souligne le site officiel de prévention suisse[12]. Alors que les représentants de l'industrie de l'alcool continuent d'affirmer solennellement que les nouvelles boissons alcooliques préconditionnées s'adressent à un public légalement autorisé à boire de l'alcool et ne sont rien d'autre qu'une alternative au vin et à la bière, tous les spécialistes de la prévention et de la santé sont d'accord sur une chose : l'augmentation de la consommation d'alcopops n'a pas été suivie d'une diminution de celle de la bière. Tant le goût sucré que la présentation branchée de ces boissons indiquent clairement qu'elles visent les jeunes. »

Des produits prêts à boire

Dans toutes ces boissons, le sucre éclipse le goût de l'alcool, rend le mélange faussement anodin et incite à des consommations précoces. Préconditionnées, elles cultivent l'habitude du « prêt à consommer » et n'invitent pas les jeunes à doser ce qu'ils boivent.

Parties de presque zéro en 2002, leurs ventes ont atteint 60 millions de bouteilles en 2004[13]. Face à cette offensive, le législateur a prévu à nouveau une taxation à compter du 1er janvier 2005, qui a entraîné une baisse de 40 % des ventes de ces boissons alcoolisées aromatisées[14]. Mais, cette fois, les alcooliers ont très vite adapté leurs produits en baissant la quantité de sucre. Boomerang, à base de malt et d'arômes naturels de citron, titrant 5,9°, qui dépassait les 50 g de sucre par litre est descendu à 31,5 g. De même pour Eristoff Ice ou Smirnoff Ice, qui n'ont pas voulu répercuter la taxation sur les prix. D'autres ont recouru à des mélanges à base de bière ou de cidre, avec des taux d'alcool moins élevés. Heineken a lancé des aromatisés autour de 3° : Desperados Mas (à la tequila lime), Oko (au thé vert) et Isla Verde (citron vert). Kryo (Kriter) ou Brahma (Inbev) ont préconisé une consommation « cryonisée » ou « givrée » à -3 °C. Quant à Pernod, il a lancé le 51 Citron pour les garçons et le Gloss de Suze, une liqueur gingembre-cerise qui « vise les 20-30 ans, celles qui ne savent pas trop quoi boire[15] ».

Les distributeurs eux-mêmes s'y mettent, y compris les « premiers prix » comme Netto, qui propose trois produits très attractifs pour les fins de semaine : des panachés grenadine (bière, limonade et sirop de glucose aromatisé) à 1° (1,65 euro le pack de six bouteilles de 25 cl), ou bien de la bière à 4,7° (en pack de 25 cl à 1 euro le litre), ou encore de la bière aromatisée à la tequila, avec ajout d'aspartame, au joli nom de Amigos, dosant 5,8° (0,79 euro la bouteille de 33 cl).

Les jeunes Français ne consomment plus de vin ? Qu'à cela ne tienne, « pour les reconquérir, il faut les initier à son goût, leur proposer des gammes de produits originaux, des messages simples et des packagings branchés[16] ». Arrivent donc sur le marché des Wine Cooler qui ne tombent pas sous le coup de la taxation des alcopops, associant au vin dont on a limité la montée en alcool autour de 5 à 6°, soda et arômes de fruits. Les pionniers : Masaï (Bahuaud), Zebra (Malesan) et Fixion (Listel) « une recette à base d'arômes de vodka et de fruits rouges qui apporte une vraie nouveauté au rayon des malternatives », selon David Boissier, responsable marketing de Listel[17]. Vraiment originaux tous ces nouveaux produits ? Qu'on les appelle « premix », « alcopops » ou « malternatives », tous déclinent à l'envi alcool, arômes de fruits – citron, manzana ou cranberry – et une bonne dose de sucre. Tous à la recherche de la combinaison miracle pour damer le pion à Smirnoff Ice qui domine largement le marché, avec plus de 55 % des ventes.

Le fun packaging

Pour mettre en valeur ces nouveaux mélanges, le packaging « jeune » est lui aussi très travaillé. On élabore des emballages attractifs, colorés et flashy, avec des noms au parfum d'interdits ou porteurs de rêve : Boomerang, Desperado, Delirium Tremens, Voodoo. Boomerang, lancé en mai 2004 par le numéro trois mondial de la bière[18], a l'apparence d'un soda mais propose citron sucré et bière douce à 6°. Kryo est en bouteille habillée d'un film satiné, gris pour la formule citron et noir pour la manzana, la marque apparaissant verticalement en argenté, pour « conférer au produit une dimension haut de gamme ». La boisson Fixion, qui vise le public jeune féminin, arbore une couleur rose bonbon. Tout comme le Gloss de Suze qui veut évoquer le brillant à lèvres. Même les marques vénérables comme Marie-Brizard suivent le mouvement, avec ses cocktails tout récents aux bouteilles très colorées, Mangoa (mangue et rhum) ou Cranberry (cranberry et vodka).

Des conditionnements incitant à consommer davantage

Les maxi-cannettes de bière de 50 cl ou les bouteilles « individuelles » de 65 cl viennent rivaliser avec les petites bouteilles de 25 cl ou les cannettes de 33 cl. Pour la bière, si la majeure partie des achats en grandes et moyennes surfaces se fait encore sous forme de bouteilles de 25 cl, ce sont les ventes des boîtes de 50 cl qui progressent le plus (+ 12,2 % en novembre 2005)[19]. Et pour les packs, ce sont les grands packs de huit à vingt unités en verre qui voient leur vente augmenter le plus (+ 27 % en 2005).

Et peu à peu les marques d'alcool se convertissent aux rations individuelles, qui correspondent au mode de consommation des jeunes. Dernier en date, le Martini prénommé mini, blanc ou rouge, conditionné en pack de huit mini-bouteilles de 60 ml, à mélanger à du soda, ou selon les recommandations du site de la marque à de la vodka ou de la tequila[20].

Une adaptation des linéaires des distributeurs

Voyant que les alcopops remportaient un certain succès dès leur lancement, les magasins ont très vite réagi pour les mettre plus en avant, avec l'idée de créer un « pôle jeunes adultes » en regroupant dans le même espace bières, malternatives et spiritueux. À l'image d'un supermarché du distributeur Cora qui réorganisa ses linéaires dès novembre 2004 en mettant en vis-à-vis, d'un côté, les bières aromatisées comme Kriska,

Boomerang, Desperado ou Extra Kriek et, de l'autre, les spiritueux « modernes » comme la vodka, et les « ready to drink » comme Smirnoff Ice ou Eristoff Ice, en packs et en bouteilles de 70 cl.

Smirnoff Ice : pourquoi ça marche

Les jeunes ne sont pas dupes de la démarche commerciale de la marque à leur encontre, à lire leurs témoignages sur un site d'échanges[21] : « On sait que les jeunes sont la cible principale de ces boissons et les jeunes filles en particulier », « Personnellement j'aime beaucoup la Smirnoff, normal je suis un jeuuuuune. »

Ils savent que cette boisson est conçue pour eux, qui aiment beaucoup le sucre, et se laisse boire facilement : « On sent tout de suite le goût bien sucré de la boisson et on se dit : Mais il est où l'alcool dans cette bibine ? On ne sent pas du tout l'alcool ! Ma deuxième impression : je la désignerais comme un soda au citron bien sucré. Ma troisième impression : c'est sucré et j'en reveux encore, le sucre ça donne encore plus soif ! Ma quatrième : faut que je vous l'avoue, ça donne tellement envie d'en reboire qu'on est vite à sa sixième et on sent les effets de l'alcool agir ! Faites gaffe ! », « Moi, je l'adore ! La quantité de sucre cache la présence de l'alcool mais c'est une boisson qui vous fait vite tourner la tête. »

Et c'est une boisson alcoolisée, concoctée spécialement pour ceux... qui n'aiment pas le goût de l'alcool ! « Ce sont mes amies qui n'arrêtaient pas de faire des éloges de cette boisson, ce qui m'a paru plutôt bizarre étant donné qu'elles boivent rarement de l'alcool », « Je la trouve assez bonne du fait du goût de limonade et de la faible sensation de goût alcoolisé », « Pour moi, c'est l'une des meilleures boissons alcoolisées pour les gens qui n'aiment pas trop boire des boissons dont le goût de l'alcool prédomine ! »

Quant à l'emballage très travaillé, il participe du succès de la boisson : « Le design de la bouteille est plutôt sympa et original », « La bouteille a un aspect simple mais génial ! », « Quand tu es en boîte, les rayons de lumière noire les rendent phosphorescentes. », « Il est écrit gravé dans le verre : "triple filtered", assurément un gage de qualité ! » « L'emballage est classique et classe. Le noir est classe, le rouge est noble. De plus la couleur gris-blanc donne une impression de fraîcheur. »

Des produits « dérivés » non réglementés

Trouvant que les ventes d'alcopops ne décollent pas assez en France, les alcooliers cherchent des formes résolument différentes, dérivant du produit classique. C'est ainsi que la Go Wodka a débarqué dans les rayons sous forme de… tubes, avec le printemps 2006 : de la vodka en gel, parfumée à la fraise ou au citron.

Autre forme, la glace à la vodka ou au rhum. Vendue dans les supermarchés durant l'été 2006, Chiller IV, 8 % d'alcool pour 100 ml. Les parfums associant vodka et citron ou rhum et orange tendraient à montrer que le public jeune est le premier visé, même si l'entreprise belge qui les commercialise indique qu'il s'agit d'un produit « réservé aux adultes » et demande à ses détaillants de « ne pas en vendre aux jeunes âgés de moins de 16 ans ». Mais le contrôle est impossible puisqu'il s'agit de produits surgelés dont la vente n'est pas réglementée. De plus l'emballage en tubes cartonnés semble s'inspirer de ceux des sorbets aux fruits destinés aux enfants. Selon l'ONG britannique Hope UK, une boîte de six bâtonnets suffit à saouler un enfant de 14 ans, d'autant plus facilement que le goût de l'alcool est atténué dans un produit glacé[22].

Le relais de la publicité cachée : lobbying, sponsoring et nouveaux médias

Selon l'International Center for Alcohol Policies (ICAP), une organisation de prévention parrainée par dix des plus grands producteurs mondiaux de spiritueux[23], « les marques de boissons alcoolisées [...] ont recours aux méthodes de marketing et de promotion de la même façon que n'importe quelle marque de produits manufacturés. Ils sont en rivalité pour des parts de marché dans un environnement particulièrement compétitif. La compétition se joue entre les marques mais aussi entre les différentes catégories de boissons alcoolisées[24] ». La France ne déroge pas à cette règle, mais l'interdiction de la publicité incite le marketing à faire assaut d'inventions.

Des velléités de faire changer la législation

Le lobby vinicole a obtenu en juillet 2004 qu'un groupe de parlementaires français prenne la défense du vin « injustement diabolisé[25] ». S'il a échoué alors à remettre en cause la loi Évin et l'encadrement très strict de la publicité, il a obtenu, trois mois après, d'avoir un droit de regard sur les projets de publicité contre l'alcoolisme, avec la création d'un Conseil de modération et de prévention, dont la profession fait partie[26].

Détourner l'interdiction de la publicité

Depuis la loi Évin, les fabricants recherchent des moyens détournés pour s'adresser aux jeunes. Première piste : passer des accords avec d'autres marques qui font des publicités à la télévision afin de figurer dans leurs films. En 2005, le Bureau de vérification de la publicité a dû exprimer 89 avis sur la présence d'alcool dans les publicités diffusées à la télévision[27].

Deuxième piste : flirter avec la loi. Tout récemment, l'Interprofession des vins du Val-de-Loire s'est vu interdire l'utilisation du message « Cabernet d'Anjou, qui ose dire que jeunesse ne rime pas avec délicatesse ? ». Le juge a relevé l'ambiguïté de ce slogan dont « deux lectures sont possibles concomitamment, jeunesse du vin, jeunesse de la cible » et a conclu que « l'ambiguïté voulue du slogan décrivant, pour un consommateur averti, un mode de vente et de consommation des vins d'Anjou, des caractéristiques gustatives et dans le même temps des qualités d'un consommateur auquel le lecteur est appelé à s'identifier, excède les limites posées par la loi[28] ».

Le recours au marketing viral sur Internet

Toutes les réglementations en matière de marketing et de publicité pour l'alcool dans les médias traditionnels, presse, radio ou télévision, n'ont aucune application sur Internet. Deux auteurs australiens, Tom Caroll et Ron Donovan, démontraient dès 2002 qu'Internet fournissait des occasions importantes au marketing des marques d'alcool pour toucher le public mineur[29].

La méthode la plus simple consiste à diffuser des mini-films de pub, jouant sur la dérision, le comique ou la musique, ce qui incite les jeunes à se les transmettre très vite. C'est la base du marketing viral, qui permet de démultiplier rapidement la diffusion d'une information par Internet, soit par mails, soit par des réseaux communautaires informels qui se créent autour de centres d'intérêt. Ainsi Absolut Vodka[30] a diffusé en juillet 2006 une mini-comédie musicale online interactive, sur laquelle chaque internaute peut choisir l'orientation du scénario et personnaliser le texte. Et en télécharger le résultat, pour conserver son « œuvre » et la transmettre aux copains.

La constitution de clubs est un autre moyen répandu. Clubs interdits aux mineurs bien sûr, mais il suffit de se déclarer majeur, par un click, pour pouvoir y participer. En contrepartie, on reçoit plusieurs fois par an des invitations pour participer à des festivités dédiées à la marque, des réductions d'achat pour les produits alcoolisés, ou des prix attractifs pour se procurer des objets de promotion. Ainsi Ricard a créé le club « Place Ricard » qui offre des bons de réduction et l'accès privilégié à une boutique d'objets siglés.

Autant de méthodes qui détournent l'interdiction de publicité et de promotion de l'alcool et permettent de se constituer des fichiers très précis de consommateurs « en affinité » avec la marque. En cas de lancement de nouveaux produits, les membres sont les premiers à être informés, par mail ou SMS, ou à être invités à les déguster en priorité. Et la marque compte sur eux pour faire fonctionner le « buzz », ce bouche à oreille moderne très efficace en particulier par les échanges entre fans sur des forums spécialisés.

Il en va de même avec les sites parallèles créés autour d'une marque. Ainsi le site smirnofice.com, recommandé par un jeune surfeur sur un site d'échanges d'avis[31], procure « resources and information on Smirnoff Ice and Smirnoff ». Et les aficionados de la marque peuvent se procurer tous les produits de promotion voulus sur ebay ou sur shop.com[32], jusqu'à la maquette de voiture de course siglée.

Dernier avatar d'Internet, le marketing furtif, qui permet à n'importe quelle marque d'avancer masquée. Des personnes de la marque, des agences spécialisées, voire à présent des logiciels automatiques interviennent incognito sur des forums ou des blogs avec des témoignages « personnels » favorables à la marque. Ou bien encore créent de faux blogs tout aussi positifs pour la marque.

Le placement de produits dans les films de cinéma et les jeux vidéo

Interdites de pub sur petits et grands écrans, les marques d'alcool passent des accords financiers avec certaines distributions de cinéma ou de vidéo pour que leurs produits figurent en bonne place dans leurs films. Il existe d'ailleurs des agences spécialisées dans ce type de « placement[33] » qui pratiquent ainsi du « P2P », du « product placement », qui peut prendre trois formes : le ou les acteurs parlent de la marque, la boisson est visible durant l'action et, objectif ultime, les acteurs ou les héros la consomment.

Des soirées tests et tournées de boîtes

Souhaitant cultiver l'idée que l'alcool est festif, les marques d'alcool ont porté leur choix vers les lieux de fête fréquentés par les jeunes, pour favoriser les occasions de « mise en main » : festivals, soirées privées organisées par de jeunes DJ, ou soirées étudiantes. Pas un week-end d'intégration, pas un bureau des élèves de grande école sans son sponsor attitré, qui fournit avec largesse les boissons pour les soirées open bar. Et la technique est toujours la même : jamais de remise mais un nombre non négligeable de bouteilles offert au prorata de la quantité achetée, au moins une pour dix. Ces lieux sont choisis en priorité pour lancer les nouveautés à prix cassés, souvent même avant de les diffuser dans les magasins. Dans ce cas, le principe du marketing joue à plein. Ainsi par exemple de Kryo qui en 2005 a mis sur pied une force de vente spécifique pour démarcher les établissements du monde de la nuit.

Et puis, chaque été, des caravanes se forment pour organiser des tournées ou des animations karaoké. Avec parfois fourniture de matériel pour soirées mousse dans les boîtes, dont l'atmosphère flottante contribue encore plus à lever les interdits.

Heineken par exemple organise chaque année des tournées de différentes sortes de musique un peu partout sur la planète[34]. Et, encore plus attractif, elle organise des « Heineken green room sessions by invitation only », soirées privées pour happy few, auxquelles il est possible de s'inscrire à l'avance via leur site.

Le people marketing

Depuis quelques années, de nombreuses marques d'alcool organisent des fêtes pour lancer leurs dernières nouveautés et en faire un événement fréquenté par les people du moment, que toute la presse magazine s'empresse de relayer. Car les stars sont des « vecteurs de prescription » auxquels les jeunes ont tendance à s'identifier.

Les alcooliers choisissent aussi les soirées en vue pour diffuser gratuitement leurs produits, contre un accord de « partenariat » avec les organisateurs. En particulier les soirées de presse pour la sortie d'un livre, d'un film... ; dans ces occasions, les marques d'alcool figurent en bonne place sur les cartons d'invitation. Ces marques font alors open bar et, là encore, le bouche à oreille fonctionne.

Des partenariats étonnants

L'objectif des marques d'alcool est d'être le plus possible là où on ne les attend pas. Avec des choix parfois contestables. Ainsi, les brasseries Kronenbourg, par exemple, leader de la bière en France, ont sponsorisé, en 2005, la Semaine du goût avec trois de leurs marques. Cette opération montée en 1990 par la Collective du sucre propose en particulier des « leçons de goût »... dans les écoles, avec la caution du ministère de l'Agriculture, de l'Alimentation et de la Pêche. 6 200 classes de CM1 et CM2, et plus de 180 000 enfants y ont participé dans toute la France. La saison suivante, elles ont été rejointes par le champagne Piper-Heidsiek et l'apéritif Campari.

Toujours très inventive, Kronenbourg a signé en juin 2006 un autre partenariat, tout aussi déroutant, avec le deuxième groupement d'auto-écoles, le CER. À l'occasion de séances de code, un film de sept minutes financé par la marque doit être projeté à tous les candidats de 16 à 23 ans, montrant l'implication de l'alcool dans les accidents et se terminant par une présentation de la bière pure malt sans alcool du brasseur. Une façon pour la marque de toucher directement 120 000 jeunes aspirant au permis de conduire.

L'arrivée du marketing sur téléphone mobile

Comme sur Internet, les enfants et les adolescents ont accès à toutes sortes de contenus grâce aux nouvelles générations de téléphones portables, 3G. Selon une enquête Eurobaromètre de mai 2006, en Europe, 70 % des jeunes âgés de 12 et 13 ans possèdent leur propre téléphone portable. En mai 2006, 38 % des jeunes de 16 à 24 ans en Europe utilisent leur mobile, pour surfer sur Internet, et 22 % des 62 % restants envisagent de franchir le pas très vite[35]. Ce qui, on s'en doute, n'a pas échappé aux gens de marketing, qui considèrent d'ores et déjà le mobile comme le média « jeune » par excellence.

Mineur et alcool : ce que prévoit la loi

La loi interdit de recevoir dans les débits de boissons des mineurs de moins de 16 ans non accompagnés d'une personne majeure. Il est de plus interdit de vendre ou d'offrir des boissons alcooliques à emporter ou à consommer sur place aux moins de 16 ans, dans un lieu public ou un commerce. Entre 16 et 18 ans un jeune ne peut y boire que des boissons fermentées (vin, cidre, bière).

Toute personne faisant boire un mineur jusqu'à l'ivresse encourt une peine de prison et une amende et peut être déchue de l'autorité parentale. La loi punit d'amende et d'emprisonnement toute personne qui incite un mineur à la consommation habituelle et excessive d'alcool, et encore plus gravement s'il s'agit d'un mineur de moins de 15 ans ou encore lorsque la provocation se produit à l'intérieur ou à proximité d'un lieu fréquenté par les mineurs (collège, lycée, salle de spectacle, etc.).

La publicité pour l'alcool est interdite dans les journaux pour jeunes et à la télévision. De plus, il n'est pas possible de remettre, distribuer ou envoyer à des mineurs des documents ou objets nommant ou représentant une boisson alcoolique (ou le nom de son fabricant).

Les premix sont taxés depuis décembre 1996, la taxe ayant été réévaluée à 11 euros par décilitre d'alcool pur, à compter du

1er janvier 2005, dans la loi de santé publique votée le 31 juillet 2004. Elle s'applique aux boissons titrant entre 1,2 et 12° et étant soit des boissons alcoolisées, soit des mélanges, qui contiennent plus de 35 g de sucre par litre.

Enfin, dans le milieu scolaire, selon la circulaire du 31 mai 1996, « Les jeunes et l'alcool », les chefs d'établissement doivent, avec l'aide des enseignants, « accorder à ce thème la place qui lui revient dans le cadre des programmes ». Médecins et infirmiers y sont invités à mettre en place « les actions d'éducation destinées à informer et à développer le sens des responsabilités des élèves face au risque représenté par l'alcool ».

NOTES

1. http://www.pernodricard.com/PERNOD/servlet/pernod. Dispatcher?page=seeFiche.jsp&strVisualisation=dynamic&strFichesId =9438. Pernod-Ricard est impliqué dans les actions de prévention du Portman Group au Royaume-Uni, de http://www.alcoholysociedad. org/' ; en Espagne, de http://www.soifdevivre.com/' ; en France, de http://www.centurycouncil.org/' ; aux États-Unis, du MEAS en Irlande, http://www.forum-taste-education.com/' ; en Belgique, du http://www. goda.dk/' ; au Danemark, du Forum PSR en République tchèque, du ANEBE au Portugal et du European Forum for Responsible Drinking.

2. http://www.pernodricard.com/PERNOD/servlet/pernod. Dispatcher?page=seeFiche.jsp&strVisualisation=dynamic&strFichesId= 8176

3. P-DG de Moët-Hennessy-Diageo, qui distribue Smirnoff Ice dans les hypermarchés. Interview au *Journal du Dimanche* le 18 janvier 2004, par Étienne Lefebvre.

4. Dossier de presse de la FFS, « Les Français et les spiritueux : attitudes, connaissances et idées fausses », 2006, disponible sur le site de la fédération. Selon la définition de la FFS, « on désigne sous le nom de "spiritueux" les boissons à base d'alcool de distillation, en opposition aux boissons fermentées pures, comme le vin, la bière ou le cidre. NB : Les premix ne sont pas des spiritueux. »

5. http://www.rayonboissons.com/veille/media_b15.php?id=1542&r ub=15&st=302&sst=Alcools%20blans

6. http://www.sf.soifdevivre.com/conducteurdesigne/Conducteur+de signe+operations/Conducteur+designe+qui+est-il/default.aspx

7. http://www.sf.soifdevivre.com/Sante/Effets+alcool/ Effets+organisme/default.aspx

8. 30 milliards de francs en 1997, contre à peine la moitié quatre ans avant.

9. Enquête dans trois lycées parisiens auprès de 450 jeunes de janvier à avril 1997, menée par le Dr Claudine Fecan de Kermel.

10. 0,23 euro par décilitre en 1997, puis 5,5 euros par décilitre d'alcool pur en 1999, soit 0,90 euro par cannette de 33 cl.

11. prevention.ch/alcopops.htm, site de prévention suisse

12. http://www.prevention.ch/alcopops.htm

13. Selon le député Yves Bur, interview de *L'Express*, 1er novembre 2004.

14. *Le Parisien*, 12 mars 2006.

15. Selon le P-DG de Pernod, Pierre Coppéré, interview de Claire Chantry dans *Le Parisien*, 10 février 2005.

16. Sauvète M., *Revue des œnologues*, n° 116, 2005.

17. Interview dans la revue spécialisée *Rayon boissons*, mai 2005.

18. Il produit Stella Artois, Leffe et Hoegaarden.

19. Source AC Nielsen, citée par www.rayon-boissons.com.

20. http://www.martini.fr. Quand le *Journal du management* présente les « nouveautés branchées de l'été », il y fait figurer deux boissons alcoolisées (Martini et Marie-Brizard), http://management.journaldunet.com/ diaporama/produits-ete/1.shtml

21. http://www.ciao.fr, échanges entre avril 2004 et février 2006.

22. Cité par *Le Figaro Économie*, 7 juin 2006.

23. Asahi Breweries, LTD., Bacardi-Martini, Beam Global Spirits & Wine, Brown-Forman Corporation, Diageo PLC, Heineken N.V., InBev, Molson Coors, Pernod-Ricard, SABMiller PLC, Scottish & Newcastle.

24. *The Structure of the Beverage Alcohol Industry*, ICAP, mars 2006, http://www.icap.org/portals/0/download/all_pdfs/ICAP_Reports_ English/report17.pdf

25. *Le Livre blanc de la viticulture française, Le rôle et la place du vin dans la société* : Gérard Cesar, Paul Henri Cugnenc, Philippe-Armand Martin, Serge Poignant, Alain Suguenot, Bibliothèque des rapports publics, http://www.ladocumentationfrancaise.fr/brp/notices/044000351.shtml

26. Loi d'orientation agricole d'octobre 2004, créant un Conseil de modération et de prévention, composé des professionnels des filières concernées, et « notamment des filières vitivinicoles ».

27. Sur 15 000 publicités analysées durant l'année 2005.

28. Ordonnance du 10 juillet 2006 du tribunal de grande instance de Paris.

29. *Drug and Alcohol Review*, vol. 21, n° 1, 2002, Carfax Publishing, Taylor & Francis LTD.

30. http://absolut.com/rubyred

31. www.ciao.fr

32. http://search.ebay.com/smirnoff-ice_W0QQfsooZ1QQfso-pZ1QQssPageNameZWLRS ou http://www.shop.com/op/aprod--Smirnoff?ost=smirnoff&sourceid=16

33. Par exemple Marques et Films, Casablanca ou Média Film.

34. www.heinekenmusic.com

35. Selon l'EIAA, cité par le *Journal du Net*, http://www.journaldunet.com/cc/05_mobile/mobile_profil_mde.shtml.

9.

Le platane qui cache la vigne !

La prévention en milieu étudiant

ÉRIC MATHEVET ET RENAUD BOUTHIER

La consommation alcoolique des 18-25 ans n'a jamais cessé de décroître depuis les années soixante. Ce changement de comportement est pour une bonne part attribuable au désintérêt grandissant qu'ils nourrissent à l'égard d'une consommation quotidienne et alimentaire du vin, éloignée du rapport occasionnel et festif qu'ils entretiennent avec l'alcool. Les étudiants concentrent en effet leur consommation lors d'événements festifs qui les rassemblent. C'est souvent l'ivresse qui est recherchée dans l'absorption d'alcool, autrement dit une désinhibition qui favorise et accélère leurs relations sociales lors de ces fêtes. Ce n'est pas le vin qu'ils rejettent mais son contexte de consommation. Le succès de la fête du beaujolais nouveau auprès des étudiants et la présence incontournable du champagne dans les galas ou cérémonies de remise de diplômes en témoignent.

Pour les bureaux des étudiants (BDE), organisateurs des soirées, l'alcool est le moyen incontournable pour unifier les élèves autour des valeurs et coutumes de l'école. C'est en raison de ce rôle social spécifique joué par l'alcool que les BDE ne peuvent se permettre de le supprimer et que des débordements peuvent survenir.

Il en va de même pour les alcooliers qui ont bien compris

152

le rôle que joue l'alcool au cœur de la fête et des études. De plus, en investissant lourdement auprès des étudiants, c'est en réalité aux futurs consommateurs qu'ils s'adressent, a fortiori si ces derniers sont issus de grandes écoles.

Dans un contexte où tous les acteurs (BDE, alcooliers et étudiants) sont bien d'accord sur le rôle que joue l'alcool, quelle place y a-t-il pour la prévention ? Eh bien, miracle ! Là encore, tout le monde (ou presque) est d'accord ! Tout le monde s'accorde à dire qu'il est inacceptable que des étudiants se tuent en voiture, meurent à 20 ans. Cet objectif de réduction des accidents de la route est évidemment louable, sauf qu'il permet à tout le monde d'éviter de parler de ce qui fâche : la consommation d'alcool et ses autres conséquences à court ou moyen terme. Dans l'environnement étudiant, le platane cache bien souvent la vigne...

Tous contre le platane !

En milieu étudiant, les différents acteurs sont tous d'accord pour lutter contre les accidents de la route...

Les alcooliers

Ils sont conscients de l'image désastreuse que produisent les excès de consommation d'alcool lors des soirées étudiantes. Un accident ou des débordements tels que ceux qui se sont produits lors de la fête du beaujolais 2005 à Grenoble ont un impact déplorable sur l'image des marques.

Les alcooliers sont en porte-à-faux entre la nécessité de conquérir de nouvelles cibles et un souci de comportement responsable. D'une part, ils savent bien que la clientèle étudiante prend, durant ses études, des habitudes de consommation qu'elle conservera : dès lors, il leur est difficile de renoncer à ce moment crucial de fidélisation d'une nouvelle génération de consommateurs. D'autre part, ils doivent éviter à n'importe quel prix l'accident sinistre et choquant qui fauche une vie au sein d'une communauté étudiante solidaire.

Les alcooliers sont donc bienveillants à l'égard des associations de prévention routière agissant auprès du public étudiant, tout en ayant une fâcheuse tendance à les utiliser comme des labels et à les cantonner dans la prévention routière. Ainsi, la concentration de leurs efforts de communication sur le conducteur leur évite de parler de la consommation chez ceux qui ne conduisent pas et des risques à plus long terme, non liés à l'accident de la route. Une association a même été créée par ces derniers, dont l'objectif principal est de promouvoir le principe du conducteur non consommateur d'alcool. On peut également se demander si ce « ciblage » ne correspond pas à un calcul économique ; en effet, s'il y a un conducteur désigné, le volume de boissons alcoolisées absorbé par ceux qui n'auront pas à conduire est plus important que si aucun conducteur n'a été choisi par avance. On sait qui conduit et les autres peuvent se « lâcher » ; dans le deuxième, comme il y a une incertitude sur celui qui va conduire, l'ensemble du groupe aura tendance à modérer sa consommation.

Les associations de prévention

Les associations se préoccupant des effets nocifs de l'alcool ont une longue histoire et leur influence varie selon les époques. Laïques ou religieuses, elles étaient parfois présentes dans plusieurs pays où elles ont pu jouer un rôle de lobbying important. La Croix Bleue, par exemple, a joué un rôle de premier plan dans l'interdiction de l'absinthe en Suisse, puis en France dans les années dix. Ces associations s'adressaient en premier lieu aux alcooliques et s'inscrivaient dans une logique de guérison qui impliquait pour les malades un renoncement total à leur consommation. Cette approche curative les amenait à considérer l'alcool comme la cause d'un mal. Elles prônaient donc souvent l'abstention, voire la prohibition. L'univers associatif a vu naître, depuis une dizaine d'années, un grand nombre d'associations de prévention notamment à destination des jeunes. Elles n'ont pas vocation à soigner mais à informer et à prévenir des risques. L'enjeu n'est pas de prôner l'abstention mais la modération. Toute la difficulté est de tracer la limite, le seuil de prise de risque tolérable. Un comportement responsable est-il de ne pas boire plus de deux verres avant de conduire ou de ne pas boire du tout ? Tout le monde n'apporte pas la même réponse. En effet, si elles œuvrent en général dans un but commun de réduction des risques routiers auprès d'un même public de jeunes et d'étudiants, les associations de prévention des risques liés à l'alcool se caractérisent par leur atomisation et leur manque de concertation. À ce manque de coordination s'ajoute un problème de financement. Les BDE qui les sollicitent n'ont eux-mêmes pas de moyens importants, ce qui implique une quasi-gratuité des services de prévention rendus par les associations. Ces dernières sont donc contraintes de se tourner vers des subventions publiques ou des mécènes privés qui leur ôtent une part importante d'autonomie dans le développement de leurs activités de prévention.

Les pouvoirs publics

Leur objectif est de réduire les coûts causés par l'alcool pour la société : un coût financier tout d'abord, les maladies occasionnées par l'alcool pèsent lourd dans les comptes de la sécurité sociale, et un coût social et humain supporté par la population. L'État a donc un intérêt à investir dans la prévention pour réduire ces coûts et y contribue aujourd'hui notamment à travers des campagnes grand public. Concernant les étudiants, la majorité des efforts sont là encore tournés vers la réduction des accidents de la route. Il s'agit bien là de tout faire pour que le nombre d'étudiants tués sur les routes de France diminue au plus vite. Le slogan martelé sur tous les campus est le célèbre « Celui qui conduit est celui qui ne boit pas ». Celui-ci soulève néanmoins deux questions. D'abord, pourquoi cette redondance (celui… celui) ? Ne pourrait-on pas dire plus simplement : « Celui qui conduit ne boit pas » ? Le premier slogan, insistant tellement sur le conducteur, peut paraître tendancieux en laissant penser que le seul qui ne boira pas est le conducteur, les autres pouvant y aller franchement… Ensuite, ce slogan est-il cohérent avec la loi ? Alors qu'à « celui qui conduit ne doit pas boire », la loi permet encore de le faire puisque le seuil maximal d'alcool dans le sang peut être de 0,5 g/l, soit deux verres… Tôt ou tard il faudra rendre cohérents les grands messages de prévention avec la loi…

L'étonnante alliance bureaux des élèves-écoles

Élus par les élèves, les BDE animent la vie étudiante. L'une de leurs premières tâches est d'orchestrer les événements fédérateurs de l'école (intégration, gala, remise de diplôme, etc.). Contraints par une tradition corporatiste plus ou moins forte, leur principal objectif est de réussir les soirées : aussi, les fameux « open bar » deviennent des produits d'appel dans la mesure où ils signifient pour les étudiants une ambiance garantie et un rapport « cuite »-prix intéressant…

Ce qui est le plus surprenant, c'est que ce type de soirée peut même avoir lieu au sein de l'école ou de l'université… comme si celles-ci, conscientes du rôle fédérateur de ces fêtes et craignant de se mettre à dos les associations, laissaient faire. Elles renvoient une image impeccable, *mens sana in corpore sano*, dans leur communication externe (pour séduire les étudiants, les parents et les entreprises) et dans le même temps permettent de véritables « orgies » dans leurs murs où l'alcool coule à flots… Heureusement cette tendance est à la baisse car tout le monde prend conscience des risques de ces soirées, surtout sur le plan juridique. En effet, l'incitation à la consommation serait fatale aux organisateurs si, suite à un accident, les responsabilités étaient recherchées. À ce propos, les associations de prévention appelées lors de ces soirées sont parfois perçues comme un moyen de réduire les risques et d'atténuer la responsabilité des organisateurs, ce qui d'un point de vue juridique est un leurre.

Personne contre la vigne !

Pourquoi existe-t-il un consensus autour de la sécurité routière et un silence autour des maladies provoquées par l'alcool ?

Selon une étude de l'Observatoire français des drogues et des toxicomanies de 2004, seuls 6 % des décès attribuables à l'alcool ont pour cause un accident de la route. Alors pourquoi les 94 % de décès qui sont pour l'essentiel l'issue fatale de maladies souvent longues et douloureuses causées par l'alcool ne font-ils pas l'objet d'un intérêt au moins aussi grand que celui des accidentés de la route ?

Sans doute parce que ces maladies touchent des personnes d'un âge plus avancé et qu'elles occasionnent une mort lente et honteuse à l'hôpital, désocialisant peu à peu les personnes qui disparaissent loin des regards. Ces disparitions, même seize fois plus nombreuses que celles occasionnées par la route, n'ont pas le même impact. Une disparition n'est pas moins tragique qu'une autre mais l'une est visible et l'autre pas. Trois étudiants qui manquent à l'appel un lundi matin n'ont pas le même effet qu'un lit d'hôpital vide rapidement remplacé. Le « jeunisme » de notre société, s'il permet d'oublier la disparition prévisible d'un individu prématurément vieilli, malade et désocialisé, ne tolère en revanche pas la disparition brutale d'un étudiant auquel chacun peut s'identifier et qui évolue dans un tissu de relations dense.

La société a aujourd'hui intégré que la sécurité routière était une priorité. Tous les acteurs concernés par l'alcool en milieu étudiant se sont emparés de cet état de conscience et s'entendent tous pour dire que la prévention des risques routiers liés à l'alcool est nécessaire, que ce soit pour des raisons d'image, de réduction de coût ou de responsabilité. Tous ces acteurs dont les objectifs sont souvent antinomiques se retrouvent autour de ce consensus qui constitue un référentiel global contre lequel on peut difficilement se dresser sans être marginalisé puisqu'il constitue aujourd'hui une norme sociale. L'extension généralisée de la prévention aux effets nocifs d'une consommation excessive d'alcool pour la santé est tributaire de cette prise de conscience par la société. Si une association forte entre risques pour la santé et alcool est faite au sein de la société civile, alors l'ensemble des acteurs concernés seront forcés de s'en accommoder, comme c'est le cas avec la prévention routière. Il est donc capital de faire prendre conscience à la société de l'existence d'une relation de cause à effet entre alcool et santé.

D'autres expériences de prévention et d'éducation des comportements alcooliques

Expériences de soirées sans alcool

Il existe au moins deux concepts de soirées sans alcool.

Le plus connu cible le « conducteur désigné ». Le principe est simple : celui qui conduit est responsabilisé et incité à ne pas boire. Impulsé par les pouvoirs publics, repris par les associations de prévention et les alcooliers, ce concept simple vise à réduire le nombre des accidents de la route occasionnés par l'alcool. Le bilan est positif, leur nombre a nettement régressé. Cependant, si le conducteur est responsabilisé et que les BDE prévoient des navettes pour raccompagner les étudiants après les soirées qu'ils organisent, il reste encore beaucoup à faire pour sensibiliser les passagers aux risques qu'occasionne une consommation excessive d'alcool, à court comme à long terme. Ce concept a comme effet pervers de laisser croire que l'essentiel est évité : c'est vrai pour l'accident de la route, cela l'est moins pour les conséquences liées à la consommation d'alcool à court terme (bagarres, oubli du préservatif…) ou à long terme (dépendance, maladies…).

Le second exemple concerne les soirées sans alcool à destination des 18-25 ans organisées à l'initiative d'associations de prévention. Ce type d'événement, réclamé par les municipalités, a un impact évident sur le plan médiatique et auprès des jeunes. Le but est de leur montrer qu'on peut s'amuser dans un cadre festif sans alcool. Face au succès de ces soirées, certains BDE évoquent la possibilité d'en organiser une chaque année.

Ce type d'initiative a le mérite d'amener les jeunes à réfléchir et à se rendre compte qu'il est possible de passer une bonne soirée sans consommer. Chez certains étudiants, il est en effet inenvisageable de passer une soirée sans alcool : il existe une sorte de dépendance qui consiste à ne pas pouvoir se passer d'alcool par crainte de ne pas pouvoir s'amuser. Ce type de soirée, où des animations sont mises en place, peut prouver le contraire et changer les représentations d'une fête réussie. Par contre, on peut se poser la question de l'évolution induite sur les comportements individuels dans les soirées où l'alcool est présent. Les étudiants qui se rendent dans ces soirées sans alcool jouent le jeu pour coller à la thématique du moment. En retournant dans une soirée open bar, n'adopteront-ils pas un comportement aux antipodes, à savoir boire énormément pour faire comme tout le monde et s'approprier l'esprit de la soirée ? Autrement dit, l'organisation d'une soirée sans alcool ne modifie-t-elle les comportements que durant son déroulement ? Ce type d'initiative peut même être perçu comme une démarche de déresponsabilisation dans la mesure où le choix de ne pas boire ne vient pas des participants mais des organisateurs.

Dans le même ordre d'idée, des soirées sans alcool sont organisées à destination des 14-18 ans dans les clubs-discothèques avant l'heure d'ouverture habituelle. Si elles peuvent favoriser une entrée plus précoce des adolescents dans un univers festif où l'alcool sera forcément présent, ces soirées sont un lieu privilégié de prévention au sein d'une pouponnière de jeunes « clubbeurs ». Ils seront les premiers exposés à l'univers des boîtes de nuit et de l'alcool. Il s'agit donc d'un lieu privilégié pour les sensibiliser aux risques inhérents à l'alcool afin que ces néophytes de la culture club adoptent un comportement raisonnable dans leur consommation à venir.

Éduquer pour une consommation responsable

Certains savoir-faire étrangers en matière de prévention alcoolique sont intéressants. Prenons l'exemple québécois d'Educ'Alcool. C'est un organisme indépendant à but non lucratif qui regroupe des institutions parapubliques, des associations de l'industrie des boissons alcooliques, auxquelles s'ajoutent des personnes provenant de la société civile, des universités et des milieux de la santé publique. L'enjeu de cette institution est d'éduquer le grand public et notamment les jeunes pour les aider à adopter un comportement éclairé et responsable face à la consommation d'alcool.

L'un des aspects remarquables de l'engagement des membres bénévoles d'Educ'Alcool est qu'ils « croient fondamentalement au partenariat qui doit exister entre institutions gouvernementales, organismes de l'industrie, personnes provenant des milieux de la santé publique, des universités et des acteurs déterminants de la société civile ».

Pour parvenir à son objectif d'éducation, Educ'Alcool finance des programmes scolaires auprès des collégiens et lycéens québécois. Ils ont pour but d'apprendre les effets de l'alcool sur l'organisme et plus largement ses différents procédés de fabrication, de consommation ou l'origine socio-culturelle des diverses boissons alcoolisées.

Les collèges et lycées sont un niveau efficace pour éduquer les jeunes dans leur consommation future. Cela permet d'agir en amont des premières expériences avec l'alcool et d'atteindre un public le plus large possible avant qu'il ne s'éparpille dans les études, les formations professionnelles ou les entreprises. L'alcoolisme doit être pensé comme un problème de santé publique global et l'école devrait prévenir des risques liés à sa consommation à l'instar des cours d'éducation à la sexualité. Il ne s'agit pas de dénigrer ce produit mais d'apprendre quelles sont les pratiques dangereuses. Rappelons que l'Observatoire français des drogues et toxicomanies estime à 45 000 le nombre de décès causés par l'alcool chaque année en France.

La prévention dès l'école ne suffit cependant pas à faire adopter un comportement responsable pour toute une vie. Des « piqûres de rappel » sont nécessaires pour garder le danger à l'esprit. Les campagnes de communication s'avèrent alors un moyen efficace pour atteindre un grand nombre de personnes. Cependant, lorsqu'elles s'adressent à l'ensemble de la population, elles ne permettent pas une aussi bonne intériorisation par les différents publics. Les comportements de consommation sont différents selon les catégories de population, notamment en fonction de l'âge ou du sexe. Un étudiant, un retraité, un salarié ou une femme enceinte n'ont ni les mêmes pratiques alcooliques ni les mêmes préoccupations. Les jeunes s'approprient par exemple difficilement la notion de risque à long terme alors que les personnes plus âgées sont plus sensibles aux messages de prévention sur le cancer. Les pratiques de consommation sont encore différentes dans les villes et en zone rurale. Une campagne d'information n'a véritablement de sens que si les personnes qui y sont exposées se sentent elles-mêmes concernées.

Ainsi la prévention en milieu étudiant, pour être plus efficace, devra s'inscrire dans la continuité d'actions initiées bien en amont dans les collèges et lycées. Mais également faire l'objet d'un consensus des différents acteurs engagés sur ce champ. Et dépasser la seule problématique du risque à court terme (en l'occurrence l'accident de la route).

10.

Retours de fête

Les accidents dus à l'alcool

JEAN-PASCAL ASSAILLY

Les études détaillées sur les accidents de voiture chez les jeunes ont permis de mettre en lumière un scénario quasiment identique dans tous les pays : la majorité surviennent dans la nuit du samedi au dimanche, entre 1 heure et 6 heures du matin, au retour d'une sortie de week-end (discothèque, pub, fête, bal, feria, fest-noz, soirée entre amis, etc.), sur le réseau secondaire (routes départementales) ; il n'y a qu'un véhicule impliqué et le plus souvent l'accident est dû à une perte de contrôle en courbe, qui provoque une collision frontale ou latérale avec un obstacle fixe (platane, pylône, mur, etc.). Il y a donc un lien statistique évident au sein du triangle « les jeunes-la nuit-l'alcool » : 23 % des jeunes sont tués le jour et 43 % la nuit. Et l'alcool est présent dans 43 % des accidents mortels de jeunes la nuit, et dans 28 % des accidents mortels de jeunes le jour.

Les principaux facteurs de risque

Chez les jeunes impliqués, on retrouve fréquemment six principaux facteurs de risque, quatre spécifiques de leurs accidents, les deux autres étant des facteurs plus généraux de la mortalité routière.

L'alcool

L'alcool est présent actuellement dans 30 % des accidents mortels chez les 18-24 ans comme chez les adultes, et dans 16 % des accidents mortels chez les 15-17 ans. Par rapport aux années soixante-dix et quatre-vingt, où il lui était associé dans 40 à 50 % des cas, sa présence a diminué, mais il reste un facteur déterminant lié aux sorties de fin de semaine.

Les résultats des travaux expérimentaux (en laboratoire, sur simulateur ou sur circuit) à propos de ses effets sur la conduite automobile sont éclairants. Ils font désormais partie des « connaissances de base » en sécurité routière. Même à doses modérées, l'alcool perturbe les temps de réaction (simples et complexes), la précision des manœuvres, le maintien des trajectoires, le traitement de l'information visuelle, le temps de récupération de l'acuité après un éblouissement, l'attention divisée. On note évidemment une relation dose-effet : plus l'alcoolémie est élevée, plus les perturbations sont importantes.

L'alcool a donc un effet lorsque l'on compare les performances moyennes de sujets alcoolisés ou non, mais il existe aussi une importante variabilité entre les individus lorsqu'ils ont bu : à dose égale, certains sont beaucoup plus perturbés que d'autres. Ainsi, nous savons qu'il existe une interaction entre la performance de conduite et l'alcoolisation : les jeunes conducteurs moins bons « techniquement » seront les plus perturbés par une dose donnée d'alcool (par exemple dans les déviations latérales de trajectoire, déjà évoquées, qui font partie du problème accidentologique). Les savoir-faire techniques viennent donc compenser les effets de l'alcool. On constate également qu'un trait de caractère tel que l'impulsivité peut jouer à la fois sur la conduite automobile et sur la sensibilité aux effets de l'alcool.

Il existe aussi une corrélation entre l'accident et la consommation d'alcool, non seulement dans les heures qui précèdent l'accident, mais aussi lorsque la consommation habituelle a augmenté dans les deux jours qui précèdent l'accident.

Enfin, les effets de l'alcool n'apparaissent pas uniquement dans les causes de l'accident, mais aussi dans ses conséquences : la gravité des lésions, les complications des interventions, le taux de létalité sont plus importants lorsque le sujet est alcoolisé.

Les drogues illicites

À la différence de l'alcool, les drogues illicites, essentiellement le cannabis, sont plus caractéristiques des accidents des jeunes usagers. Dans la récente étude « Stupéfiants et accidents mortels » de l'OFDT, le cannabis était surtout présent dans les accidents mortels des 18-24 ans (17 %), encore présent chez les 25-34 ans (8 %), pour disparaître presque entièrement ensuite. Il faut aussi prendre en compte le problème des polyconsommations, voire des polytoxicomanies, très spécifique des 15-25 ans ; la consommation d'alcool et de cannabis, souvent associés, provoque des effets de potentialisation réciproque. L'effet de cette double consommation apparaît dans la moitié des accidents mortels selon l'étude de l'OFDT.

La fatigue

Même sans un recours massif à l'alcool, un jeune qui a passé sa nuit à danser peut tout simplement être fatigué et s'endormir au volant. La perte de contrôle en courbe peut d'ailleurs signaler un problème de vigilance, qui n'est pas nécessairement provoqué par l'alcool. Mais si l'alcool a un effet stimulant lors de la montée de la courbe d'alcoolémie, il a ensuite un effet sédatif : c'est ainsi que l'on observe une corrélation entre l'alcoolémie et la sensation de fatigue lors des trajets retours. De plus, la fatigue est fréquente au sein de la population jeune : « dette » de sommeil en période d'examens pour les étudiants, équilibre loisirs-travail pour les jeunes travailleurs.

Ajoutons que la consommation d'alcool a des effets non négligeables sur les problèmes de sommeil.

L'occupation des véhicules

Les jeunes de 15-24 ans ont pour habitude de sortir en bande ; à cet âge, lorsque des couples se forment, ils restent dans la bande. C'est donc en groupe qu'ils se déplacent (tout le monde n'a pas le permis, tout le monde n'a pas de voiture, et puis surtout c'est plus « fun » comme cela…). Il est courant de lire le lundi matin dans la presse régionale : « Cinq jeunes se tuent en rentrant de discothèque »…

La présence de passagers agit comme un double facteur de risque : un facteur quantitatif, les accidents mortels des jeunes pouvant faire cinq victimes simultanément ; un facteur qualitatif, les passagers pouvant distraire le conducteur, voire le pousser à prendre des risques (il ne faut pas concevoir les trajets automobiles comme des moments neutres, utilitaires : ils font partie de la fête ; dans la voiture, on parle, on rit, on chante, on boit, on fume…).

On peut ainsi constater que si la présence de passagers agit comme un facteur protecteur chez les adultes (on est plus prudent car plus responsable), c'est un facteur de risque chez les adolescents (la pression du groupe des pairs).

Enfin, nous savons que la composition de la voiture a son importance. En effet, lorsque les passagers sont de même âge et de même sexe, les risques sont majorés ; le jeune homme est évidemment plus prudent lorsqu'il a pour passagers des adultes ou des jeunes filles.

La vitesse

Ce facteur général de l'insécurité routière n'est pas particulier aux accidents des jeunes. En cas de choc, nous savons que la gravité des lésions augmente toujours proportionnellement à la vitesse pratiquée. On peut donc simplement dire que, dans la même situation, si la voiture d'un jeune conducteur ivre ramenant quatre passagers « tapait » sur le platane à 50 km/h au lieu de 100 km/h ou plus, cet accident produirait cinq blessés légers et non pas cinq morts.

Le non-respect du port de la ceinture

Avec la même dose d'alcool, les lésions seraient beaucoup moins graves si les jeunes s'attachaient, ce qui n'est pas encore la règle à l'arrière du véhicule, surtout dans ce type de trajet. Dans ces cas, le plus exposé est le passager féminin, assis au centre de la banquette arrière, qui est éjecté à travers le pare-brise.

Les variables sociodémographiques

Parmi les variables sociodémographiques associées à cette mortalité routière liée à l'alcool, la plus puissante est de très loin le *sexe* : sur dix tués, on compte huit garçons et deux filles ; l'une des deux filles est la passagère d'un conducteur masculin dans ces trajets du samedi soir. Nous retrouvons donc la différence sexuelle (particulièrement déterminante sur la route), bien connue des épidémiologistes. Non seulement les filles boivent moins, mais, lorsqu'il leur arrive de consommer de l'alcool, elles évitent le plus souvent de reprendre le volant.

Ainsi, dans la question du lien alcool-accident, le sexe est une variable bien plus discriminante que le *milieu social*. Si l'impact de la classe sociale d'appartenance est très fort sur la santé ou la sécurité des enfants et des adultes, l'adolescence réalise une « tragique justice sociale » sur la route : les risques sont les mêmes pour les jeunes issus de la bourgeoisie que pour les jeunes de milieux défavorisés. Une récente publication de l'OFDT démontrait que les jeunes des « beaux quartiers » de Paris consommaient plus d'alcool et de cannabis que ceux des quartiers populaires. Il semblerait ainsi que les troubles et les styles de vie de l'adolescence gomment les différences sociales à ce moment de l'existence, réalisant un « équilibre » face aux facteurs de risque.

La question centrale, qui permet d'orienter les stratégies de prévention, concerne l'*influence des parents* (effet intergénérationnel) sur les comportements d'alcoolisation, ainsi que celle des pairs (effet intragénérationnel). Certains intervenants sont tentés de penser qu'à l'adolescence l'autorité parentale cédant du terrain, seuls les pairs et les médias sont influents ; or, comme le prouvent certains travaux, l'influence parentale reste essentielle dans les comportements d'alcoolisation du jeune adolescent, par le biais du modelage social, par l'identification particulièrement au parent de même sexe et par la transmission des valeurs.

Les influences sociales des parents et des pairs n'agissent pas au même moment : les parents sont particulièrement importants pendant la phase d'initiation ; l'*influence des pairs* intervient une fois le comportement installé. Il est démontré que lorsqu'un jeune de 15 ans a été passager dans un véhicule conduit par un adulte alcoolisé, il a plus de chances de commettre la même infraction à 21 ans ou bien de se retrouver passager d'un pair alcoolisé.

L'influence des parents est double : directe et à court terme lorsque les parents sont eux-mêmes usagers de substances psychoactives ; indirecte et à long terme lorsque le comportement parental est déficient dans le contrôle des fréquentations de leurs enfants.

Autres corrélats épidémiologiques

Certaines études longitudinales américaines ont mis en évidence le lien entre la *précocité de la consommation d'alcool* (avant 14 ans) et les accidents liés à l'alcool : nous savions déjà que la précocité des consommations était un facteur de risque en ce qui concerne l'excès comme la dépendance. Nous savons aujourd'hui qu'elle est aussi un facteur de risque d'accident sans doute pour des raisons similaires.

Si la consommation d'alcool à 15 ans est prédictive des accidents liés à l'alcool entre 15 et 25 ans, l'*agressivité de la conduite* et/ou la *dépendance au cannabis* sont aussi la cause de bien d'autres accidents.

Les causes psychologiques et sociales de l'infraction alcool

Nous avons proposé un modèle de la mise en danger de soi à trois composantes : la prise de risque, la non-perception du risque, l'acceptation du risque.

La prise de risque

Les bénéfices psychologiques de l'alcoolisation l'emportent sur les conséquences négatives dans les prises de décision du sujet.

La non-perception du risque

Les dysfonctionnements de la perception du risque sur la route concernent la vitesse, l'usage du téléphone autant que le degré d'alcoolisation. Ils sont liés à divers mécanismes.

Le premier est l'*optimisme comparatif* qui consiste à croire que l'accident n'arrive qu'aux autres, que l'on est meilleur conducteur qu'autrui, que l'on « tient » mieux l'alcool que la moyenne des gens : le sujet pense pouvoir contrôler les événements et leurs conséquences.

La disponibilité à la conscience de l'événement « accident-alcool » est évidemment influencée par les campagnes médiatiques. Or celles-ci peuvent avoir un effet pervers en renforçant l'optimisme comparatif : en effet, si j'apprends par les médias le nombre d'accidents dus à l'alcool, je peux en déduire que je suis meilleur conducteur ou meilleur buveur qu'autrui puisqu'il ne m'est rien arrivé.

Un autre facteur empêchant la perception du risque est le *manque d'expérience directe de l'accident* ou de la détection : la route est en fait un univers bien trop « gentil » qui pardonne dans l'immense majorité des cas nos comportements dangereux. C'est pourquoi la politique de sécurité routière est actuellement fondée sur la détection. L'augmentation des contrôles aléatoires par les policiers pourrait améliorer la perception des risques en rendant plus présent à la conscience le lien alcool-accident. On peut cependant se demander si l'expérience personnelle de l'accident ou de l'arrestation suffit à modifier un comportement dangereux. Les résultats des travaux sont pour le moment discordants : on constate que les adolescents comme les adultes craignent plus l'arrestation que l'accident ; ainsi, lorsqu'ils ont bu, ils préféreront prendre une route plus dangereuse, où le risque de contrôle est moindre.

Par ailleurs, tandis que les experts discutent savamment pour évaluer le *taux légal d'alcoolémie* – 0, 0,2, 0,5, 0,8g/l ? –, nos entretiens avec des adolescents aux sorties des discothèques montrent que, pour la plupart, leurs connaissances sont très lacunaires en cette matière : quel est le taux légal en vigueur ? Combien d'unités d'alcool peut-on boire afin de ne pas dépasser le taux légal ? Selon quelle estimation subjective prend-on la décision de reprendre le volant (sachant que les conséquences peuvent être de nature pénale) ?

Nous leur proposions le dispositif expérimental suivant. Au moment où le jeune arrivait dans la discothèque, nous lui demandions : « D'après toi, tu es à combien ? » (ce que nous appelions « alcoolémie subjective en arrivant »), puis nous le faisions souffler dans un éthylomètre (ce que nous appelions « alcoolémie objective en arrivant »). Ensuite, quand il partait de la discothèque, nous renouvelions l'expérience afin d'obtenir les « alcoolémies subjective et objective en partant ». Cette étude a révélé trois groupes de sujets, à parts égales : le premier, plutôt « sécuritaire », qui surestime son alcoolémie ; le deuxième, plutôt « insécuritaire », qui la sous-estime ; et le troisième qui l'estime précisément. Les effets de l'alcool influencent progressivement les estimations subjectives. De manière prévisible, les jeunes femmes ont plutôt tendance à surestimer leur alcoolémie, à l'inverse des jeunes hommes, et, de manière tout aussi prévisible, les petits buveurs sont plutôt surestimateurs à l'inverse des gros buveurs.

C'est en fonction de ces constats que de nombreux experts préfèrent un « degré zéro d'alcool » durant les premières années de la conduite : le message est clair et l'on évite ainsi les distorsions des évaluations.

Enfin, les évolutions actuelles des *modes d'alcoolisation* des jeunes Français ont un effet sur leur comportement au volant : en effet, le passage du mode « traditionnel » (le litre de vin quotidien) au mode anglo-saxon (abstinence durant la semaine, puis « défonce » à base de bière ou d'alcools forts la nuit du samedi) est encourageant d'un point de vue statistique puisque le nombre de litres d'alcool pur consommés par tête d'habitant et par an passe de 16 litres en 1970 à 10 litres en 2000. Mais ce type d'évaluation néglige la consommation des fins de semaine, avec ses conséquences sur la route (la consommation moyenne des 18-25 ans le samedi soir est de cinq à six verres, bien au-dessus du taux légal).

L'acceptation du risque

30 % des jeunes qui meurent sur la route à cause de l'alcool n'ont commis aucun acte illégal puisque ce sont les passagers d'un conducteur alcoolisé. Cela concerne les adolescents qui n'ont pas encore leur permis, et particulièrement les jeunes filles : en effet, celles-ci vont accepter de rentrer avec un conducteur, alors même qu'elles se rendent compte qu'il est ivre, mais elles craignent plus d'être victimes d'une agression sexuelle sur le parking de la discothèque que d'un accident sur la route. Il faut donc expliquer aux adolescents la distinction entre la loi et le danger : quelque chose de légal peut être dangereux, alors que (tout comme les adultes) ils ont trop tendance à associer illégal/dangereux et légal/non dangereux. Dans ce contexte, la prévention devra jouer sur des mécanismes qui n'ont que très peu à voir avec la conduite automobile : l'assertivité, apprendre à dire non, à résister à la pression des pairs (nos collègues américains, toujours très pragmatiques, emploient le concept de « savoir-faire de refus »), planifier ses déplacements et ses soirées, etc.

En effet, les stratégies de décision habituellement mises en œuvre par les jeunes montrent bien leurs limites dans la gestion du danger et la nécessité d'une approche éducative ; deux d'entre elles se détachent.

Tout d'abord, l'*absence de stratégie d'évaluation*. Un important facteur de risque est l'absence d'une estimation correcte a priori et non a posteriori, alors qu'il est trop tard, de l'état du conducteur (« C'est seulement une fois parti que j'ai réalisé à quel point il était ivre »), des critères de décision laxistes (« Très bourré, je ne monte pas ; un peu bourré, je monte »). Ici, le danger a des causes sociales et relationnelles : je n'évalue pas son état parce que « c'est mon copain, j'ai confiance en lui, il m'a toujours ramené en vie ; si je commence à lui chercher des noises, notre relation va en pâtir ». C'est l'attachement qui rend impossible une évaluation plus stricte de l'état du conducteur.

L'autre grande stratégie, c'est une *évaluation fondée sur des critères psychologiques* (le regard, le langage, etc.). S'il est possible en théorie de juger de l'état d'intoxication de quelqu'un à partir de ces critères, on peut douter de l'évaluation d'un jeune lui-même alcoolisé.

La prévention

Nous avons proposé un modèle de prévention de l'infraction et de l'accident liés à l'alcoolisation. L'objectif de cette prévention est triple : éviter de boire et de conduire si l'on est conducteur ; éviter de monter dans un véhicule dont le conducteur est alcoolisé si l'on est passager ; ne pas laisser des amis ou des parents conduire sous l'influence de l'alcool.

Ce modèle suit la chronologie d'une soirée de fin de semaine (qui en fait s'étend de 18 heures à 6 heures du matin), selon quatre étapes :

— la décision de boire et d'associer l'alcool à ses loisirs ;

— la gestion de sa consommation d'alcool au cours de la soirée (quantité, fréquence, prise alimentaire) ;

— la décision de reprendre le volant ;

— une fois cette décision prise, ses conséquences comportementales (prise de risque ou au contraire compensation du risque).

La prévention peut donc influencer le processus à différentes étapes, et la même mesure sera efficace à un moment du processus mais pas à un autre. À chacune de ces quatre étapes, des actions peuvent être impulsées ; elles traduisent deux principaux types de tentative de contrôle du comportement : le contrôle social formel du comportement, le contrôle social informel du comportement. Jusqu'ici, seul le contrôle social formel du comportement était supposé être efficace ; aujourd'hui, le contrôle informel devrait lui aussi être pris en considération.

Le *contrôle social formel du comportement* est opéré par les professionnels impliqués dans l'action de prévention (policiers, juges, éducateurs, chercheurs, travailleurs sociaux, agents administratifs, etc.). Il est formalisé par des lois, des règles, des normes et des procédures. Le *contrôle social informel du comportement* est opéré par l'environnement de proximité (parents, amis, concubin, conjoint, collègues, barmen, disc-jockeys, etc.). Il n'est pas formalisé mais médiatisé par le stigma social, le support social et les normes subjectives de groupe.

La décision de boire et d'associer l'alcool à ses loisirs

Sur le plan du contrôle social formel du comportement entrent dans cette catégorie toutes les mesures réglementaires concernant l'âge d'accès au produit, le prix de l'alcool, la densité et la localisation des points de vente, les heures et jours d'ouverture des établissements, tout ce qui permet d'agir sur la disponibilité de la substance, en un mot la politique de l'alcool. On applique ici la loi de Lederman : baisser la consommation moyenne par tête d'habitant fait diminuer les prévalences des phénomènes liés à l'alcoolisation excessive, des cirrhoses jusqu'aux accidents. Les études de corrélations statistiques montrent bien le lien entre l'âge légal d'achat et les accidents (lorsqu'il est remonté de 18 à 21 ans, ou au contraire abaissé de 21 à 18 ans dans certains États américains).

Sur le plan du contrôle social informel du comportement, on trouve toutes les campagnes en direction des jeunes et des parents sur les effets nocifs des alcoolisations excessives.

La gestion de sa consommation d'alcool au cours de la soirée
Sur le plan du contrôle social formel du comportement, il s'agit de l'action réglementaire sur les alcoolémies légales et les alcoolémies sélectives en fonction de l'âge : les études américaines et australiennes concluent à une diminution importante des accidents mortels de nuit chez les jeunes conducteurs à la suite d'un abaissement sélectif à 0,2 g/l.

Mais aussi des suspensions administratives : l'efficacité des actions sur le permis n'est plus à prouver, à condition qu'elles respectent les critères traditionnels de la théorie de la dissuasion (immédiateté, certitude, sévérité de la sanction). Ainsi, les effets de la certitude et de la sévérité de la peine ont été étudiés sur 8 900 étudiants américains : comme chez les adultes, la certitude est plus dissuasive que la sévérité ; il ne sert à rien de renforcer les peines, il suffit simplement d'appliquer la loi et de rendre crédible son application.

Et enfin, des éthylotests antidémarrage : ce dispositif, qui couple un éthylotest avec le démarreur, bloque le démarrage si l'air expiré du conducteur contient une dose illégale d'alcool. Il est utilisé, en alternative à la prison, pour les conducteurs condamnés pour alcoolémie. Nous savons aujourd'hui qu'il ne réduit le récidivisme que pendant la phase d'installation de l'appareil. Il faudra donc adjoindre à cette action technologique une approche thérapeutique.

Sur le plan du contrôle social informel du comportement, la formation des barmen semble être une mesure efficace, tant du point de vue de la prévention de l'alcoolisation que de celui de la prévention de la conduite sous l'influence de l'alcool. Son efficacité dépend de trois facteurs : son intégration à un ensemble plus général d'actions en direction des établissements ; son extension à une proportion significative de la profession ; un ciblage des établissements où l'efficacité peut être atteinte. Dans ce registre, la responsabilisation pénale des établissements est associée à une moindre fréquence de l'infraction commise par les buveurs en général mais non par les gros buveurs ; cette responsabilisation pénale pourrait être étendue à tout hôte social, c'est-à-dire chacun de nous lorsqu'il reçoit des amis et qu'il les laisse repartir alors qu'ils ne sont pas en état de conduire…

Mais également la désignation d'un conducteur apparue vers la fin des années quatre-vingt dans les pays scandinaves, et qui représente un comportement de substitution à la conduite sous l'influence de l'alcool. Le principe en est simple : au sein d'un groupe d'amis (le groupe pouvant commencer au couple), lors d'une sortie, l'individu sélectionné devra s'abstenir de boire durant la soirée pour raccompagner les autres. Les travaux montrent que les conducteurs désignés réfrènent leur consommation, en ne buvant pas au-delà du seuil de l'infraction. La mesure est donc efficace.

Et enfin, les programmes en direction des parents. Les informations utiles pour améliorer le comportement peuvent être transmises par divers canaux : l'école, les pairs, les médias et les parents. L'école semble peu efficace sur ce point car elle ne dispose pas du temps nécessaire pour traiter un sujet aussi spécialisé. Les parents sont les seuls à pouvoir prendre réellement en compte le degré de maturité de leur enfant, ainsi que d'éventuels problèmes au sein de la fratrie, de façon à adapter utilement les messages. Ils peuvent proposer des comportements alternatifs à l'infraction. L'évaluation des programmes en direction des parents montre une amélioration dans la prise de conscience des parents ainsi que dans la communication parents-enfants.

La décision de reprendre le volant

Elle relève avant tout du contrôle social informel du comportement, autocontrôle de l'alcoolémie : au vu de ce nous avons appris sur les dysfonctionnements de l'évaluation subjective, les dispositifs (éthylomètres sur les murs des établissements, éthylotests dans la boîte à gants, éthylomètre antidémarreur) permettant d'apporter une connaissance objective au jeune sur son alcoolémie pourraient s'avérer très utiles. Les travaux en cours ont prouvé que la précision des estimations s'améliore avec le nombre de tests, tout en restant dépendante de la quantité d'alcool ingérée.

L'étude des effets des consommations d'alcool à propos des retours de fêtes montre bien que le principal problème de sécurité routière des jeunes, celui des accidents mortels de fin de semaine, n'est pas au sens strict un problème de sécurité routière, mais relève plus largement de styles de vie. Il implique pour le jeune la gestion de ses consommations, de ses modes de déplacement, de ses loisirs et de ses rapports à autrui. Entre la réduction générale des consommations d'alcool et l'approche de réduction des risques, la recherche et l'action en sécurité routière font partie intégrante de l'action de santé publique sur l'alcool. Pour ce qui concerne la prévention, et mis à part le contrôle-sanction malheureusement encore indispensable sur la route (ce dont les jeunes sont tout à fait conscients, comme l'ont montré les dernières universités d'automne, « Jeunes et sécurité routière »), les deux axes d'action importants sont la prévention par les pairs et l'influence intergénérationnelle : les parents ont un rôle essentiel en matière de prévention.

IV.

L'alcool en situation

11.

De plus en plus de jeunes aux urgences

Le point de vue d'un pédiatre

GEORGES PICHEROT[1]

Un phénomène : l'alcoolo-défonce ou le binge drinking

Dans le cadre des urgences pédiatriques, nous nous trouvons confrontés à une situation particulière et relativement récente. Elle concerne les jeunes adolescents de 12 à 16 ans dont la consommation d'alcool se caractérise par une extrême violence ; celle-ci consiste à absorber en très grande quantité essentiellement des alcools forts, pouvant donner lieu à des taux d'alcoolémie supérieurs à 2 grammes, ce qui est considérable.

Ce comportement, que les Anglais appellent *binge drinking*, touche autant les filles que les garçons. Généralement les faits se produisent dans les jardins publics ou au domicile de l'un d'entre eux, en l'absence des parents. Ces jeunes se retrouvent le plus souvent en groupes restreints, il leur arrive même de boire en solitaire.

On l'aura compris, il ne s'agit pas là de consommations initiatiques ou festives qui se pratiquent en bandes chez leurs aînés, dans les bars, les discothèques ou au cours de soirées régulières. Nous recevons ces derniers le soir, alors que les plus jeunes qui nous occupent ici arrivent aux urgences dans l'après-midi, souvent ramassés sur la voie publique par les pompiers.

Nous nous trouvons là face à un mode de consommation qui doit attirer toute notre attention.

Ce phénomène est l'expression d'un mal-être, plus fréquent lorsque le jeune se trouve en échec scolaire, dans des situations sociofamiliales difficiles.

Quels en sont les signes annonciateurs ? En premier lieu le besoin de s'isoler du groupe familial ou éducatif, mais également des troubles du comportement tels que des passages à l'acte inattendus causés par une « simple » contrariété. Cet état de vulnérabilité est à l'origine de tels excès qui sont rarement des événements isolés.

Tolérance

Malheureusement, nous constatons que, devant ces situations violentes, la plupart des adultes réagissent comme s'il s'agissait d'un passage obligé : « À leur âge j'ai fait la même chose. » On rencontre trop souvent l'idée selon laquelle « il faut bien commencer un jour, alors pourquoi pas comme ça ».

Cette tolérance, en vertu d'un rite initiatique, met à tort en parallèle le fait d'avoir déjà éprouvé les effets de l'alcool et celui de se retrouver dans un coma éthylique qui mène aux urgences. Si l'ivresse alcoolique n'est pas une tentative de suicide, il s'agit d'une même démarche de prise de risque, révélatrice d'un important malaise.

Dans certaines familles en grande difficulté, la prise de conscience des problèmes de l'adolescent n'est pas simple ; les parents les pressentent sans pouvoir aller au-delà. D'autres parents, déjà alertés par le comportement de leur enfant, sont prêts à engager une démarche avec nos équipes. Ceux qui n'avaient rien observé d'inquiétant se sentent souvent humiliés par les troubles de leur enfant. Mais dans le cas assez fréquent de parents alcooliques, il sera encore plus difficile d'aborder cette question souvent déniée pour des raisons évidentes.

Conséquences

Les conséquences médicales des alcoolisations aiguës sont multiples, le trouble neurologique majeur étant le coma, parfois si profond que nous devons avoir recours à la réanimation ; mais on observe également des troubles de l'équilibre et du discernement ainsi que des troubles digestifs et métaboliques ; l'alcool, en augmentant la consommation de sucre, provoque en effet des hypoglycémies. Les problèmes hépatiques chez les jeunes adolescents sont très rares car ils ne subissent pas encore les effets de l'alcoolisation chronique. En revanche, on peut constater au cours d'une alcoolisation très importante, chez les jeunes comme chez les adultes, l'apparition de pancréatites aiguës dont les conséquences sont souvent dramatiques.

Nous le savons, la majorité des adolescents arrivent aux urgences à la suite d'accidents traumatiques (chutes de mobylette, etc.) qui surviennent sous l'emprise de l'alcool. C'est à cette occasion que nous en découvrons la cause.

Notons aussi que, parmi les jeunes adolescents, le premier rapport sexuel a lieu dans 30 à 40 % des cas sous l'emprise de l'alcool. Dans ce contexte se produisent également des viols sur des adolescentes alcoolisées. La perte de discernement de ces adolescentes les expose à ce risque grave d'agression sexuelle.

Profiter de la crise : la parole des adolescents

Le lendemain de la crise, lorsque l'adolescent a retrouvé ses esprits, il est le plus souvent ouvert à la parole et capable d'expliquer la situation sans trop la minimiser ; la plupart des adolescents reconnaissent la gravité de ce qui s'est passé. Il est très rare que nous nous trouvions devant un déni complet. Dans un premier temps ils feront allusion à l'événement plus qu'à ces causes. Mais cette parole qui survient au moment de la crise est importante car elle nous permet de passer à l'étape suivante, celle de la prise en charge. Pendant les quarante-huit heures d'hospitalisation, nous effectuons un bilan médical, psychologique, scolaire et social qui nous permet de repérer les situations difficiles. Nous travaillons en liaison avec notre équipe de pédopsychiatres afin de dresser un historique des événements, tels que les fugues ou les tentatives de suicide. Grâce à cette intervention brève, nous pourrons prévoir une réorientation vers des unités de psychiatrie pour adolescents. L'observance de ces consultations est satisfaisante lorsque les jeunes connaissent déjà celui qui les prendra en charge. En revanche, il est très difficile de les orienter vers un spécialiste extérieur. C'est pourquoi nous « profitons » de la crise pour leur présenter l'équipe qui les suivra par la suite. Dans ces conditions, il est très rare qu'ils ne reviennent pas.

Dépistage et sensibilisation

La tendance étant de ne voir dans ce type de crise qu'une « cuite bien normale à cet âge », en minimisant le problème, on laisse trop souvent l'adolescent ressortir aussitôt remis.

Ainsi, dans certains services d'urgence qui reçoivent les accidentés du samedi soir, la demande d'alcoolémie, qui pourtant s'imposerait, est rarement faite. Ces jeunes ressortent donc sans que le problème soit abordé puisqu'il n'a pas été dépisté. Cette banalisation vis-à-vis du mésusage de l'alcool explique les difficultés que nous rencontrons dans la prise en charge du phénomène.

Le problème des adolescents face à l'alcool est moins la dépendance que la répétition de mésusages et d'ivresses aiguës. Un travail en cours semble démontrer l'efficacité des interventions brèves. Pour l'instant, nous n'avons constaté que peu de rechutes à court terme, mais il faudrait avoir plus de recul pour s'en assurer.

En milieu scolaire, les enseignants sont sensibilisés au problème ; il leur arrive d'être confrontés à des alcoolisations aiguës pendant les cours. L'alcoolisation des jeunes adolescents est plus flagrante lorsqu'ils viennent de milieux défavorisés ; on les retrouve dans les classes professionnelles ou préprofessionnelles plutôt que dans les filières longues. À l'inverse, chez les étudiants et les élèves des grandes écoles, l'alcoolisation concerne les milieux favorisés.

Nous travaillons également sur la sensibilisation des généralistes en les poussant à inclure dans les questions qu'ils adressent aux adolescents celle de leur rapport à l'alcool ; certains le font déjà systématiquement. Il faut garder à l'esprit que 30 % des adolescents de moins de 15 ans ont fait au moins une expérience d'ivresse aiguë, ce qui est considérable. Le pédiatre ou le psychiatre doit pouvoir repérer ce type d'événement au même titre qu'une tentative de suicide, en posant la question des antécédents d'ivresse. Il est clair que si l'on ne pose pas de questions, les jeunes n'y répondent pas ; lorsque l'on fait remarquer à un adolescent qu'il n'a pas parlé de tel problème, il nous répond : « Mais vous ne m'avez pas posé la question ! » Car ils n'aborderont pas d'eux-mêmes une question qu'on n'a pas soulevée.

Dans de nombreux cas, les adolescents s'expriment beaucoup plus facilement qu'on le pense.

Changements, évolution

La modification dans l'expression du mal-être des jeunes se manifeste par ce que l'on appelle l'agitation aiguë de l'adolescent, ou par des alcoolisations sévères. Nous sommes confrontés à des problèmes psychosociologiques beaucoup plus fréquents qu'il y a une dizaine d'années. Les adolescents consomment peut-être moins quantitativement, mais ils le font de manière violente en prenant des risques importants dont les conséquences sont immédiates (en particulier les accidents de la circulation).

Sachant que les effets de l'alcoolisation chronique sont majorés chez la femme, nous tentons de sensibiliser les adolescentes, mais il ne faut pas se leurrer, la prévention n'est pas simple, comme on a pu le constater avec le tabac. La marge entre la prévention et l'incitation est faible : trop insister sur certains dangers risque en effet d'attirer l'attention et de produire l'inverse de l'effet recherché.

En ce qui concerne l'accueil des adolescents en milieu hospitalier, l'évolution est encourageante. Les équipes soignantes habituées à recevoir des adolescents ne banalisent plus ces situations. Mais il est indispensable que les services d'urgence aient des correspondants de médecine de l'adolescence. Dans chaque unité hospitalière il devrait y avoir une unité de médecine de l'adolescence, ce qui n'est pas encore le cas. L'accueil des ados (de 12 à 18 ans) représente en effet 15 % des admissions.

Aucun de ces adolescents accueillis pour ivresse aiguë ne devrait ressortir sans que l'on ait pris le temps de réfléchir sur ce qui se cache derrière ce geste, afin que l'hospitalisation aux urgences soit un premier temps de prise en charge. Contrairement à ce que l'on pense, il y a dans le cadre des urgences une possibilité de travail en profondeur. Malgré le poids du nombre, nous pouvons aller au-delà de la réponse immédiate en dépistant les situations difficiles. Ne pas adopter cette démarche serait contre-productif puisque ces jeunes reviendraient immanquablement. Il est possible de penser l'avenir dans le cadre des urgences, à condition d'en avoir pris les moyens en utilisant et en activant les réseaux existants.

Il ne faut accepter ni la tolérance sociale vis-à-vis de l'alcoolisation des adolescents ni la stratégie des alcooliers qui font en sorte d'installer des habitudes chez les adolescents.

Enfin, pour agir efficacement, méfions-nous de l'homogénéisation en distinguant bien plusieurs groupes parmi les jeunes, car les 12-15 ans présentent des caractéristiques qu'il est important de considérer.

Enquête

À l'occasion de la rédaction par l'Agence nationale d'accréditation et d'évaluation en santé de « Recommandations pour la pratique clinique sur la prise en charge au décours d'une intoxication éthylique aiguë de patients admis aux urgences », nous avons souhaité mener une réflexion sur la spécificité de l'adolescent. Celle-ci nous a amenés à dresser un constat inquiétant. Comme il existait peu d'études françaises ou internationales sur ce sujet, nous avons réalisé une enquête prospective et multicentrique sur les adolescents accueillis pour ivresse alcoolique afin d'évaluer leur prise en charge actuelle dans les services d'urgences des établissements de soins.

On constatait quelques cas occasionnels sur le terrain, souvent banalisés par l'adolescent lui-même, voire par l'entourage. Le degré d'urgence ressenti semblait faible et la prise en charge variable d'un patient à l'autre. Il n'existait pas de consensus de prise en charge.

L'enquête a posé les questions suivantes :

– S'agit-il d'une situation rare, et quels sont les adolescents concernés ?

– Leur admission aux urgences est-elle le fruit d'une situation plus grave ?

– S'agit-il d'un symptôme de problèmes sociofamiliaux, ou de maladie mentale ?

– Comment repérer les situations à risque d'évolution vers l'alcoolisme ?

– Peut-on identifier des adolescents dépendants de l'alcool donc alcooliques ?

– Et enfin, quelle prise en charge proposer ?

L'enquête a porté sur 63 adolescents[2] dont l'âge moyen était de 14 ans et 9 mois, identique entre filles et garçons. Le sex-ratio était de 1,17 (34 garçons, 29 filles). Parmi ces adolescents, 76,2 % habitaient en ville, dont 27 % en banlieue, 23,8 % en campagne ; ils affirmaient vivre : pour 79,4 % en famille, 12,7 % en foyer, 3,2 % en famille d'accueil, 2 % en couple, et 2 % seuls.

Les antécédents de conduites à risque étaient fréquents. On en retrouvait chez 65,1 % d'entre eux, toutes causes confondues : tentative de suicide : 9,5 % ; fugue : 17,5 % ; accident : 12,7 % (en deux roues : 14,3 % ; en voiture : 4,8 %) ; tabagisme actif : 44,4 % (5,26 cigarettes en moyenne par jour). 25,4 % des adolescents de l'échantillon avaient une sexualité active, avec partenaires multiples et/ou non protégée. Ils avaient eu en moyenne 2,58 consultations médicales dans l'année, 0,35 hospitalisation (plus d'une pour 20 % d'entre eux). Dans quatre cas, le motif de consultation ou d'hospitalisation était lié à l'alcool.

19 % d'entre eux étaient scolarisés dans un cursus prépro-
fessionnel. Cinq adolescents étaient sortis de la scolarité, dont
deux étaient sans emploi ni occupation.

39,7 % de ces adolescents avaient des parents séparés, et
pour 11,1 % d'entre eux, un des parents était décédé. Les
professions des parents représentaient l'ensemble des catégories socioprofessionnelles. Pour 25,3 % des cas, on retrouvait
un alcoolisme parental (père : 19 % ; mère : 6,3 %), et un
antécédent parental de cancer lié à l'alcool dans deux cas, soit
3,2 % des cas. Les problèmes sociaux et les violences familiales étaient fréquemment rapportés : respectivement dans
23,8 % et 17,5 % des cas.

L'admission aux urgences

77,8 % des cas qui avaient nécessité une hospitalisation
avaient été admis aux urgences pédiatriques pour intoxication alcoolique aiguë seule chez 85,7 % d'entre eux, ou associée dans 14,3 % de ces cas. 65,1 % d'entre eux y avaient
été accompagnés par les pompiers, 22,2 % par leur famille,
et 10 % des cas par la famille et les pompiers. Et cela en
moyenne vers 17 heures, l'heure rapportée étant pour 60 %
entre midi et 20 heures, pour 15 % entre 20 heures et minuit.
Mais le jour de la semaine de l'admission n'était pas significativement spécifique.

Les circonstances et les modes d'alcoolisation

Un adolescent, soit 1,6 % des cas, n'avait aucun souvenir des
circonstances de l'alcoolisation. La très grande majorité (88,7 %)
avait consommé des alcools forts, puis de la bière pour 22,6 %
d'entre eux, enfin du vin dans 14,5 % des cas. Et en quantité
importante : plus de trois verres dans 65,1 % des cas.

Le lieu de consommation était variable : principalement
à l'extérieur dans 27 % des cas, c'est-à-dire « dans un parc »,

devant le collège/lycée, ou même « dans la rue », sinon au domicile pour 22,2 % des adolescents, chez des amis pour 22,2 % des cas, également, et seulement pour 6,3 % des cas dans un bar ou une discothèque. L'alcool était principalement consommé avec des amis dans 70 % des cas, mais aussi seul pour 27 %. L'alcool était souvent acheté (38,1 %), ou pris au domicile (30,2 %), ou chez des amis (19,2 %), ou même volé dans 3,2 % des cas.

49,2 % d'entre eux déclaraient que le « but recherché » était initiatique, 28 % le disaient récréatif, pour 24 % cette consommation était réactionnelle. Chez 8 % des adolescents, elle était habituelle et/ou suicidaire.

Enfin, l'intoxication alcoolique était associée au cannabis dans 11,1 % des cas, à une intoxication médicamenteuse dans 4,8 % des cas.

Examen clinique, alcoolémie

L'alcoolémie moyenne était de 1,68 g/l. Seulement 5 % avaient une alcoolémie inférieure à 0,5 g/l et 26 % avaient une alcoolémie supérieure à 1,5 g/l. Les distributions des alcoolémies à l'admission sont détaillées dans le tableau ci-après.

Les problèmes cliniques étaient dominés par les troubles neurologiques : 39,7 % (somnolence : 15,9 % ; agitation : 14,3 % ; coma : 9,5 %) et métaboliques : 17,5 % (hypoglycémie : 4,8 % ; hypothermie : 16 %). Des lésions traumatiques secondaires étaient notées chez 9,5 % des cas, parmi lesquelles des fractures (3,2 %) et un cas de pneumothorax (soit 1,6 %). Deux cas (soit 3,2 %) de sévices sexuels au décours de l'intoxication alcoolique étaient rapportés.

Hospitalisation, sortie et suivi

Une hospitalisation a été décidée dans 93,7 % des cas, pour une durée moyenne de 50 heures (médiane : 48 heures, extrême : de 12 à 192 heures). Un avis psychologique a été pris chez 80 % des cas.

Chez 36,5 % des adolescents, le diagnostic final a associé à celui d'intoxication alcoolique aiguë un diagnostic supplémentaire : un problème sociofamilial (14,3 %), une tentative de suicide (7,9 %), un syndrome dépressif (9,5 %), un traumatisme ou des violences dans 11,1 % des cas dont, on l'a vu, deux cas d'agression sexuelle au décours de l'intoxication alcoolique et un cas réactionnel à une suspicion d'agression sexuelle.

À la sortie, un suivi psychologique a été prévu pour 67,7 % des cas, par le pédiatre ou le généraliste dans 17,4 % des cas.

Distribution des alcoolémies à l'admission

Alcoolémie en g/l	%	N
Inférieure à 0,5	5	3
De 0,5 à 1	25	16
De 1 à 1,5	44	28
De 1,5 à 2	21	13
De 2 à 2,5	5	3
Total	100	63

NOTES

1. Une bibliograhie complète sur ce thème peut être demandée à l'auteur : georges.picherot@chu-nantes.fr
2. Mathias Muszlak et groupe Comado de la Société française de pédiatrie.

12.

En famille

Quand les enfants trinquent…

SERGE HEFEZ

L'impact de l'alcool dans la famille fait surgir des représentations qui nous sont très familières : familles désocialisées, clivées du monde extérieur, repliées sur un univers de conflits, d'opprobres et d'humiliations, de chômage, de violences conjugales, d'agressions sexuelles à enfant… Comme le confiait un jeune garçon de 12 ans : « Papa a gâché tous les Noëls dont je me souvienne parce qu'à chaque fois il faisait tomber le sapin… » Dîners silencieux, vacances sacrifiées, honte de sa propre famille, dissimulation qui favorise le repli, repli qui alimente l'intériorisation de cette honte : des millions d'enfants connaissent cette histoire par cœur. Une étude danoise a ainsi montré que, dès l'âge de 4-5 ans, des enfants avaient pris conscience des problèmes d'alcool de leurs parents plusieurs années avant que ce sujet ne soit directement abordé devant eux.

Moins coutumières sont les images des adolescents abuseurs d'alcool et les réflexions quant à l'impact de leur consommation sur la dynamique familiale. La focalisation sur les problématiques liées aux usages de drogues illicites masque une triste réalité : une tendance générale observable chez les jeunes dans la plupart des pays d'Europe du Nord, surtout au Royaume-Uni et dans les pays scandinaves. Partout s'observe en effet une augmentation de la fréquence et des quantités de consommation d'alcool chez les moins de 25 ans. 6 à 22 % des garçons et filles âgés de 15-16 ans mentionnent des problèmes causés par leur propre consommation d'alcool tels que des mauvaises performances scolaires et des accidents ou des blessures. L'usage adolescent se caractérise par une baisse de la consommation chronique mais par une augmentation des consommations aiguës et des ivresses pathologiques, ainsi que par une fréquence accrue des polyconsommations (surtout avec du cannabis, mais aussi avec de la cocaïne).

Une autre représentation liée à l'alcool est celle de la « codépendance », appliquée le plus souvent à la conjointe d'un alcoolique, mais parfois aussi à l'un de ses enfants, surtout si celui-ci est parentifié dans le rôle rigide de surmoi parental.

La codépendance décrit le comportement « incitateur » des partenaires des buveurs : les bénéfices secondaires liés à leur fonction de soutien indéfectible, à leur place de thérapeute, le sentiment de toute-puissance qui peut en découler ritualisent le fonctionnement conjugal et familial et distribuent des places apparemment immuables (allié ou ennemi, agitateur ou pacificateur, protecteur ou dénonciateur).

La conjointe de l'alcoolique, par exemple, est souvent prise dans un conflit de loyauté entre son partenaire et ses enfants ; elle peut être amenée à le protéger, à le défendre ou à annoncer elle-même des mauvaises nouvelles (« Pas d'argent de poche cette semaine »), ce qui fait que les enfants peuvent se sentir encore plus hostiles vis-à-vis d'elle. Dans tous les cas, elle se sent coupable de négligence, ou responsable de la conduite de son conjoint.

Plus récemment, la codépendance a été définie comme une sorte d'accoutumance douloureuse aux comportements compulsifs, et une recherche de l'approbation pour s'assurer bien-être et stabilité. Certains vont même jusqu'à la décrire comme une affection primaire discernable chez n'importe quel membre de la famille et souvent pire que la maladie elle-même, avec sa propre symptomatologie. La description de la personnalité du codépendant abonde dans la littérature nord-américaine et se contente d'inverser la responsabilité : le coupable n'est plus le dépendant mais celui qui sournoisement l'empêche de sortir de sa problématique.

On voit bien que ce concept se doit d'être utilisé avec prudence.

Ma pratique de thérapeute familial m'a depuis longtemps enseigné à quel point l'abus de produits psychotropes retournait les cercles de causalité : « Du fait de ma dépendance à l'héroïne, me confiait un patient, je ne peux avoir aucune activité sexuelle », « La consommation de cannabis de mon mari détruit notre couple », dira cette femme ; et certains parents de déplorer : « Avec ses cuites, il ne s'intéresse plus à rien, il traîne toute la journée, il se met en danger… »

Les thérapeutes qui recueillent ces plaintes ne peuvent s'empêcher de penser : n'est-ce pas une inhibition dans sa vie sexuelle qui a conduit ce jeune homme à avoir recours aux opiacés ? Et : jusqu'à quel point les difficultés conjugales de cet homme n'expliquent-elles pas sa consommation ? Et encore : si cette famille ne présentait pas de si graves problèmes de séparation, cet adolescent n'aurait-il pas évité cette problématique d'alcoolisation ?

Ces assertions ne rendent compte que de fragments d'une même spirale d'interactions. La complexité de la dépendance ne peut se résoudre dans de simplistes relations de cause à effet qui feraient porter à la nature du produit, aux mauvaises fréquentations, aux faiblesses des parents ou à la personnalité de l'adolescent le chapeau des difficultés présentes.

Il en est des facteurs de risque comme des facteurs de vulnérabilité : ils s'interpellent, s'inhibent ou se potentialisent selon des cheminements mystérieux.

La démarche qui nous anime n'est donc en aucun cas de rechercher dans la famille les raisons de l'enlisement d'un adolescent dans sa consommation alcoolique, mais de trouver un levier de changement pour désamorcer cette spirale et resituer les conflits inhérents à l'adolescence dans une plus juste place.

J'aborderai ici le problème des consommations toxicomaniaques d'alcool chez certains adolescents, lorsqu'elles deviennent un « symptôme désigné » par la famille, ce qui les différencie de consommations chroniques culturellement adaptées et intégrées dans la dynamique familiale, mode d'usage bien connu sur le territoire français.

Parmi ceux que les prises anarchiques de produits enferment dans un monde qui évoque la maladie mentale, Tom, 18 ans, a été pour moi l'un des plus inquiétants. Bouffées délirantes, violence, automutilations, les symptômes de ce très jeune – mais très grand – abuseur d'alcool étaient si graves, si semblables à ceux d'un psychotique que faire la part entre effets psychotropes des substances et psychose était plus difficile que jamais.

Comme beaucoup d'adolescents qui sombrent dans une consommation excessive d'alcool ou de cannabis, Tom est un ancien enfant parfait. Né d'une nuit sans lendemain entre un homme un peu marginal et une féministe bien décidée à faire un bébé toute seule, Tom a grandi sous le regard ébloui de sa mère, Dominique, fascinée par son bel enfant. Aucun homme n'est jamais venu troubler cette délicieuse histoire d'amour entre le garçon et sa maman, qui ne tient pas à impliquer le père de Tom. Ça tombe bien : après avoir reconnu son fils, ce père malgré lui ne resurgit qu'épisodiquement – quand il

195

ne se sent pas trop mal, quand il a un toit, quand il n'a pas trop bu – pour disparaître pendant des mois.

Ce bonheur sans nuages durera jusqu'aux 15 ans de Tom qui, après un départ sur des chapeaux de roues avec une consommation cannabique excessive, s'abîme dans de spectaculaires crises d'alcoolisation dont les effets s'avèrent rapidement calamiteux : notes en chute libre, échec scolaire et disputes sans fin.

Tous les matins, Dominique découvre dans la chambre de son fils, qu'elle fouille méthodiquement, des cadavres de bouteilles de bière et de premix, ces mélanges détonants d'alcool et de jus de fruits que les adolescents s'achètent si facilement dans le commerce, et dont ils raffolent.

Le conflit est d'autant plus violent que le lien mère-fils est totalement fusionnel et que l'alcool excite Tom qui, agressif et violent, en vient même à la frapper. Pour Dominique, le coupable est évident : c'est la dépendance qui a changé son petit ange, c'est pour acheter de l'alcool qu'il la vole, c'est parce qu'il a bu qu'il ose lever la main sur elle. C'est l'histoire habituelle : une fois encore, la consommation vient masquer la crise d'adolescence et fait figure de bouc émissaire.

C'est alors que Dominique se souvient du « géniteur » de Tom, Thierry, ce « poivrot », ainsi qu'elle l'a toujours baptisé face à son fils, pour l'appeler au secours. L'appel est entendu car le père du garçon, que l'âge a assagi, traverse une passe favorable et souhaite s'occuper de son fils : son intervention calme le jeu et Tom s'apaise. Très momentanément.

Car ce succès d'un père non désiré, son irruption de *deus ex machina* est insupportable pour Dominique qui, inconsciemment, se met à saboter la situation. Elle n'a de cesse de dénigrer le père et sa compagne, de répéter à tout propos qu'il se fiche pas mal de Tom, qu'il l'a toujours ignoré, et s'arrange pour compliquer leur relation. Elle n'arrive visiblement pas à surmonter la séparation qui s'amorce et la fin de cette relation incestuelle qui l'a tant comblée. Le père ne désarme pas, s'inquiète pour son fils et tente de l'attirer vers lui, de le cadrer et de le faire travailler. Tom navigue ainsi entre ses deux parents et, étrangement, se remet à fumer du cannabis chez son père alors qu'il n'y boit pas la moindre goutte d'alcool, symptôme qui semble réservé à sa mère !

Vous aurez bien sûr compris que Dominique, au cours de sa jeunesse mouvementée, avait quelque peu abusé de l'herbe et de diverses drogues hallucinogènes et que Thierry s'était même targué de la faire arrêter.

Enfant symptôme représentant de sa mère chez son père, émissaire de la mère chez le père, Tom illustre de manière stupéfiante l'ingéniosité avec laquelle de nombreux adolescents résolvent les conflits de loyauté qui les déchirent et maintiennent vivant en eux le couple parental accolé dans une scène primitive sadique.

C'est ainsi que Tom est rapidement devenu un pur enjeu relationnel entre deux personnes qui s'affrontent : tiraillé entre un père qui veut tardivement jouer son rôle et une mère mortifiée de ne pas y arriver seule ainsi qu'elle l'avait prévu, il sombre dans la violence et les automutilations. Cette fois, c'est à ses deux parents qu'il s'en prend pour devenir carrément inquiétant. Il vole de l'argent chez son père, casse des objets chez sa mère, réserve un coup pour l'un et un coup pour l'autre : il réunit en permanence ses deux parents autour de lui, les obligeant à se téléphoner, se voir, se mettre d'accord sur son dos. Jusqu'au moment où une bouffée délirante l'amène à une hospitalisation en psychiatrie.

Psychose ou effet des produits ? Les psychiatres hésitent, penchent pour l'hypothèse d'une psychose débutante révélée par une consommation massive de cannabis et d'alcool ; et c'est finalement nanti d'un traitement neuroleptique que

Tom quitte l'hôpital quelques semaines plus tard. Pendant les deux années suivantes, Tom fera trois ou quatre séjours dans ce service de psychiatrie où il est suivi pour une psychose dysthymique.

J'apprends cette histoire quand Tom et sa mère viennent me consulter. Tom a 18 ans, il ne suit qu'irrégulièrement son traitement neuroleptique, y ajoute à volonté tranquillisants et alcool : il dit que ce cocktail l'aide à calmer ses angoisses. Par contre, il ne touche plus au cannabis qu'il sent comme un produit plus menaçant pour son équilibre psychique.

J'ai longtemps vu Tom avec ses deux parents, situation surréaliste pour un gamin qui n'avait jamais vécu avec ce couple improbable : il fallait qu'il comprenne, en les voyant réunis, en les voyant se déchirer pour lui, à quel point il était un enjeu pour cet homme et cette femme, deux étrangers en somme, qu'aucun désir d'enfant n'avait ni ne pouvait réunir... J'ai ensuite reçu Tom avec chacun de ses parents séparément, puis il a accepté d'entamer une psychothérapie personnelle avec un autre analyste.

Au cours des séances familiales, il a peu à peu appris à s'extraire du conflit parental, à connaître son histoire, à tisser des liens supportables avec chacun de ses parents, un lien avec ce père que sa mère a appris à tolérer. La place tout à fait centrale du grand-père maternel s'est peu à peu esquissée, homme tyrannique haï par sa fille unique, mort des suites d'une cirrhose alcoolique...

Tout au long de cette prise en charge, Tom révèle sa peur profonde de devenir l'instrument de la volonté d'un autre, tout comme il a été dans son enfance entièrement soumis à sa mère. Il y a ainsi des mères qui utilisent leurs enfants comme des parties d'elles-mêmes dans lesquelles elles placent fantasmatiquement certains de leurs conflits intérieurs ou relationnels, pour ensuite les contrôler à travers leur enfant.

J'ai ainsi vu une mère qui donnait des lavements fréquents à son enfant pour se débarrasser du sentiment pénible d'être sale. Ces enfants « utilisés » entretiennent alors une véritable relation addictive à leur mère. Devenus adultes, ces enfants s'épuisent à protéger leurs propres frontières, tant ils sont en permanence menacés d'envahissement. Mais ils grandissent en même temps sans avoir entièrement pris possession de leur corps.

Dominique a indéniablement projeté sa haine du masculin sur son fils ; ce garçon, coincé entre l'identification à un père défaillant et porté sur la boisson, à un grand-père tyran, incestueux et alcoolique, et une ambition maternelle vis-à-vis de laquelle il ne sera jamais à la hauteur, fait tout son possible pour échapper à ce corps à corps avec sa mère.

Avec l'adolescence l'enfant, qui a certes constitué une autonomie psychique et corporelle mais reste encore très dépendant de cette volonté maternelle, est à nouveau confronté à la question de la dépendance. C'est le moment où le lien très fort qui l'unit à sa mère est remis en question afin d'accéder à une véritable autonomie, encore plus terrifiante que celle du bébé qui doit se séparer de sa mère. Cette fois, il s'agit vraiment de partir, de se confronter au monde extérieur, à sa violence et à la liberté. On sait à quel point l'adolescence est une régression infantile, faite de ces allées et venues que tous les parents connaissent entre la position de bébé et celle d'adulte, pour enfin dépasser à nouveau cette dépendance. Dans le cas particulier de Tom, la séparation d'avec sa mère s'avère indéniablement trop douloureuse.

Aujourd'hui, Tom retourne à l'école et maîtrise mieux sa consommation d'alcool. Mais il reste inquiétant et, selon moi, engagé pour longtemps dans une histoire psychiatrique, dans laquelle le rôle du produit, s'il n'est pas mesurable, est indéniable, en aggravant les troubles débutants de cet enfant fragile.

Comment un comportement qui procure une sensation de plaisir et/ou le soulagement d'un malaise ou d'une angoisse va-t-il peu à peu s'organiser autour d'une perte de contrôle, puis de la poursuite du comportement malgré une prise de conscience de ses effets négatifs ? C'est ici qu'intervient toute une série de circonstances qui jouent à différents niveaux et s'agencent entre elles. Les failles relationnelles de l'enfance qui ont contribué à la constitution d'une personnalité fragile et les tourments de l'adolescence trouvent un apaisement dans les effets d'un produit comme dans les formes marginales du fonctionnement social qui accompagnent sa consommation, en une spirale qui tend à se refermer sur elle-même.

Tous les adolescents traversent ce cycle de séparation, mais tous ne sont pas égaux à ce moment éprouvant de la prise d'autonomie. Chez certains, la question du manque et de la séparation réveille des angoisses intolérables. Soit que psychiquement la création du premier lien s'est faite dans l'angoisse et l'insécurité ; soit que les conditions sociales ou d'environnement sont telles que la question de l'indépendance et de la projection dans l'avenir est extrêmement angoissante. C'est là où l'alcool, comme le cannabis, peut devenir un piège, un pur anxiolytique qui calme les angoisses du manque liées à la séparation, à un avenir trop noir, un environnement trop dur. C'est toute la dualité du produit qui se joue à l'adolescence : pour certains, il permet la prise d'indépendance ; pour d'autres, qui créent un lien privilégié avec le toxique, il la rend impossible.

La démarche toxicomaniaque ne relève pas du désir de s'empoisonner, comme la dénomination française le laisserait entendre, mais de l'espoir de rendre supportables les difficultés ressenties comme insupportables dans la vie quotidienne. La dimension la plus urgente qui sous-tend la conduite addictive est le besoin de se débarrasser aussi rapidement que possible de tout sentiment d'angoisse, de colère, de culpabilité ou de tristesse qui fait souffrir, voire des sentiments en apparence agréables ou excitants mais vécus inconsciemment comme défendus ou dangereux. Disons qu'il s'agit de remplacer une sensation qui vient du dedans par une autre sensation qui peut être attribuée au dehors.

Tous les adolescents possèdent une potentialité addictive car ils sont fragilisés par ce travail épuisant de rupture du lien. Tous les adolescents s'accrochent à des objets transitoires qui, comme les objets transitionnels du bébé, permettent leur autonomie en se substituant aux liens qui les unissent aux adultes : musique, groupe de copains, Ipod, jeux vidéo et cannabis.

Parmi ces liens substitutifs et transitoires, le cannabis joue un rôle très important : à la fois euphorisant et anxiolytique, il permet de se détacher des angoisses de la séparation. En même temps, il favorise le lien à la musique et au groupe de copains et permet, de façon plus ludique, une exploration de soi-même à un âge où on cherche à savoir qui on est. Il présente en outre l'avantage d'être étranger aux parents (du moins les adolescents l'imaginent car, si les parents ont consommé plus jeunes, ils le mentionnent rarement), et donc de permettre une différenciation générationnelle.

Mais la plupart des adolescents qui fument du cannabis consomment aussi de l'alcool, le plus souvent lors de soirées festives, pour son effet désinhibiteur. Les parents s'inquiètent en général peu de cette consommation, souvent à tort d'ailleurs, car les accidents de mobylette ou de voiture, les violences et les bagarres sont souvent liés à l'alcool. Il n'en demeure pas moins que la première cuite, la première gueule de bois sont des épisodes initiatiques qui leur demeurent familiers (et parfois actuels !)

Nombreux sont les adolescents qui s'engagent dans une consommation chronique, quotidienne et régulière d'alcool : l'exemple parental est à cet égard fondamental. Il est évident que, pour les enfants, la première définition de ce que représente une consommation d'alcool normale ou acceptable se forge à la maison, au contact de la famille. Il n'est donc pas très surprenant que les enfants suivent souvent l'exemple parental. Des enfants peuvent certes rejeter l'exemple familial du fait des difficultés qu'ils y ont rencontrées, mais les études montrent néanmoins une large corrélation entre la consommation des parents et celle de leur descendance.

Mais plus rares sont les adolescents, comme Tom, pour qui l'alcoolisation massive devient si vite addictive et constitue un symptôme à la fois relationnel et transgénérationnel. À partir de la découverte de la solution addictive se développe la compulsion de chercher à la retrouver face à toute souffrance psychique. Cette solution comporte donc toujours un mélange de douleur et de plaisir. En tant que réponse à une souffrance, l'addiction relève d'une tentative enfantine de se soigner.

Le processus d'adolescence précipite toujours les parents dans une régression à leur propre adolescence et remet en circulation les conflits qui n'avaient pu être dépassés à cette époque. Cette régression active l'indifférenciation entre parents et enfants, réplique douloureuse de la période fusionnelle avec l'enfant nourrisson.

Parents et enfants peuvent vivre une expérience de « dévoration » réciproque, source de terreur ou de rage, mais aussi de satisfaction mégalomaniaque pour l'enfant : « Sans moi, mon père ou ma mère tomberait en morceaux. » Une sensation commune indifférenciée menace d'envahir le groupe : cette angoisse peut devenir le « ciment de la famille ».

La consommation abusive d'alcool, traitement de l'anxiété ou de l'inhibition pour ces adolescents, bloque paradoxalement la circulation émotionnelle familiale autour de ces affects. L'alcool devient réellement un « problème de famille », et ce d'autant que nombreuses sont les familles qui ont connu à un endroit ou un autre de leur évolution des problèmes liés à l'alcool. À travers sa consommation, l'adolescent peut s'avérer fidèle à son histoire familiale.

Ce n'est certainement pas *parce que* la mère de Tom n'a pas pu dépasser la haine qui la colle à son propre père, *parce que* son père ne s'est pas autorisé à le reconnaître ou *parce que* l'alcool lui permettait de se rapprocher fantasmatiquement de son père que cet adolescent a dérapé dans sa consommation. Des facteurs de vulnérabilité, jouant à différents niveaux, rigidifient la situation jusqu'à la rendre irrespirable.

Pour ces jeunes qui s'enfoncent dans une conduite addictive, quel que soit le produit, le comportement s'automatise, la répétition des actes court-circuite l'économie pulsionnelle et réduit l'activité fantasmatique. Dans un mouvement analogue, la famille ritualise ses liens autour du « patient désigné ». Pour tous, la famille devient un phénomène sauvage qui détruit l'individualité psychique. Elle perd sa compétence de famille.

La recherche qui nous anime n'est pas tant celle de la causalité que de resituer les symptômes de l'adolescent dans une logique qui le dépasse et qui déborde également la famille. Cette logique appartient à une histoire, à des relations, à des liens dont chacun ne détient qu'une partie. L'adolescent doit en quelque sorte être dépossédé de son symptôme, afin que celui-ci trouve une logique dans une dynamique plus large, celle de la famille.

Si ce symptôme est né dans le groupe familial, ce groupe est peut-être capable de le résoudre. Il ne s'agit pas de stigmatiser une famille, d'accuser les parents d'être trop intrusifs ou distants, mais de retrouver une compétence perdue. Elle doit pouvoir contenir les angoisses ou les difficultés exprimées par cet adolescent.

Nous partons du principe que la consommation excessive a une signification : elle questionne la famille et trouve un sens global dans l'économie de celle-ci. La famille est considérée comme un système de liens, dans lequel chacun vit toujours dans une tension entre la possibilité d'accéder à une certaine autonomie psychique, de développer une personnalité, et la nécessité de faire survivre le groupe, de maintenir cet ensemble de relations pour que la famille continue d'exister.

Quitte, comme dans le cas de Tom, à devoir pour un temps « fabriquer » une famille dont on va pouvoir se séparer…

13.

Les collégiens et l'alcool

FÉLIX NAVARRO, EMMANUELLE GODEAU

Depuis une trentaine d'années, à la suite du bouleverse-
ment introduit par la réforme Haby (1975), le collège offre
un cadre que l'on avait qualifié à l'époque d'unique et qui le
reste largement aujourd'hui encore. À quelques variantes près,
que ce soit dans l'enseignement public ou privé, le quotidien
des 3,2 millions de jeunes qui y sont scolarisés se déroule
selon un rythme qui semble immuable dans des établissements qui suivent un modèle organisationnel identique et
appliquent les mêmes programmes. Cet état de fait, joint à
d'autres allant dans le même sens (comme la large diffusion
de médias qui ciblent cette tranche d'âge), a certainement
contribué à homogénéiser la population des 11-15 ans au
cours des dernières décennies. De ce fait, le collège offre un
cadre d'intervention susceptible de favoriser la réalisation
d'études ou d'enquêtes, en particulier l'enquête Health Behaviour in School-Aged Children (HBSC) qui sera présentée ici,
tout comme la mise en place de programmes de prévention
qui seront discutés dans la deuxième partie.

Les données de l'enquête HBSC

Méthodes

L'enquête HBSC est conduite tous les quatre ans depuis 1982 par un réseau international de chercheurs en partenariat avec le bureau Europe de l'Organisation mondiale de la santé. En 1994, la France y a participé pour la première fois avec un échantillon birégional (académies de Toulouse et de Nancy-Metz)[1].

En 1998[2], puis en 2002[3], l'échantillonnage a concerné la France entière. Une quarantaine de pays ou régions, dont la France, ont participé à la vague 2006, actuellement en cours d'exploitation.

Globalement, HBSC vise à mieux appréhender la santé et le bien-être des jeunes de 11, 13 et 15 ans, leurs comportements de santé ainsi que le contexte social dans lequel ils évoluent, à travers leurs propres déclarations. Elle est donc centrée sur les « années collège », même si elle inclut des écoliers de 11 ans et des lycéens de 15.

Le protocole de recherche suivi est commun à tous les pays, afin notamment de standardiser au mieux méthodes d'échantillonnage et recueil des données. Dans chaque pays, un sondage aléatoire en grappe à deux niveaux (établissement puis classe) a été effectué. En France, une stratification a été établie sur six grandes régions, quatre types de communes et huit niveaux de formation. Les élèves désignés par le sort ont rempli en classe, anonymement, un autoquestionnaire sous la responsabilité d'un enquêteur, médecin scolaire le plus souvent. La population totale de l'enquête HBSC-France 2002[4], dont est tirée la majorité des résultats ci-dessous, comportait 8 185 élèves (4 131 filles et 4 054 garçons) scolarisés dans l'enseignement public comme dans le privé.

Difficultés

Le constat que « la mesure des fréquences de consommation est très difficile et très variable d'une enquête à l'autre » est ancien mais toujours d'actualité ; car, même pour des populations adultes, « il n'existe pas de consensus sur le classement des buveurs : buveurs excessifs, buveurs modérés, petits buveurs... ; seuls les abstinents totaux font l'unanimité[5] ». Cette constatation est encore plus vraie dans des populations de très jeunes gens, la limite entre « buveur excessif » et « buveur modéré » étant là particulièrement ténue et difficile à établir.

À cette difficulté générale s'ajoutent des difficultés spécifiques liées en particulier à la méconnaissance que les plus jeunes peuvent avoir de la composition des boissons qu'ils consomment et tout particulièrement de leur teneur en alcool. Ainsi, dans l'enquête HBSC 1998, parmi les 719 élèves ayant signalé consommer d'autres boissons alcoolisées que celles proposées dans le questionnaire, 105 (14,6 %) mentionnaient le Champomy®, pétillant de raisin non alcoolisé, et les **panachés**, boissons qui ne le sont pas nécessairement. Un exemple supplémentaire nous est fourni par les conséquences d'une modification, pourtant a priori minime, du libellé du questionnaire entre deux vagues de l'enquête (1994 et 1998), qui s'est traduite par une chute flagrante de la proportion d'enfants de 11 ans qui se déclaraient initiés à l'alcool (75,1 % contre 49,4 %). En 1994, parmi les boissons proposées figuraient explicitement le champagne et le panaché. En 1998, pour des raisons de normalisation internationale, ces boissons ne figuraient pas dans la liste proposée aux élèves. De ce fait, nous avons très probablement enregistré en 1994 un certain nombre de surdéclarations (celles de consommateurs de panaché sans alcool) et, à l'inverse en 1998, un grand nombre de sous-déclarations (celles des jeunes ayant goûté au champagne sans le rattacher à une consommation de boisson alcoolisée). Ces exemples, outre qu'ils confirment les difficultés qui s'attachent à mesurer les consommations d'alcool, ne peuvent qu'inciter à une grande prudence dans l'interprétation des résultats d'enquête, dans leurs comparaisons et dans les conclusions que l'on peut en tirer.

Une initiation familiale

Pour une minorité d'élèves, l'initiation à la consommation d'alcool précède l'entrée au collège (5,2 % ont consommé de l'alcool avant l'âge de 10 ans). Quelques années plus tard, quand ils le quitteront, non seulement la majorité d'entre eux aura goûté à l'alcool (61,9 % des élèves de 15 ans), mais certains auront poussé l'expérience bien plus loin.

Les familles jouent dans cette initiation un rôle essentiel. D'une part, à l'exception notable de celles qui pratiquent l'abstinence (pour des raisons d'interdit religieux ou autres), elles constituent un de ces multiples lieux « entremêlés au fil de la sociabilité[6] » où l'on consomme de l'alcool ; d'autre part, l'initiation a généralement lieu en présence des parents, soit qu'ils offrent eux-mêmes la gorgée qui, même modeste, restera dans la mémoire comme la première, soit, plus rarement, que l'enfant, à leur insu, profite d'un moment d'inattention pour « finir » un ou quelques verres (ce qui peut d'ailleurs se solder rapidement par une ivresse). Quoi qu'il en soit, la consommation d'alcool qui « représente souvent un des privilèges tant désirés du monde des adultes[7] » se trouve ainsi fortement intériorisée dès l'enfance[8].

On notera que le champagne est l'instrument privilégié de cette initiation (près de deux enfants de 11 ans initiés sur trois l'ont été avec cette boisson, cf. HBSC 1998), ce qui souligne le caractère festif dans lequel s'inscrit cette pratique. De ce fait d'ailleurs, les vins sont la boisson alcoolisée la plus

précocement consommée (en moyenne, première consommation à 11 ans 11 mois selon les déclarations des initiés âgés de
15 ans), suivis de la bière (12 ans 8 mois) et des alcools forts
(13 ans 5 mois).

Que l'initiation ait eu lieu dans les familles ne signifie pas
que ces dernières n'entendent pas contrôler la consommation de
leurs enfants, tout au contraire. Seulement 2,9 % de jeunes de
l'enquête HBSC, tous âges confondus, déclarent disposer d'une
autorisation parentale permanente de boire de l'alcool. La quasi-
totalité soit n'a pas l'autorisation d'en consommer (60,8 %),
soit ne l'a qu'occasionnellement (36,6 %). Sur ce plan, il n'y a
pas de différence entre les filles et les garçons mais il y en a en
fonction de l'âge, les plus jeunes recevant moins souvent cette
autorisation que leurs aînés de quelques années. Cependant,
même à 15 ans, la consommation d'alcool continue de se faire,
au moins pour partie, sous le regard familial (pour près de sept
jeunes consommateurs sur dix), soit à peine moins que pour les

**1. Évolution des abstinents totaux,
en fonction de l'âge et du sexe**

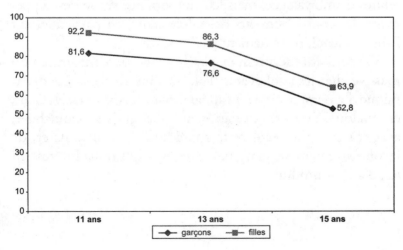

2. Courbes des initiations, en fonction de l'âge

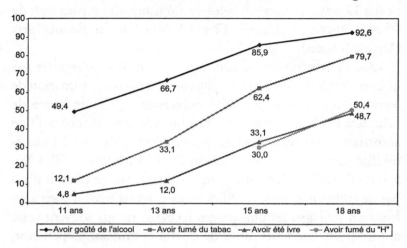

Source des données : 11-15 ans HBSC 2002 ; 18 ans ESCAPAD 2001.

enfants de 11 ans (neuf consommateurs sur dix à cet âge). Les mécanismes de socialisation de la consommation d'alcool au sein de la famille sont donc d'une certaine complexité, parfois teintés d'ambivalence, mais leur importance sur le développement des comportements des adolescents, en particulier sur l'abus d'alcool, ne se dément pas[9].

S'il constitue le premier psychotrope de consommation massive chez les adolescents, l'alcool s'inscrit dans une dynamique d'ensemble qui verra apparaître tout aussi massivement, en quelques années, l'initiation au tabac puis au cannabis[10], avec, çà et là, la découverte sporadique des solvants et, de façon extrêmement marginale aux âges qui nous intéressent ici, d'autres produits.

Une proportion de consommateurs largement minoritaire

Avoir goûté de l'alcool ne signe pas pour autant un passage immédiat à la consommation. Du moins pendant la durée des années collège, la moitié des jeunes qui ont goûté à l'alcool en restent au stade de l'initiation. Cette constatation est d'autant plus vraie que l'apprentissage a été tardif (à l'inverse, une initiation précoce est un facteur prédictif de consommation régulière et d'ivresse), mais varie en fonction de la nature de la première boisson consommée : il y a deux fois plus de garçons (et trois fois plus de filles) initiés à la bière qui évoluent vers une consommation hebdomadaire de bière que d'initiés au vin évoluant vers une consommation de ce dernier à la même fréquence.

En ce qui concerne les initiés qui n'en sont pas restés à ce stade (soit 49,8 % des initiés), 3,6 % en sont déjà à une consommation quotidienne et 15,7 % hebdomadaire. Pour les 30,5 % autres, la consommation reste occasionnelle. Le vin (champagne inclus) demeure la boisson la plus consommée dans tous les cas. Mais on note une diminution sensible de sa consommation entre 13 et 15 ans, alors que celle de bière double entre 11 et 15 ans et que celle d'alcools forts quadruple.

Au total, initiés ou non, en 2002, les trois quarts des élèves (75,8 %) répondant au questionnaire HBSC en France se déclaraient abstinents au moment de l'enquête. Le quart restant était composé plus de garçons (29,5 % de l'ensemble des élèves) que de filles (19 %), et surtout d'élèves plus âgés que les autres (13 % des élèves de 11 ans, 41,6 % de ceux de 15 ans).

Le groupe de pairs : nouveau lieu de socialisation du boire pour les collégiens

Si le cadre familial constitue le lieu privilégié de l'initiation et, dans une certaine mesure, reste celui de l'apprentissage du boire avec des adultes, le processus d'autonomisation qui caractérise l'adolescence va rapidement conduire le collégien consommateur vers un autre cadre, celui que lui offre le groupe de pairs. Déjà, à 11 ans, un peu moins d'un consommateur sur deux boit de l'alcool avec des copains. À 15 ans, les consommateurs sont plus de 80 % à le faire. Ainsi, vers 14-15 ans, alors que l'influence parentale diminue progressivement, celle des pairs prend le relais. Le « mimétisme social » en jeu dans cette consommation est une donnée essentielle à prendre en compte à la fois dans la compréhension des cas individuels mais plus encore dans la conception des politiques de prévention, car boire dès cet âge « peut avoir valeur de conduite adaptative d'intégration au monde des adultes et surtout à celui des pairs[11] ». À l'inverse, au fur et à mesure qu'il avance en âge, le jeune abstinent (de même d'ailleurs que le « gros buveur ») court le risque d'une moindre adaptation sociale que le jeune dont la consommation est « dans la norme[12] ».

3. Situations dans lesquelles les jeunes consomment de l'alcool, en fonction de l'âge (en %)

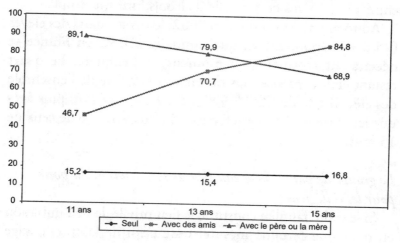

La place des copains est telle dans la mise en place des conduites d'alcoolisation que de jeunes buveurs excessifs peuvent expliquer que « le premier "vrai verre" », celui qui compte et qui marque l'entrée dans le processus, « était un verre pris entre amis (entre 12 et 14 ans) », celui pris avec les parents étant en quelque sorte un « faux verre » déjà partiellement effacé de la mémoire[13].

Buveurs solitaires

Cependant, la fréquence des consommations avec les parents ou les pairs ne doit pas masquer que la consommation peut aussi être solitaire. Cette modalité de consommation est probablement perçue comme plus troublante par les jeunes eux-mêmes, à tel point que dans l'enquête HBSC la question concernant la prise de boisson « seul » (dans une série appelant comme réponses « souvent », « parfois », « rarement », « jamais » et proposant comme autres situations « avec des amis », « avec mon père », « avec ma mère ») est frappée d'un taux de non-réponses supérieur de quelque 15 % à celui des items concernant la consommation en famille.

Parmi ceux qui ont répondu à la question, une proportion non négligeable (16 % de ceux qui consomment de l'alcool) déclare boire seuls. Les différentes modalités de consommation (seul, avec les copains, avec les parents) peuvent s'interpénétrer largement, qu'elles soient concomitantes ou qu'elles se succèdent, mais elles peuvent également indiquer une orientation vers l'un des deux grands schémas d'alcoolisation : celui des adolescents « normalement socialisés » et celui des adolescents « à problème »[14].

Estime de soi et vécu scolaire

Outre les paramètres liés à l'environnement social brièvement rappelés ci-dessus, les caractéristiques personnelles sont à prendre en compte dans la genèse de la consommation d'alcool, en particulier chez ces « adolescents à problème ». Plusieurs auteurs se sont interrogés sur le rôle possible du sentiment de dévalorisation de soi, de la baisse d'estime de soi dans la prise de boisson à l'adolescence. Les conclusions sont loin d'être univoques[15]. Dans une étude régionale basée sur l'enquête HBSC[16] portant sur des élèves de 15 ans, nous observons qu'il existe un lien significatif chez les filles (mais pas chez les garçons) entre estime de soi (évaluée par l'échelle de Rosenberg[17]) et consommation d'alcool : 45,1 % de celles qui présentent une faible estime d'elles-mêmes consomment de l'alcool contre 31,9 % de celles qui ont une bonne estime.

Les troubles scolaires précoces et les faibles attentes scolaires des parents et du sujet sont également mentionnés comme pouvant avoir un lien avec la consommation d'alcool[18]. Dans cette même déclinaison régionale d'HBSC, nous avons recherché les liens pouvant exister entre diverses dimensions du vécu scolaire et la consommation d'alcool. Ainsi, chez les filles, un vécu scolaire négatif (par rapport à un vécu neutre ou positif) est lié à une plus grande fréquence de consommation, tout particulièrement chez celles qui déclarent que l'école ne leur concède pas assez d'autonomie (57,8 % de consommatrices d'alcool contre 34,6 %).

Dans une moindre mesure, le fait de ne pas se sentir soutenue par les parents, d'être stressée par le travail scolaire ou, globalement, de ne pas aimer l'école joue dans le même sens. Ajoutons que, chez ces jeunes filles de 15 ans, entre autres facteurs associés, le fait d'avoir déjà eu des relations sexuelles est un indicateur important (63 % de consommatrices chez celles qui ont eu des rapports contre 34 % chez les autres), de même que le fait d'avoir trois amies ou plus (par rapport à celles qui en ont moins). Chez les garçons, la consommation n'est associée qu'à un seul des indicateurs de vécu scolaire que nous avons utilisés : le soutien perçu de la part des enseignants. Les collégiens qui se sentent peu soutenus par leurs professeurs sont significativement plus nombreux à déclarer consommer de l'alcool que les autres (66,7 % contre 54,6 %), de même d'ailleurs que ceux qui bénéficient d'un niveau socioéconomique moyen ou élevé.

Conduites d'essai et conduites à risque

Les années collège sont celles du passage de l'enfance à l'adolescence, avec pour corollaire le développement des conduites d'essai – celles qui visent à explorer le monde et les possibilités de l'individu – et éventuellement des conduites à risque – celles qui s'accompagnent plus ou moins consciemment de la recherche d'un dommage à soi-même[19] –, qui trouvent une traduction, en ce qui concerne la consommation d'alcool, dans la recherche de l'ivresse et la pratique du *binge drinking* (fait de boire plus de cinq boissons alcoolisées au cours d'une même occasion). Avec l'apparition du « boire pour boire » se profile en effet un autre modèle de consommation qui vient « rompre avec les formes… acceptées et tolérées dans le contexte familial adulte » et dont la caractéristique est une consommation poussée à l'excès. « Être malade » devient dès lors l'« ultime critère », la preuve que l'on est entré dans une autre dynamique[20] mais aussi dans un travail de « recherche sur soi, sur sa propre matière identitaire, un jeu de distance entre soi et le contraire de soi[21] ».

Ivresses

De l'ensemble des collégiens, 83,5 % n'ont jamais été ivres. Parmi ceux qui l'ont été, il y a davantage de garçons que de filles (86,2 % contre 80,8 %) mais, surtout, les taux d'ivresse varient avec l'âge : 95,2 % des enfants de 11 ans n'ont jamais connu d'ivresse contre 66,9 % des adolescents de 15 ans. Chez

4. Épisodes d'ivresse, en fonction de l'âge et du sexe

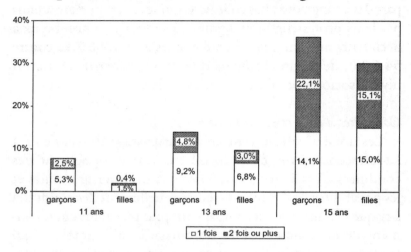

ceux qui l'ont été, l'âge moyen de la première ivresse est d'un peu plus de 13 ans (13 ans 4 mois) et est à peine plus précoce chez les garçons que les filles (de 3 mois)[22].

L'ivresse est un comportement plutôt masculin (1,2 fois plus de garçons que de filles ont connu une ivresse ; 1,6 fois plus en ont connu plusieurs). Elle n'est que rarement un « accident » isolé et s'inscrit dans un parcours : les élèves qui ont déjà été ivres, singulièrement ceux qui l'ont été plusieurs fois, sont ceux qui déclarent par ailleurs les consommations les plus élevées d'alcool en général.

Le *binge drinking* est un peu plus fréquent que l'ivresse : 71,3 % des élèves ne l'ont jamais expérimenté de leur vie (83,5 % n'ont jamais été ivres). Il concerne autant les garçons que les filles et sa fréquence augmente également avec l'âge.

Comparaisons européennes

« Reflets des différentes cultures du boire, les modèles de consommation d'alcool par les jeunes varient considéra-

216

blement d'un pays à l'autre[23]. » Dans un premier groupe, constitué de pays méditerranéens producteurs de vin (France, Grèce, Italie, Espagne), les jeunes de 15 ans déclarent des âges d'initiation à l'ivresse tardifs et des taux de prévalence d'ivresse plutôt faibles. En Europe du Nord (Danemark, Finlande, Norvège et Suède), les taux de consommation de vin sont faibles mais, dans certains de ces pays, les premières ivresses sont précoces (Danemark, Finlande, Suède) et ce comportement fréquent (Danemark en particulier). Les pays de l'Europe de l'Est (République tchèque, Hongrie, Russie, États baltes) ont plutôt une culture de consommation orientée vers les alcools forts chez les adultes, mais ce schéma est moins net chez les adolescents. Enfin, dans les pays d'Europe de l'Ouest (Belgique, Royaume-Uni, Allemagne, Irlande et Pays-Bas), on trouve une initiation à l'ivresse relativement précoce ainsi que des taux élevés de consommation régulière de bière.

Globalement, si nos collégiens sont dans la moyenne des consommations européennes à 11 ans, à 15, ils se situent franchement dans la fourchette basse, étant parmi les plus faibles consommateurs d'Europe.

Évolution dans le temps

Sur le court terme, la comparaison entre les enquêtes HBSC de 1998 et de 2002 fait ressortir une certaine tendance à la diminution des consommations de boissons alcoolisées (ainsi 35,9 % des élèves de 15 ans se déclaraient consommateurs de bière en 1998 contre 30 % en 2002) et de la fréquence des ivresses (16,5 % des élèves, tous âges confondus, ont déclaré une ivresse en 2002 contre 18,9 % quatre ans avant). Une tendance identique ressort d'autres enquêtes, comme le *Baromètre santé jeunes 97/98*[24] ou le *Baromètre santé 2000*[25]. Cependant, il y a lieu de rappeler la prudence qui s'impose dans les interprétations, surtout si l'on souhaite se situer dans de longues périodes. Par rapport à des données beaucoup plus anciennes, des comportements comme l'ivresse semblent avoir connu un véritable développement. Ainsi, à la fin des années soixante-dix, une étude[26] ne retrouvait que 3 % d'ivresses chez les élèves de moins de 12 ans (contre 4,8 % des enfants de 11 ans actuellement) et 19 % chez ceux de 15 (contre 33,1 % au même âge en 2002). Les difficultés de mesure évoquées dans l'introduction, le caractère souvent partiel des études anciennes, le moindre développement de l'épidémiologie expliquent peut-être les divergences entre données anciennes et données actuelles. Mais elles reflètent plus probablement des tendances lourdes : diminution du pourcentage de buveurs quotidiens, forte augmentation de ceux qui recherchent l'ivresse ou pratiquent le *binge drinking* (dont la notion est elle-même relativement récente).

La prévention

« La prévention devrait commencer tôt...[27] » De longtemps, ce constat est partagé par l'essentiel des observateurs et périodiquement rappelé par les instances les plus diverses. Ainsi, la charte adoptée par la conférence européenne *Santé, société et alcool*[28] affirme-t-elle que « toute personne a le droit de recevoir, dès un stade précoce de son existence, une éducation et une information objectives et fiables concernant les effets de l'alcool sur la santé, la famille et la société ». On retrouve une préconisation voisine dans le dernier *Plan gouvernemental de lutte contre les drogues illicites, le tabac et l'alcool 2004-2008*[29] : « Tous les jeunes doivent bénéficier au cours de leur scolarité d'une éducation à la prévention des pratiques addictives portant sur le tabac, l'alcool, le cannabis et les autres substances licites ou illicites. » Ce plan, actuellement en cours d'exécution, souligne que « l'école est un cadre privilégié d'action pour toucher les jeunes en matière de drogues », cela d'autant plus que « les conduites addictives s'intriquent aux difficultés scolaires, au niveau individuel et collectif ».

Absence d'objectifs spécifiques aux jeunes

Si l'accord sur la nécessité et la précocité de la prévention est quasi unanime, toutes les difficultés n'en sont pas résolues pour autant.

D'une part, en effet, mettre en place une politique de prévention suppose que des objectifs lui aient été préalablement assignés. Or, si l'objectif général de la MILDT est bien affiché (« abaisser les consommations d'alcool aux seuils définis par l'OMS ») et si des objectifs secondaires ont été clairement précisés (« réduire de 20 % la consommation moyenne par habitant », « réduction des ivresses, [...] abstention de consommation d'alcool pendant la grossesse et lors d'activités comportant des risques d'accident pour soi ou autrui »), force est de constater qu'aucun objectif ne concerne directement les populations d'adolescents. Certes, un « doublement du rythme de décroissance des volumes [consommés] pour la bière » est également visé par le plan mais, on l'a vu, cette boisson, même si elle est appréciée par nombre de collégiens, n'est ni la boisson de l'initiation ni celle la plus communément consommée par eux. Et, par ailleurs, le développement souhaité « de l'éducation pour la santé en milieu scolaire au sein d'un programme global » ne constitue pas réellement un objectif opérationnel. Le contraste est frappant avec les deux autres psychotropes les plus communément rencontrés chez les jeunes, pour lesquels des objectifs précis ont été fixés. Ainsi, pour le tabac, est-il prévu de « diminuer l'expérimentation et en retarder l'âge de 14 à 16 ans » et, pour le cannabis, de « prévenir ou retarder l'âge de l'expérimentation ». Le *Plan cancer*[30] qui aborde lui aussi le problème de l'alcool et préconise d'importantes mesures dans divers domaines n'apporte pas de précision supplémentaire sur d'éventuels objectifs spécifiques aux jeunes.

Le regard des adultes

D'autre part, le regard porté par les adultes sur l'alcool en général et sur la consommation des jeunes en particulier, malgré les affirmations de principe, n'a pas toujours la consistance qu'il a vis-à-vis des autres produits psychotropes. On remarquera par exemple que dans le logiciel Signa (mis en place par l'Éducation nationale pour recenser en principe les actes de violence mais plus généralement tous les actes qui ont un retentissement important sur la communauté scolaire), la consommation excessive d'alcool, même quand elle provoque une ivresse avérée dans l'établissement scolaire, n'est pas une variable prise en compte, alors qu'il existe une rubrique pour la consommation de produits stupéfiants (en l'occurrence, essentiellement le cannabis). C'est seulement dans la rubrique « autres faits graves » qu'on peut retrouver les consommations excessives d'alcool, mal différenciées des autres cas signalés dans ce cadre qui vont de « l'exhibitionnisme… [aux] blogs (sortes de journaux sur Internet, pouvant dans certains cas porter atteinte à la vie privée d'autrui)[31] ».

L'absence d'objectif opérationnel concernant l'initiation et la consommation d'alcool dans les premières années de l'adolescence, jointe à la complexité relative du message concernant les seuils définis par l'OMS pour les adultes (2 unités d'alcool par jour – ce qui suppose la compréhension de la notion d'unité d'alcool – pour les femmes, 3 pour les hommes, une journée au moins sans alcool par semaine, un maximum de

4 unités en une seule occasion) et à la complaisance relative dont l'alcool continue de bénéficier dans notre pays, constituent des difficultés réelles pour les politiques de prévention, qu'elles se traduisent par des mesures législatives ou éducatives.

Aspects réglementaires

En ce qui concerne les mesures législatives, on remarquera que, si les textes applicables aux mineurs, et en particulier aux moins de 16 ans – ce que les collégiens sont pour la plupart d'entre eux –, s'inscrivent à la fois dans une logique de réduction de la demande à partir du contrôle de la publicité[32] et de réduction de l'offre par l'édiction de quelques interdits, il est difficile d'apprécier, en termes de santé publique, quels sont les objectifs réellement poursuivis. Certes, il est prohibé « de vendre ou d'offrir à titre gracieux [...] des boissons alcooliques à consommer sur place ou à emporter » aux moins de 16 ans, « dans les débits de boissons et tous commerces ou lieux publics[33] ». Certes, l'adulte qui fait boire un mineur jusqu'à l'ivresse commet une infraction susceptible d'être pénalisée assez lourdement[34]. Mais, en dehors des lieux rappelés ci-dessus, l'offre d'alcool est parfaitement licite, tout comme sa consommation, sa détention ou son transport, de même que l'ivresse entre mineurs. De plus, bien que par leur goût et leur présentation les premix ciblent manifestement les très jeunes consommateurs, en particulier les filles, ils ne font pas l'objet d'une réglementation particulière. Par ailleurs, les restrictions à la vente, quand elles sont respectées, sont, en pratique, de peu de portée, comme on peut en juger par le niveau de consommation actuel des collégiens et par l'augmentation des ivresses ces dernières années.

Politiques de prévention à l'école

En ce qui concerne les mesures éducatives, il faut souligner que, tout récemment, la nécessité d'augmenter la lisibilité des objectifs du système scolaire a conduit le ministère de l'Éducation nationale à élaborer un *Socle commun de connaissances et de compétences*. Ce *Socle* va au-delà de ce que son libellé laisse entendre puisqu'il vise, entre autres, à « mettre en place un véritable parcours civique de l'élève, constitué de valeurs, de savoirs, de pratiques et de comportements[35] ». Ce texte, volontairement ramassé, ne pouvait, de par sa conception, dresser la liste de tous les comportements que l'école devrait travailler à améliorer, mais on peut regretter que les attitudes, les comportements concernant l'alcool ou les substances addictives en général ne soient pas explicitement mentionnés. Cependant, le *Socle* prend soin de mentionner que « les élèves doivent [...] être éduqués à la sexualité, à la santé et à la sécurité ». Même si le libellé est quelque peu laconique, les termes de « santé » et « sécurité » offrent une accroche aux politiques de prévention dans les établissements scolaires qui peuvent s'appuyer sur deux grands dispositifs : les enseignements scolaires et les comités d'éducation à la santé et à la citoyenneté.

Programmes

C'est aux sciences de la vie et de la terre qu'est tradition-nellement dévolue l'étude de l'alcool. Le sujet y est étudié de façon constante, mais la lecture des programmes successifs montre une certaine inflexion dans l'importance qui lui est accordée comme dans la présentation qui en est faite. On passe ainsi de programmes qui, à la fin des années soixante-dix, approchaient la question de l'alcool sous l'angle de la santé publique (l'« hygiène sociale », classe de troisième) et deman-daient aux enseignants d'appeler l'attention des élèves « avec la netteté qui s'impose, sur les dangers que représente l'usage de tabac et d'alcool[36] » (classes de sixième et cinquième), aux programmes actuels qui, certes, font référence à l'éducation pour la santé, mais marquent une tendance à aborder l'alcool sous l'angle plus limité de l'« activité nerveuse », en le situant parmi d'autres « pratiques à risque » comme l'« exposition prolongée à des stimulations lumineuses ». La compétence assignée en fin de parcours aux élèves de troisième étant d'être en mesure de « discuter la relation entre l'usage d'une drogue, une agression lumineuse […] et des modifications du comportement[37] ».

Les manuels[38] reflètent cette évolution. Contrairement à ceux de la période immédiatement précédente (programme de 1988), on n'y trouve aucune référence à l'entrée dans les consommations d'alcool, à la consommation des jeunes, pas plus d'ailleurs qu'au passage insidieux vers l'alcoolisation chronique. L'ivresse, les conséquences sur la grossesse ou les principales pathologies liées à l'alcool ne sont abordées que très ponctuellement par un ou deux manuels. Le regard porté peut même être entaché d'une certaine complaisance. Ainsi, dans un manuel, sous le titre général « Les produits à risque ont d'autres effets néfastes sur le corps », le sous-titre consacré à l'alcool se contente d'affirmer que « la France est un pays qui présente certaines particularités », alors que celui concernant les « drogues » (illicites) affirme que « les consommateurs réguliers – ou même occasionnels – de drogues risquent de nombreux accidents graves de santé ».

Finalement, en ce qui concerne les enseignements, c'est à partir de celui de la sécurité routière que le collégien sera probablement en mesure d'obtenir les éléments les plus significatifs sur les problèmes liés à la consommation d'alcool. Cet enseignement[39], qui s'intègre obligatoirement dans le cadre des horaires et des programmes de l'école élémentaire et du collège, a un caractère transdisciplinaire et prend donc appui sur plusieurs disciplines enseignées (dont les SVT). Il a des conséquences pratiques assez immédiates, puisqu'il débouche sur la délivrance des ASSR (attestation de sécurité routière de premier et deuxième niveau). Le premier niveau est nécessaire pour obtenir le BSR (brevet de sécurité routière), lui-même obligatoire pour conduire un cyclomoteur (après 14 ans) ou, après 16 ans, un « quadricycle léger à moteur » (un quad) ; le deuxième niveau est un préalable indispensable à l'inscription à l'examen du permis de conduire.

C'est dire que l'enseignement des règles de sécurité routière à l'école présente un intérêt majeur pour les collégiens, en particulier pour ceux qui sont impatients d'accéder à la conduite d'un deux-roues motorisé, population dans laquelle se recrutent assez largement les adolescents aux conduites d'essai les plus marquées. Les fiches élèves disponibles dans ce cadre mettent l'accent sur les effets neurologiques de l'absorption d'alcool (temps d'attention, temps de réaction…) et sur leurs conséquences sur la conduite routière ; le métabolisme et l'éthylomètre sont également abordés, le tout formant un ensemble relativement complet.

Les comités d'éducation pour la santé et la citoyenneté

De leur côté, les CESC, instances partenariales qui réunissent autour du chef d'établissement des représentants des personnels (enseignants, assistantes sociales, infirmières et médecins scolaires), des élèves, mais aussi des personnalités extérieures à l'établissement, offrent à la prévention des consommations d'alcool une voie moins académique et probablement plus porteuse. De nombreuses opérations de prévention ont lieu dans ce cadre : tous collèges et lycées confondus, environ un quart des établissements mettent déjà sur pied dans l'année au moins une opération dans ce domaine (25,2 % pour l'alcool, 30,4 % pour le cannabis et 31,8 % pour le tabac), avec de fortes variations interacadémiques (le pourcentage relatif d'établissements ayant mené des actions contre l'alcool varie de 6,5 à 78 % en fonction des académies)[40]. Malgré cette hétérogénéité dans la couverture des besoins, les CESC, comme le souligne la MILDT[41], sont en mesure de concrétiser « sur le terrain » les politiques publiques de prévention destinées aux jeunes. Ces structures, grâce à leur souplesse, sont en effet à même de répondre rapidement à une impulsion nationale, pour peu que des moyens, même modestes, continuent à leur être accordés et que, surtout, la formation des équipes qui les composent soit renforcée. Sur ce point, il conviendrait certainement de mieux diffuser les principales conclusions des travaux d'évaluation, dont certaines vont à l'encontre d'idées reçues pourtant fortement ancrées chez des acteurs de terrain. Ces données, synthétisées dans un rapport d'expertise de l'INSERM[42] devraient inciter les équipes de terrain à lancer des opérations de prévention en direction des plus jeunes (peut-être dès l'école primaire, ce qui est administrativement possible pour un CESC susceptible de fédérer les écoles de son secteur), à mettre en place des actions différenciées en fonction du genre « car les modes et les motifs de boire ne sont pas identiques pour les filles, qui veulent "assurer" tout court, et les garçons, qui veulent "assurer sexuellement" », à cibler avec tact et mesure les groupes à risque, à privilégier les interventions brèves et collectives, car « les jeunes redoutent les interventions qui s'étalent sur une trop longue période ou qui incluent, dès le départ, une prise en charge individuelle », mais aussi à mieux choisir les intervenants car, « bien que des études évaluatives publiées mettent en garde contre les interventions de la police dans les établissements scolaires, ce mode d'intervention est encore très répandu en France ». Ainsi, les acteurs de prévention de première ligne seraient mieux à même d'utiliser les différents outils mis à leur disposition, dont certains, comme le *Guide d'intervention en milieu scolaire*[43], sont remarquables. Ce guide propose une série d'activités possibles en classe ou dans le cadre d'un CESC et met l'accent sur différentes facettes du problème qu'il convient de ne pas oublier lorsqu'on aborde la question avec des adolescents. Il rappelle à cet effet combien il est nécessaire sur le plan individuel « de ne pas mésestimer le effets ressentis comme désirables », que « l'effet désinhibiteur de l'alcool doit être évoqué – avec l'impression d'être libéré de ses angoisses ou de ses complexes –, (oser s'adresser à quelqu'un et lui parler, ce qui semblait impossible et pourtant si important dans le jeu des relations garçons/filles à cet âge, se sentir plus sûr de soi...) » et sur le plan collectif de mettre l'accent sur le contexte social qui tend à valoriser la consommation « à travers des notions telles que la convivialité, le partage, l'entente, l'ambiance festive, l'image de "virilité"... »

L'analyse de la mise en œuvre des politiques de prévention en matière d'alcool à l'école offre donc un panorama contrasté. Pour reprendre les propos du professeur Deschamps, il serait aberrant de chercher à « empêcher les adolescents d'être des adolescents ». Il serait tout aussi malencontreux de « laisser faire ». Le champ de la prévention à l'école se situe entre ces deux extrêmes. Loin de l'idée dominante et tout de même un peu facile selon laquelle « tous les spécialistes [...] sont [...] unanimes à considérer qu'en dépit des efforts du ministère de l'Éducation, la problématique de la santé n'est pas véritablement intégrée à l'action éducative[44] », il faut constater qu'avec des insuffisances – dont certaines, comme l'absence d'objectifs spécifiques, ne lui sont pas imputables – mais aussi ses forces (ne serait-ce que sa puissance de diffusion de l'information), ses stratégies d'ouverture et d'implication des jeunes (en particulier à travers les CESC) et des programmes pertinents (tel l'ASSR), l'école pourrait bien contribuer au maintien du niveau de consommation relativement bas des collégiens français eu égard à ceux de l'ensemble de l'Europe. Ce constat n'implique aucun triomphalisme dans un domaine où la prudence s'impose. D'autant que, l'exemple de nos voisins espagnols montre assez, avec le *macrobotellon*[45], combien, en peu de mois, de nouvelles formes de consommation excessive d'alcool peuvent apparaître et se développer.

NOTES

1. Chan Chee C., Baudier F., Dressen C, Arènes J. (dir.), *Baromètre santé 94*, Paris, CFES, 1997.
2. Godeau E., Dressen C., Navarro F., *Les Années collège. Enquête santé 1998 auprès des 11-15 ans en France*, Paris, CFES, 2000.
3. Godeau E., Grandjean H., Navarro F. (dir.), *La Santé des élèves de 11 à 15 ans en France : 2002. Données françaises de l'enquête internationale HBSC*, Paris, INPES, 2005.
4. *Id.*
5. Ménard C., « Consommation d'alcool chez les jeunes en France », in Navarro F., Godeau E., Vialas C., (dir), *Les Jeunes et l'Alcool en Europe*, Éditions universitaires du Sud, Toulouse, 2000.
6. Ehrenberg A., *Individus sous influence*, Paris, Esprit, 1991.
7. Schmid H., Nic Gabhainn S., *Alcohol Use, in Young People's Health in Context. HBSC Study*, OMS, Bureau régional Europe, 2004.
8. Dubar C., *La Socialisation*, Paris, Armand Colin, 1998.
9. Barnes G.M., Farrell M.P., « Parental support and control as predictors of adolescent drinking, delinquency and related problem behaviours », *J. Marr. Fam*, 1992, 54, p. 463-776.
10. Godeau E., Vignes C., Navarro F., Monéger M.L., « Consommation de cannabis, tabac et alcool chez les élèves de 15 ans en France », *Le Courrier des addictions* (6), n° 3, 2004, p. 117-120.

11. Arvers P., « L'importance des attitudes parentales vis-à-vis des consommations alcooliques, comparaisons entre l'Angleterre, l'Espagne, la France et la Norvège », in *Les Jeunes et l'Alcool en Europe*, *op. cit.*

12. Serrins *et al.* (1995), cité dans *Santé des enfants et des adolescents. Propositions pour la préserver*, expertise opérationnelle, INSERM, 2003.

13. Le Garrec S., *Ces ados qui en prennent, Sociologie des consommations toxiques adolescentes*, Toulouse, Presses universitaires du Mirail, 2001.

14. Scheier *et al.* (1997), cité dans *Santé des enfants et des adolescents, Propositions pour la préserver*, *op. cit.*

15. Guillon M.-S., Crocq M.-A., « Estime de soi à l'adolescence : revue de la littérature », *Neuropsychiatrie de l'enfant et de l'adolescence*, 2004, n° 52, p. 30-36.

16. Godeau E., Vignes C., Navarro F., Grandjean H., *Vécu scolaire, image de soi et consommation de substances psychoactives chez les adolescents de 11-15 ans*, rapport d'étude rédigé à l'intention de la MILDT, 2006.

17. Rosenberg, 1979. Traduction et validation, Chambon 1992.

18. Crum *et al.* (1998), cité dans *Santé des enfants et des adolescents, Propositions pour la préserver*, *op. cit.*

19. Tomkiewicz S., « Conduites de risque et d'essai chez l'adolescent », in Turz A. (dir.) *Adolescents, risques et accidents*, Paris, Centre international de l'enfance, 1987, p. 59-66.

20. Le Garrec S., *Ces jeunes qui en prennent*, *op. cit.*

21. Nahoum-Grappe V., « Conduites d'excès et imaginaire social de la jeunesse », in *Les Jeunes et l'Alcool en Europe*, *op. cit.*

22. Seuls des élèves de 15 ans ont été enquêtés sur ce point. Du fait que d'autres jeunes connaîtront l'ivresse ultérieurement, l'âge moyen de la première ivresse en population générale est plus élevé.

23. Schmid H., Nic Gabhainn S., *Alcohol Use, in Young People's Health in Context*, *op. cit.*.

24. Baudier F., Guilbert P. « Alcool », in Arènes J., Janvrin M.-P., Baudier F. (dir.), *Baromètre santé jeunes 97/98*, Vanves, CFES, 1998, p. 141-154.

25. Legleye S., Ménard C., Baudier F., Le Nezet O., « Alcool », in Guilbert P., Baudier F., Gautier A. (dir), *Baromètre santé 2000*, volume 2 : *Résultats*. Vanves, CFES, 2001, p. 123-159.

26. Zourbas S., Couturier C., « Alcoolisme et jeunesse », *La Revue du praticien*, 1980, n° 30, p. 2449-2450.

27. Exbroyat J., « Deux enquêtes sur l'âge tendre de l'alcoolisme. Contribution à une éducation pour la santé », *Hyg. et Méd. scolaires*, 1977, p. 153-161.

28. Paris, 12-14 décembre 1995, Bureau régional Europe de l'Organisation mondiale de la santé.

29. *Plan gouvernemental de lutte contre les drogues illicites, le tabac et l'alcool 2004-2008*, MILDT (Mission interministérielle de lutte contre la drogue et la toxicomanie), 2004, 76 pages.

30. Mission interministérielle pour la lutte contre le cancer, plan 2003-2007.

31. *Les Actes de violence à l'école recensés dans Signa en 2004-2005*, note d'info. 05-30, ministère de l'Éducation nationale.

32. En tant que mineurs, outre les dispositions générales, les collégiens font l'objet d'une protection supplémentaire puisque la publicité des alcooliers est interdite dans les publications destinées à la jeunesse (art. L. 3323-2-1 du code de la santé publique), mais aussi sur des « prospectus, buvards, protège-cahiers ou objets quelconques » (art. L. 3323-5 du CSP).

33. Art. L. 3342-1 du CSP.

34. Art. L. 3353-4 du CSP.

35. *Bulletin officiel de l'Éducation nationale (BOEN)*, n° 29, 20 juillet 2006.

36. Arrêté du 17 mars 1977, CNDP, brochure n° 6097.

37. *BOEN* n° 10, 15 octobre 1998.

38. L'ensemble des manuels de troisième figurant dans le fonds documentaire de l'IUFM de Toulouse a été consulté (Hachette 1980, Magnard 1980, Nathan 1980, Istra 1989, Bordas 1989, Nathan 1989, Hachette 1989, Hachette 1999, Bréal 1999, Hatier 1999, Magnard 1999, Bordas 2003, Belin 2003). Seuls les six derniers ouvrages correspondent aux programmes actuellement en vigueur.

39. Décret 93-2004 du 12 février 1993.

40. CESC, synthèse nationale 2003-2004, ministère de l'Éducation nationale.

41. *Plan gouvernemental de lutte...*, op. cit.

42. *Éducation pour la santé des jeunes. Démarches et méthodes*, Expertise collective INSERM, 2001.

43. *Prévention des conduites addictives. Guide d'intervention en milieu scolaire*, DESCO-MILDT, CNDP, mars 2006.

44. *La Prévention sanitaire en direction des enfants et des adolescents*, Trouve C., P. Vienne, B. Marrot, IGAS.

45. Consommation collective sur la place publique, poussée jusqu'à l'ivresse, par des adolescents qui se lancent de véritables défis d'une ville à l'autre. Certains *macrobotellons* ont réuni plus de 5 000 jeunes.

14.

L'ivresse des grandes écoles

ANNE DELAIGUE

> « Dans quel philtre, dans quel vin, dans quelle tisane,
>   Noierons-nous ce vieil ennemi,
> Destructeur et gourmand comme la courtisane,
>   Patient comme la fourmi ?
> Dans quel philtre ? – dans quel vin ? – dans quelle tisane ? »
>
> Baudelaire, « L'irréparable », *Les Fleurs du mal*

Ce ne sont pas seulement les poètes comme Baudelaire qui noient leur vieil ennemi dans l'alcool. Certains jeunes, que l'on imagine comblés, bien engagés dans un itinéraire privilégié, le tapis rouge déroulé sous leurs pieds, se détruisent de la même manière... Pourquoi ? Avant d'envisager les sources du chagrin qu'il leur faut noyer, avant d'interroger les abîmes intérieurs qui les poussent vers l'ivresse, un premier constat s'impose pour qui s'approche de leur quotidien : la liaison alcool et campus est une évidence.

Depuis l'Antiquité, Bacchus et Dionysos sont de tous les banquets ; peut-être est-ce pour cette raison que les élèves de l'École polytechnique ont imaginé, entre autres, des ripailles à l'antique : les soirées « Toga », où chacun est habillé avec un grand drap blanc (les garçons sans sous-vêtements, les filles avec), où tous partagent joyeusement « open bar vin rouge

231

et vin blanc », « open charcuteries », « open fromages », mais aussi « open cigarettes » et « open bières » en fin de nuit…

Est-ce pour se remplir ou pour se vider que l'on assiste à ces rituels collectifs de surconsommation d'alcool ? Quel que soit le type d'études (scientifiques, commerciales etc.), les grandes écoles se relaient pour organiser leurs galas, leurs « nuits de la rentrée » (les « Bang » chez les centraliens, les « Styx » chez les X, les « Soirées grand hall » des écoles de commerce) où l'alcool est de mise, en open bar, c'est-à-dire à volonté, et draine toutes les populations étudiantes des campus voisins.

À l'origine de leurs parcours, le point commun des étudiants en école tient en une étape précise, ciment d'amitiés indélébiles et de souvenirs impérissables rappelés aux festins anniversaires des promos : la « prépa », c'est-à-dire les classes préparatoires. Itinéraires très exigeants qui n'existent qu'en France, les classes préparatoires constituent la porte d'entrée obligatoire pour qui veut s'engager dans les « filières de l'excellence », fondements de notre système élitiste. Leur description nous permettra d'analyser les hypothèses face à cette alcoolisation massive.

Avant d'évoquer les aménagements intérieurs indispensables pour mener à bien ces études, soulignons que ces cursus impliquent systématiquement un surinvestissement scolaire intense pendant les deux à trois années qui suivent l'obtention du baccalauréat. Quand un élève entre, après sélection sévère de son dossier, dans une des grandes prépas réputées, ce qui nécessite souvent un changement de région et une première expérience imposée de l'internat, c'est qu'il ou elle espère « intégrer » l'une des écoles mythiques de notre système éducatif, en acceptant les règles du jeu, quels qu'en soient les sacrifices.

Pour autant, il est souvent difficile de démêler ce qui appartient en propre aux élèves qui décident d'entrer dans ces filières et ce qui provient du climat familial et des fantasmes dans lesquels ils ont baigné parfois dès l'enfance, les poussant à endosser cette identité prestigieuse.

Être X, être normalien, être HEC, mineur, centralien, ESSEC, élève des Ponts, Télécom, Sup. de Co, ENSAE…, partout les journaux des écoles fédérant les anciens, leurs annuaires, leurs galas annuels en témoignent : c'est souvent une affaire de famille ! Il existe de véritables dynasties qui veillent à ce que la tradition de « sortir d'une grande école » se perpétue à chaque génération.

La revue des anciens élèves de l'École polytechnique *La Jaune et la Rouge*, publie chaque mois son « carnet polytechnicien » qui décrit fidèlement les liens tissés en remontant le temps de certaines familles, parfois depuis les origines napoléoniennes. Au hasard des textes récents, j'ai choisi l'annonce d'un polytechnicien de la promotion 1957 (donc approximativement né en 1937), qui fait part de la naissance de son premier petit-fils (par discrétion, les noms sont changés) : « Au foyer de Benoît et Marie T.C., Pierre, arrière-arrière-petit-fils de Paul B. (X 1883) et Jean D. (X 1896), arrière-arrière-arrière-petit-fils de Jean-François D. (X 1840) et Gaston F. (X 1856). » Gageons que ce bébé né en 2005 et identifié grâce à ses trisaïeuls, à un siècle et demi d'intervalle, sentira peser sur ses épaules la charge de ce lourd héritage, qu'il lui appartient manifestement de péren-niser, comme le lui montre la voie de son grand-père…

Même si les projets parentaux ne sont pas toujours aussi explicites, les élèves des classes préparatoires cheminent tôt sur les sentiers menant à la réussite. À l'écoute des polytechni-ciens depuis des années, je vois se dessiner souvent un portrait spécifique, adopté depuis l'enfance : costume trop bien ajusté qu'ils endossent précocement et dans lequel ils s'installent, cocon faussement protecteur qui craque dès l'entrée dans la grande école.

En premier lieu, l'enfance : ils se décrivent pour la plupart comme des enfants sans histoires, à l'aise à l'école, n'ayant donc « jamais posé le moindre problème »…

Derrière cette apparence très lisse se profile une première plainte massive : « Comme j'avais des bonnes notes, on n'avait jamais besoin de s'occuper de moi, puisque j'étais facile… »

Une élève me confie : « Un souvenir d'enfance cruel, c'est ma couronne de lauriers qui me tombe sur les yeux, lors d'une distribution des prix en primaire. Elle m'aveugle et m'isole des autres, je porte des livres lourds et je ne suis jamais sûre que c'est assez bien, puisqu'il est normal que je sois la première ! »

À la maison on est habitué à ce que tout soit simple pour eux et, bien plus tard, s'exprime la plainte de l'enfant doué en manque de l'attention et des inquiétudes parentales réservées aux frères et sœurs moins brillants, pour lesquels, au moins, on se fait du souci… (« Ah ! si j'avais mal travaillé ! ») Ils sont nombreux à me dire que depuis longtemps on a arrêté de les féliciter, qu'on ne les encourage plus, et qu'ils ne sont donc jamais vraiment rassurés sur eux-mêmes. Où sont les limites ?

Ces enfants « faciles », souvent en avance scolairement, font tôt l'apprentissage de leur différence : l'intégration en cour de récréation quand on est le premier et le plus jeune de la classe n'est pas simple, et le recours systématique à l'intellectuel (lire, jouer à l'ordinateur, se retirer dans ses rêves) est un refuge dont les parents pensent rarement à déloger l'enfant sage qui s'isole et perd de vue, durablement, la norme des performances de son âge, indispensable pour se situer. À la fin de l'école primaire, puisque cet enfant a bien travaillé, la famille et les professeurs commencent à avancer leurs projets jusque-là discrets : on l'inscrit dans la meilleure classe de sixième, pour rentrer dans le meilleur lycée qui débouche sur la meilleure prépa…

L'adolescence se profile, véritable « mort à l'enfance » comme l'a qualifiée F. Dolto qui, dans sa métaphore du homard, la compare à une mue : « Cette période si fragile, si vulnérable, pendant laquelle on a quitté son ancienne carapace, et pas encore sécrété la nouvelle. » L'enfant se trouve alors au bord d'une zone de turbulences qu'il traverse avec plus ou moins de souffrance pour atteindre l'autre rive, l'entrée dans la vie adulte génitalisée. Chacun progresse selon son rythme, et dans nos sociétés les auteurs s'accordent pour étendre ce passage obligé de 11 à 20 ans, souvent jusqu'à 25 ans pour les étudiants, jusqu'à ce qu'ils terminent leur cursus et acquièrent enfin leur autonomie.

À ce moment de son parcours, l'adolescent est aux prises avec une véritable « catastrophe hormonale », c'est-à-dire un déséquilibre temporaire massif, tant physique que psychologique. C'est souvent l'arrivée dans la grande école qui permet que s'opère enfin cette métamorphose, avec ses aléas. En changeant spectaculairement de morphologie, l'adolescent se sent étranger. Je pense à l'une de mes patientes venue me consulter dès son arrivée à l'X parce qu'elle ne se reconnaissait pas dans la glace. Centrée depuis longtemps sur ses études menées avec brio, elle ne s'était pas vue grandir ni se transformer et n'arrivait pas à prendre possession de sa féminité.

Que faire en effet d'un corps dont on s'est trop peu soucié jusque-là ? Dans ses alcoolisations excessives, dès l'entrée à l'école, il prendra sa revanche… Outre cette mutation physique, chacun s'attelle à une énorme tâche sur le plan psychique. Il doit sortir de sa profonde crise narcissique et identitaire, et opérer son changement de peau.

Pour faire face à l'effraction pubertaire, l'adolescent mobilise tous les mécanismes de défense acquis depuis l'enfance : il refoule, annule, rationalise, régresse, projette, se réfugie dans la rêverie… S. Ionescu, M.-M. Jacquet, C. Lhote, les trois auteurs du manuel *Les Mécanismes de défense*[1], en ont recensé vingt-neuf et évoquent aussi « siffler dans le noir » ou même « faire le clown », sans doute largement utilisés par notre population… Je note souvent avec intérêt pendant les oraux du concours que certains taupins jugulent leur angoisse en s'adonnant avec concentration pendant les pauses au jonglage ou au diabolo, matériel qu'ils ont pris soin d'apporter dans leurs affaires.

« Les dangers pulsionnels rendent les hommes intelligents », a écrit A. Freud en 1936, qui introduit par cette boutade l'un des principaux mécanismes utilisés par les étudiants : l'intellectualisation, que l'auteur décrit comme une des armes caractéristiques de l'adolescence. « En présence d'un danger externe ou interne, c'est un des refuges possibles. Réfléchir aux aspects uniquement théoriques et généraux d'une situation, sans la rapporter à son propre cas, atténue l'inquiétude qu'elle provoque. »

L'intellectualisation est le fait de se réfugier dans l'abstraction pour tenter de maîtriser des pulsions jugées trop puissantes. L'affect est transformé en idées et perd sa charge angoissante. Ce mouvement psychique, déjà relevé par Freud en 1912 chez ses patients pour échapper à l'angoisse de la cure, est un outil très utilisé à certains moments de la vie. Quand on s'engage dans des études très exigeantes, l'intellectualisation n'est pas seulement une défense, elle devient une nécessité. Réussir ce parcours implique qu'on utilise cet investissement au maximum, qu'on se réfugie dans l'abstraction et qu'on y consacre toute son énergie.

Les polytechniciens que je rencontre à la sortie de leurs concours continuent souvent à appliquer la même stratégie : « Je m'aperçois que je communique pour montrer ce que je sais, et non pas pour l'expliquer à l'autre », ou encore : « Pour moi, jusque-là, le seul moyen de m'évaluer par rapport à l'autre c'était de savoir si j'avais une meilleure ou une moins bonne note que lui. »

Il en est de même pour le sentiment amoureux : il est difficile là aussi de renoncer au réflexe de tout mettre en pensées : « Je ne comprends pas comment aborder cette question ; j'étais persuadé qu'il suffisait de bien poser le problème au départ pour avoir la meilleure solution au final » (et devenir magiquement un séducteur ?).

À l'intellectualisation peut s'ajouter l'ascétisme, qui entraîne l'adolescent à renoncer à toutes jouissances corporelles, et parfois le pousse à s'imposer des conditions de vie extrêmes afin de protéger le moi contre ses exigences pulsionnelles nouvelles. Ce mécanisme est en général transitoire, mais les étudiants de classes préparatoires présentent une apparente soumission face au rythme scolaire effréné, impliquant la quasi-impossibilité de s'autoriser les plaisirs des jeunes de leur âge. Cela les distingue là encore et creuse massivement l'écart avec leur corps, qui se réveille ensuite.

Enfin, la sublimation, déjà acquise dans l'enfance, permet de transformer très tôt la curiosité sexuelle en curiosité intellectuelle : la pulsion se détourne alors de son objet et de son but (érotique ou agressif) primitif, mais sans être refoulée. Grâce à ce mécanisme, écrit Freud, « le plaisir est tiré du travail psychique et de l'activité de l'esprit, des performances intellectuelles, scientifiques et artistiques ». À n'en pas douter, les élèves de prépa ont sûrement pris plaisir à sublimer dès l'enfance. Ce refuge est temporaire, et l'élève de prépa sait que ce mécanisme ne lui permet pas de répondre à ses questions identitaires, laissées en suspens pour garder ses forces.

L'entrée en classe préparatoire ressemble fort à une entrée en religion, à cause de l'ascétisme et de tous les sacrifices exigés. Rythme soutenu, niveau très élevé, appréciations exigeantes parfois très critiques des professeurs… Brutalement, l'univers du « bon élève premier de classe » s'écroule et tous les repères sont à reprendre.

En principe, on refait surface après les concours. Un de mes consultants m'a confié : « Moi, je suis rentré à 17 ans à Louis-le-Grand, et j'en suis sorti deux ans plus tard, toujours à 17 ans ; je n'avais absolument pas changé d'âge… C'est ensuite que j'ai dû rattraper à peu près. » L'élève « préparationnaire » se trouve aux prises avec un idéal du moi sévère, emmené dans cette soif d'absolu classique à son âge, et endosse un projet qui est un gouffre sans fond : faire partie de l'« élite ». Comme me l'a dit très joliment une polytechnicienne : « Il a fallu ranger l'impossible au magasin des accessoires ! »

Le sentiment de vide intérieur est une expérience fondatrice qui permet au sujet d'intérioriser ses liens à l'autre, de symboliser l'absence et de se saisir de sa propre pensée, sa propre vie intérieure. Quand tous attendent que l'adolescent soit le meilleur, pas question de lui laisser le temps d'être « vide » ; pour structurer donc son désir, on colmate ! La stratégie, c'est de se remplir de savoir, de se griser de travail, de bonnes notes, de maîtriser tout son programme et de mettre ses pas dans les traces de ses prédécesseurs. Toutes les limites sont repoussées à l'infini, mot qui sonne étrangement juste dans l'univers des écoles scientifiques…

Dans les grands lycées, le bac est considéré comme acquis, et seule se joue l'entrée dans la meilleure prépa, véritable course à la réussite qui assure l'« intégration ». Fréquemment, les sacrifices commencent tôt pour y avoir une place : « Moi, ça ne veut rien dire que j'aie intégré l'X, j'ai fait six ans de prépa, me confesse cette polytechnicienne. Le travail intensif a commencé en seconde, donc ma réussite ne vaut rien, je ne suis pas intelligente, juste trop entraînée, je suis sûre que je ne suis pas à la hauteur. »

Ce témoignage introduit un aménagement défensif indispensable : si l'on veut « rester dans la botte », être en tête, supporter le rythme sans faiblir, il faut faire taire ses questions essentielles, sa curiosité vers l'autre sexe par exemple, qui risqueraient de vous distraire. Pour intégrer donc, il faut se mettre entre parenthèses, ne surtout pas se faire remarquer, et nombreux sont les élèves qui parlent ensuite de ce couvercle épais qu'ils ont posé sur leurs émotions. « On était sous cloche » : l'identité propre s'efface devant l'identité grandiose du système. On vise le plus haut, donc on n'a plus besoin de choisir, ni d'avoir de limites...

Ce mécanisme fondamental est le clivage : on s'isole d'une partie des affects, on se coupe en deux pour ne pas être envahi, bref, comme le reconnaît un élève, « on se compartimente ».

Le paradoxe des concours est bien là : en classe préparatoire, il faut être intelligent mais ne surtout pas penser, au sens où, quand l'homme pense, il se pose des questions. Le principe est simple : ça passe ou ça casse. Même quand, comme chaque année, la tentative de suicide d'un de leurs condisciples a réussi, personne ne s'attarde sur sa tristesse. Il faut l'enfouir avec le reste sous le couvercle, ne pas trop se poser de questions, et continuer les exercices théoriques. Il en est de même des décès de proches, des ruptures, des maladies graves dans la famille... Face à leurs souffrances, ils sont très nombreux à m'avouer : « On s'est dit qu'on y repenserait plus tard. » Plus tard, bien sûr, c'est après les concours.

Comment, dans ces conditions, ne pas sentir la peur d'être vide, l'impression permanente de ne rien savoir, et d'être loin derrière ceux qui vont réussir ? Une seule solution : se remplir. Alors on se bourre de connaissances et, parfois, d'autre chose : rien d'étonnant ensuite à ce que l'oralité soit sollicitée facilement, et à ce que ces étudiants conservent leur réflexe compulsif de se remplir, par exemple de boissons...

Pour revenir à notre thème, comment les étudiants se comportent-ils face à l'alcool, quand ils sont en prépa ? À ce stade, sauf si la famille s'est chargée d'éduquer son enfant en lui apprenant le plaisir de la dégustation, les élèves adoptent un comportement adolescent classique, peu différent de celui qu'ils avaient au lycée : ils s'accordent quelques cuites, les samedis soir, entre copains, « pour décompresser », mais sont rarement capables de boire beaucoup. Ils ne « tiennent » pas l'alcool, mais boivent quand même jusqu'à être malades, pour « se laver la tête ».

Il existe, dans certains internats de classes préparatoires, les fameuses « murges défoulatoires » du dernier jeudi soir avant les vacances. L'établissement autorise ce mouvement général de défoulement, tant la pression accumulée a été forte pendant le trimestre pour soulager la tension permanente : les élèves s'enivrent vite, avec de l'alcool médiocre mais fort, pour atteindre rapidement un état second.

Un ancien de prépa me décrit l'effet de ces soirées, qu'il a largement expérimentées : « Tout d'un coup, on peut lâcher prise et s'autoriser enfin à dire et faire n'importe quoi. Dans ces fêtes, on ne peut pas comprendre les blagues entre saouls si on est sobre, c'est une impression de folie qui sort de soi et des autres, un peu comme le rêve pour la psyché… Toujours réfléchir, tout comprendre, c'est fatigant ! Dans ces moments-là, on imagine qu'on peut tout faire, et j'ai osé, par exemple, draguer les filles, me rouler dans la neige en caleçon ou me lancer contre un mur… » ; « L'alcool nous sert à nous calmer, car on n'arrête pas de penser, et c'est même dur de s'endormir. »

Dans ces occasions l'alcool est servi à volonté (comme il l'est dans la plupart des soirées étudiantes, y compris à l'université) et, très vite, les limites de chacun sont dépassées : « À la prépa de Nice, on faisait juste un concours de bras de fer, en buvant au maximum. Un élève a eu un bras arraché, et la fille chargée de filmer la soirée est tombée dans les pommes... » L'effet est d'autant plus foudroyant que ces libations ne peuvent être fréquentes, car il leur faut garder l'esprit clair pour les cours. Ces moments de défoulement majeur n'impliquent pas pour autant l'abandon de l'ascétisme, à l'œuvre jusqu'aux concours.

Quand approchent les premiers écrits, la famille et les professeurs se mobilisent. L'enfant doué, chargé de la mission de réussir par son entourage, ne peut pas échouer, sous peine de faire s'écrouler tout son environnement, et lui avec, du moins le craint-il massivement. « Mon père a souvent rêvé que c'était lui qui réussissait l'X », m'a avoué un ancien élève, qui a bien du mal à reprendre possession de sa trajectoire. Les examens se succèdent à un rythme très soutenu. Conscients de l'enjeu, les élèves ont recours intensivement à leurs défenses et orientent comme ils le peuvent leur angoisse. L'un des meilleurs remèdes est certainement celui-ci : « Avec ce que m'avaient dit mes profs, j'étais tellement sûr d'être nul et de n'avoir aucune chance, que je n'étais pas inquiet du tout, pas stressé... Et donc, j'ai intégré ! »

À ce moment du parcours, un grand nombre d'écoles de commerce chargent les membres élus du bureau des élèves de l'accueil des admissibles. On vient les chercher au train et on les emmène le soir au café, ou dans l'école, pour arroser la future réussite. L'alcool fait partie intégrante de la vie des étudiants, qui se doivent de transmettre ce rituel à la promotion suivante, dès que possible, pour poursuivre la tradition.

Et après les concours ? Les résultats arrivent mi-juillet. Bien sûr, la famille se réjouit et fête en général l'heureux événement, mais pas toujours. Le bon élève a tellement habitué son entourage à la réussite que celle-ci est parfois vécue comme une formalité, écrite depuis le début, et passe un peu inaperçue, sauf pour l'intéressé, qui souffre de cette indifférence.

Dans les écoles, la rentrée se fait tôt, début septembre : avant qu'ils aient eu le temps de réaliser leur nouveau statut, les élèves arrivent sur le site. Pour une partie d'entre eux la solitude est massive, car ils sont parfois seuls à venir de leur lycée alors que, pour d'autres établissements, c'est un effectif de 20, 50, voire 80 élèves qui se retrouvent. Dans tous les cas, les élèves sont pris en charge par leurs « anciens », qui s'attellent à la cohésion du groupe. Dès que la nouvelle promo arrive, on puise dans les réserves des BDE et on l'accueille avec des soirées très arrosées, tout en marquant bien la différence de ces petits nouveaux encore incapables de tenir l'alcool !

Passons sur les bizutages, le plus souvent bon enfant, qui subsistent dans les écoles ; ils sont généralement vécus dans une ambiance ludique, sans associer la boisson. L'épreuve initiatique majeure est encore à venir. Ce que chacun attend, la vraie rentrée, le moment du rite de passage essentiel qui va lui permettre de « sortir enfin ses tripes » et de faire corps avec sa promotion, tient en un mot universel dans le vocabulaire étudiant : le « WEI » (prononcez : why), c'est-à-dire le « week-end d'intégration ».

Quelles que soient la taille et la renommée de leur établissement, les élèves mettent un point d'honneur à respecter cette tradition : partout en France, le WEI marque la distinction fondamentale entre les écoles et les universités qui, elles, n'ont pas les moyens nécessaires pour organiser ces journées très particulières, car elles intéressent peu les sponsors, et qui ne consacrent pas la même énergie à fédérer leurs étudiants.

L'EDICAS, site du *Journal des grandes écoles*, a bien décrit ces journées dans un texte ayant pour titre « Incontournables week-ends d'intégration » : « Il n'existe plus de rentrée dans les grandes écoles sans week-end voire semaine d'intégration. Chaque équipe rivalise d'imagination pour faire de ces moments un événement inoubliable. Outre de s'amuser, l'objectif est de faire émerger un esprit de promotion, de créer des rencontres. Point de départ de la scolarité, ces séminaires sont la première occasion où les étudiants sont réunis. Le WEI est traditionnellement dans un village de vacances. Il comporte plusieurs étapes et autant d'occasions de s'amuser. La promotion est d'abord reçue dans un amphi pour une séance de *warm-up*, avec par exemple à l'ESSEC la diffusion des images du WEI précédent, un spectacle, un discours du BDE sur l'esprit dans lequel va se dérouler l'événement : "Transmettre l'esprit, la culture de l'école, se rencontrer, tout cela dans une ambiance ludique et sympa." Les groupes partent ensuite soit en car, soit en train-discothèque. Là-bas se déroulent des jeux en équipe, des tournois sportifs et des animations (courses de dromadaires à l'ESCP, courses de vachettes à l'ESSEC...). À Polytechnique, les élèves organisent un "week-end de désertion" à la fin des trois semaines militaires de Barcelonnette, et ils partent tous au bord de la mer. »

« Les WEI ne sont pas soutenus par la direction : c'est notre tradition, notre événement, une certaine revendication de notre liberté », conclut le BDE de l'École de management de Bordeaux. Il existe, dans chaque école, un « prèz » (président) et un « trèz » (trésorier) du WEI, élus spécialement pour en gérer la mise en œuvre. C'est l'affaire des élèves. Ces WEI ne sont jamais organisés par l'encadrement des écoles, qui connaissent la législation interdisant toute vente d'alcool fort sur les campus étudiants...

Les bureaux des élèves les prévoient intégralement, aidés par les grands alcooliers qui sponsorisent les soirées étudiantes et veillent à leur organisation grâce aux dons de nombreux produits dérivés marqués de leur logo, et à la prise en charge d'une partie de l'alcool allant parfois jusqu'au tiers des bouteilles des soirées... Dans un article intitulé « Les alcooliers font la fête », le *Journal des grandes écoles* décrit le phénomène : « Soirées étudiantes, open bars, concerts, galas des grandes écoles sont un vivier pour les fabricants d'alcool qui profitent de toutes les fêtes prisées par les jeunes pour se constituer une clientèle d'avenir, avec un marketing insidieux qui vise à faire passer de l'initiation à la dépendance. » Ces stratégies ont été attestées par un ancien commercial de la société Ricard, Franck Daniel, qui a décrit dans son ouvrage *Dealer légal* toutes les ficelles auxquelles la profession a recours pour inciter les jeunes à boire toujours plus, dès le collège.

Les WEI, dont la vocation est récréative et conviviale, sont centrés sur une obligation essentielle : il s'agit d'y boire le plus possible, le plus vite possible, et d'associer l'alcool à chacune des activités prévues, systématiquement. Grâce aux films des années précédentes, le message est clair : l'alcoolisation commence dès le départ et ne doit pas faiblir ! Le voyage est très long, il faut donc occuper le temps.

Or, même si l'alcoolisation commence souvent au collège et qu'au lycée on arrose beaucoup les soirées du samedi, les quantités d'alcool ingurgitées dès le départ dans les WEI n'ont plus rien à voir et les élèves sont souvent malades, car pas encore habitués. Un ancien d'une école de commerce me raconte : « On était partis en car, avec chacun nos bouteilles "bien préparées". En cours de route, on s'aperçoit qu'un élève est inanimé. Déjà bien gais, on demande au chauffeur de s'arrêter, on le descend comme on peut, et on tente de le réveiller... en vain. On téléphone au SAMU, qui le transporte d'urgence à l'hôpital (au CHU) car l'élève présente un coma éthylique. Il y a passé l'intégralité du WEI, et pendant toute sa scolarité on l'a appelé "Chu"... »

Si le groupe part en train, il fait appel à une option prévue par la SNCF (!) : les « disco-trains » ou « trains-discothèques », spécialement conçus. Tout l'agencement intérieur est réorganisé, on ne garde que deux wagons-couchettes en tête et en queue, « pour quand vraiment on n'en peut plus », et le reste est aménagé en vaste boîte de nuit, où l'on peut déballer les sacs et commencer les jeux. « Très vite, le sol devient glissant, rempli de verres renversés souvent cassés, et on boit des quantités incroyables dès le départ. Ça sent mauvais rapidement. » Une grande école de commerce a d'ailleurs été « interdite de disco-train » : en route, les élèves avaient décroché un wagon et démonté le toit.

Pendant les trois jours du WEI, l'alcool accompagne les activités et les soirées quotidiennes. Les élèves organisateurs rivalisent d'imagination (« On est filmés, donc il faut faire encore mieux que l'année précédente ») pour que l'alcool soit pratiquement « non stop ». Il s'agit surtout de jeux en équipes, où à chaque étape on vide son verre : la brouette, les courses en sac, les relais (le « mètre-Ricard », où à chaque mètre du parcours on en boit une dose), les compétitions où l'on est attachés par deux... « On fait des concours de murs de packs de bières vides, avec trophées », « On chronomètre le tandem qui boit le plus vite son saladier de punch à la paille, puis on joue la revanche, ce qui fait facilement quatre litres. » Pourquoi ces doses massives ? « Pour se lâcher : tout le monde court, tombe, perd pied, déclenche les fous rires... Le tout en équipes, le meilleur moyen de se sentir complices. »

L'un des premiers effets de l'alcool est certainement son côté désinhibiteur, dans cette population qui a tellement pris l'habitude de refouler ses affects. En cela d'ailleurs, les filles, quelle que soit l'école intégrée, ne sont pas en reste et connaissent parfois des états d'ivresse spectaculaires (d'où l'intérêt des couchettes pour qu'elles récupèrent...). Elles sont emportées par la même vague déferlante : on boit pour se défouler et pour « perdre la tête », justement ! Et, en particulier, pour sortir de ce statut d'enfants dociles, qui se sont la plupart du temps comportés sans faire de bêtises. Tout à coup, on peut enfin « faire n'importe quoi » sans qu'il y ait, en tout cas pendant ces journées, de retombées sur la scolarité.

Il y a un côté orgiaque libératoire dans ces véritables bacchanales, où les plaisanteries tournent massivement autour du sexe, en retour brutal du refoulé. L'alcool court-circuite les peurs, et filles et garçons s'étourdissent pour contourner leur angoisse et approcher en les caricaturant les notions de féminité et de virilité, encore très abstraites.

Indissociable de ce défoulement, la dimension collective joue un rôle primordial. Elle autorise cette jubilation en l'institutionnalisant puisque le WEI est prévu dans le programme de rentrée. C'est l'« identification adhésive » des adolescents, qui se rassurent en se conformant à la norme du groupe, d'autant plus qu'ils n'ont pas été encouragés à s'individualiser en interrogeant leur projet personnel. « On est tous ensemble, dans le contrecoup libératoire de la prépa : boire, c'est être passé du côté des adultes. » L'alcool est vécu du côté festif : pas de questions à se poser, tout est géré par les organisateurs. Débarrassés de la surprotection parentale, les étudiants abordent ces week-ends débridés comme la marque d'une véritable libération à laquelle ils ont enfin droit, gagnée de haute lutte grâce à leur réussite. Somme toute, il leur faut extérioriser spectaculairement ce soulagement avec leurs pairs, pour commencer enfin à réaliser qu'ils ont rempli leur contrat.

« La mission des organisateurs n'est pas de surveiller le degré d'alcoolisation de chacun, m'explique l'un d'entre eux, il faut avant tout éviter d'éventuels débordements d'agressivité. Seule précaution : au WEI, on fait des marques sur le front des élèves encore mineurs, et on limite leurs consos… » C'est en groupe que les conduites d'alcoolisation massive se poursuivent ultérieurement dans les écoles, et nombreux sont ceux qui me signalent que « les vrais alcooliques sont ceux qui boivent seuls dans leur chambre ». Ce n'est, hélas, pas si simple...

Un élève de Sup de Co Paris se dit sidéré devant le film des soirées et du WEI des années précédentes, avec « des types ivres morts et des filles qui vomissent partout ; le message est clair : pour être cool, il faut être bourré ». Certains choisissent de ne pas boire malgré la pression massive ; quels que soient leurs mobiles, ils marquent ainsi nettement leur différence, au risque d'être stigmatisés par le groupe qui apprécie peu les comportements déviants. Leur prise de position s'étaie notamment sur le refus de cautionner l'un des pires fléaux qui sévissent dans tous les rassemblements des jeunes de cette classe d'âge, quelle que soit leur réussite scolaire (et dès le collège !) et qui ponctuent fréquemment les soirées : le coma éthylique.

Ce n'est pas parce que l'on est brillant qu'on y échappe, et tous ces témoignages me poussent même à penser le contraire. Il n'existe pas d'école ni d'université qui ne soit confrontée à ce symptôme, né d'une caractéristique générale de la jeunesse : « *No limit !* » À ce stade de son parcours, l'élève fraîchement sorti des concours ne veut ni ne peut savoir où sont les bornes du raisonnable et où commence le danger. L'un de mes consultants polytechniciens me confie : « Encore actuellement, j'ai besoin de boire au-delà des limites, pour savoir où c'est. »

La fréquence de ces comas est alarmante, mais pas du tout nouvelle : depuis les années quatre-vingt, beaucoup sont venus témoigner de leur peur devant cet état de fait, élèves ou membres de l'encadrement. L'une des grandes écoles scientifiques, l'École centrale, a eu le courage de sortir de l'« omerta » habituelle en annonçant un décès dû à l'alcool.

La presse a repris cet événement, pour alerter la société. En témoigne l'article paru dans *L'Express*, dans la semaine du 13 au 19 octobre 2005, sous le titre « Beuveries » : « Sur bien des campus prestigieux, les beuveries tiennent lieu de rituel d'intégration dans les écoles et l'entrée du bizutage au code pénal n'a rien changé. Le 23 septembre dernier, un élève de l'École centrale a été retrouvé mort dans sa chambre d'internat après une soirée trop bien arrosée. Une étude menée par la Conférence des grandes écoles sur les conduites à risque en milieu étudiant prône la fin des partenariats entre les marques d'alcool et les associations d'élèves, et se félicite que certains établissements aient décrété la tolérance "zéro alcool" sur leur campus. »

En accueillant la nouvelle promotion des polytechniciens, les 2006, j'ai appris avec intérêt que la plupart des lycées avaient affiché les articles commentant ce décès, d'autant plus frappant pour les élèves que ce centralien était contemporain des taupins redoublants et donc connu de certains. Les classes préparatoires les ont informés de l'accident en insistant sur la dangerosité de ces excès, en prévision des WEI et des soirées à venir.

Outre la spectaculaire levée collective des inhibitions, une autre donnée fondamentale explique l'adhésion massive des élèves à ces libations : leur rapport au corps. Parfaitement canalisé, discipliné, le corps ne doit pas se manifester pendant les années de classes préparatoires, son énergie étant mise au service de l'intellect. Il faut avoir été sportif ou musicien passionné pour s'autoriser à continuer en classes préparatoires et éviter le piège du clivage.

L'un des moyens de reprendre contact avec leur corps oublié est de se laisser aller à cette oralité très régressive : le propos est de se remplir, pour ressentir ensemble des éprouvés corporels... pourtant peu ragoûtants, vus de l'extérieur ! « Après ce week-end, on endosse chacun un rôle : il y a le bourrin, celui qui drague, celui qui vomit... C'est le processus pour qu'on se mette chacun dans une case », et donc pour commencer à exister dans ce nouveau groupe. À la fin des WEI, les élèves regagnent leurs écoles avec, pour certains déjà, la réputation d'être de solides buveurs ayant passé toutes les épreuves honorablement, ce qui les désigne en toute logique comme candidats aux prochaines élections des responsables des soirées...

L'intégration implique un changement de rythme spectaculaire : « Tant que j'étais en prépa, c'était facile, je n'avais pas besoin de me poser de questions, ni de me positionner ; il fallait juste suivre la voie, écouter les profs, faire le programme. Depuis que j'ai intégré, je me retrouve complètement vide, et j'ai pris l'habitude de boire », m'avoue un élève, venu consulter pour une angoisse massive, notamment au moment de l'endormissement.

« Moi, madame, j'ai toujours visé le concours, après je ne vois plus rien. » Il n'est pas si facile de se retrouver tout à coup dans le club très fermé de l'élite : à un mois d'intervalle, on n'a pas vraiment l'impression d'être devenu différent du reste de la classe qui n'a pas intégré. Sortir de la chrysalide et devenir un vrai papillon semble difficile. Les étudiants décrivent fréquemment l'impression angoissante de ne pas du tout avoir de consistance, de ne pas savoir s'il est normal d'avoir des limites ou si l'on est, pour reprendre leur terme, un « usurpateur », qui a eu son concours par hasard et n'a pas sa place dans le club des meilleurs.

« J'avais l'impression d'être dans la même salle que les autres, mais sur un strapontin », me confie une élève. Définitivement étiqueté comme brillant, l'élève de grande école a souvent l'impression d'un abîme qui s'ouvre devant lui, sans repères stables. « La vie, c'est pas comme les maths, soupire cette polytechnicienne, on ne peut pas résoudre les problèmes précisément, la vie, c'est l'infini, jamais bien, jamais assez. »

Sublimation, ascétisme, intellectualisation, clivage…, tous ces outils défensifs ont maintenu l'élève de prépa dans une logique du « tout ou rien » puisqu'il s'agit clairement d'être le meilleur. S'il n'y a pas de demi-mesure autorisée auparavant, il est difficile de négocier avec soi-même et d'assouplir ce fonctionnement après les concours. Loin d'être rassurés de s'être abandonnés à l'alcool, les élèves en retirent souvent une mauvaise image d'eux-mêmes. En tout état de cause, s'ils sont descendus de leur piédestal d'enfants sages, ils ne peuvent plus être « tout », et le risque est alors fréquent pour ces sujets de devenir « rien », blessure narcissique insupportable.

Ni les parents ni les professeurs n'imaginent qu'un sujet brillant puisse douter de lui-même et avoir besoin d'aide. « Quand je montre ma tristesse à cause d'une rupture amoureuse, on me répond : "Toi, de toute façon, tu réussis toujours tout, on n'a pas besoin de se faire du souci pour toi !" » Pour soulager leur angoisse identitaire, les étudiants doivent trouver en eux les ressources nécessaires. La grande école est riche en nouveautés et propose, outre des cours plus variés, quantité de clubs gérés par les élèves, et chacun s'inscrit avec plus ou moins de bonheur dans sa nouvelle communauté. Il faut trouver sa place, se rassurer vite, et l'une des réponses, quelle que soit l'activité ou la section sportive, est de proposer régulièrement d'« arroser ça ».

Que fête-t-on ? L'arrivée des nouveaux, les élections des BDE et leur semaine de campagne toujours très festive, les matchs gagnés ou perdus (les fameuses troisièmes mi-temps des rugbymen…), les anniversaires, la fin des examens trimestriels, le beaujolais nouveau, les grands tournois interécoles, le départ des anciens… La liste est longue, tout étant prétexte à scander l'emploi du temps avec l'alcool. En majorité, les écoles sont excentrées et possèdent un campus ou des résidences où les élèves sont logés ; dans le cas contraire, ils s'organisent pour former des colocations. La vie y est donc très nouvelle : en collectivité et loin de la famille. Une différence notable intervient, selon qu'il s'agit d'écoles scientifiques ou commerciales : la question de la mixité.

Depuis toujours, les grandes écoles scientifiques ont bien du mal à séduire les filles (contrairement aux études de médecine) et leur pourcentage dépasse rarement 15 %, dès l'entrée en taupe. L'effet de ce déséquilibre est aussi peu rassurant pour elles que pour les garçons : aux prises avec les mêmes questions sur leur identité sexuelle, elles ne sont pas plus à l'aise en soirées, car elles sont le point de mire de tous. Certaines choisissent de boire beaucoup, s'identifiant au groupe masculin pour passer outre leurs inhibitions et tester leur séduction, encore problématique.

Pour les 85 % garçons restants, le fait d'être noyés dans la masse renforce encore l'impression déprimante de ne pas pouvoir trouver d'issue rassurante face à l'identité sexuée, étant toujours condamnés à rester entre hommes... « Si je ne bois pas, je n'ose pas rester en soirée, ni me montrer, ni danser avec des filles », « On en a besoin pour créer de l'ambiance, sinon, entre scientifiques, on est très coincés », etc. Le recours aux soirées interécoles est très souvent un palliatif à ce déséquilibre : on y invite les filles des écoles de commerce où elles représentent un effectif de 50 %, ou d'établissements plus féminisés (écoles de psychologues, d'infirmières, etc). Dans tous les cas, il n'existe pas de fêtes sans d'énormes quantités de boisson, ciment du groupe.

Les grandes écoles ont chacune leur mode de fonctionnement face à la circulation de l'alcool. Certaines y consacrent un lieu au sein de l'établissement : c'est le « Foy's » (foyer) de l'ESSEC, la « K-fêt » de Normale sup, le bar d'HEC, tenu par un salarié, le « Bô-bar » de l'X…, avec en général une équipe d'élèves chargée d'approvisionner et de gérer la vente des boissons. Ils ont souvent un caractère bien trempé, tiennent correctement l'alcool et sont repérés dès leur arrivée par les anciens qui les cooptent et leur transmettent les traditions. Les bars sont ouverts tous les jours, mais les élèves organisent aussi des soirées hebdomadaires : ils se déplacent d'une école à l'autre.

Quand il n'y a pas de campus, les élèves des écoles « s'organisent » entre eux : de toute façon, l'alcool fait partie de leurs rencontres. « On passe son temps à organiser des apéritifs ou des dîners toujours bien arrosés chacun à notre tour, dans les colocations. Le jeu est de savoir chez qui sera le prochain RV, tout le monde apporte ses bouteilles », « Quand on décide d'organiser une vraie soirée, on se retrouve en général dans des boîtes de nuit, où l'alcool est plus cher. Dans ce cas, il y a une "préchauffe" : on boit avant, pour être sûrs d'être cool. On appelle aussi ça les "before", en général pas besoin d'"after", on se finit complètement dans la soirée »…« Se finir » est bien le danger ; ils boivent jusqu'à un état d'ivresse massive, où véritablement ils se « défoncent », d'où les risques de coma éthylique. Petit à petit, en avançant dans leur scolarité, tous ces étudiants décrivent un véritable apprentissage du corps, qui s'habitue à augmenter les doses, en reculant le seuil de saturation.

« Au début, je ne tenais pas l'alcool ; hier soir, on avait une bouteille de champagne par personne et, au bout de cinq coupes, j'étais juste un peu gai ; ça n'a plus rien à voir ! » me dit un étudiant de troisième année. « Dans la soirée open bar de cette école de commerce, ils étaient tous saouls à 11 heures, car c'était des première année ; moi j'ai bu quinze whiskys-Coca, et je n'ai même pas eu de migraine le lendemain. » Le même étudiant, quand il rentre chez ses parents, fait la guerre à son père déprimé qu'il juge alcoolique, en se gardant bien de raconter ses exploits de la semaine...

Écoles, IUT, UTC, universités, partout la description est la même : les quantités calculées par personne font froid dans le dos, avec en plus les risques des retours en voiture, quand les étudiants n'habitent pas les campus. La clef de voûte de ces dérapages tient dans le mode d'emploi étudiant de l'alcool : l'open bar. Concept inventé par les étudiants d'HEC, l'open bar est un fonctionnement généralisé, même si régulièrement les responsables des écoles tentent de l'interdire. Le principe en est simple : on paye son billet d'entrée, puis on consomme autant d'alcool que l'on veut ou, plus exactement, que l'on peut.

En principe, pourtant, la législation est claire : seuls les alcools de licence 2 sont autorisés sur les campus, c'est-à-dire la bière, le vin et le champagne. Les alcools forts relèvent de la licence 4, réservée aux professionnels (coût moyen : 200 000 euros), et sont donc illégaux sur les sites des écoles, quelle que soit la méthode de distribution. Le décès de l'élève centralien en octobre 2005, l'intervention surprise des gendarmes en avril 2006 dans le « Bô-bar » de l'École polytechnique et leur saisie de quantités impressionnantes d'alcools forts, le changement des équipes dirigeantes poussent régulièrement les responsables à réfléchir à ces questions qui les concernent tous, en faisant bien sûr participer les élèves.

Parmi ces initiatives, citons le cahier des charges pour l'organisation des soirées sur la résidence, rédigé par l'équipe de l'Association des résidents gérant les activités de l'École centrale, remis le 16 mars 2006. Ce document analyse très sérieusement ces fonctionnements et propose des solutions. Mais il souligne aussi cet état de fait : « Bien que les débits d'alcools forts soient interdits, toutes les soirées étudiantes en proposent, de manière légale avec des organismes particuliers comme les boîtes de nuit, ou de manière illégale sur les campus. Il est très difficilement envisageable voire impossible de réaliser une soirée étudiante sans alcools forts, qui attire du monde. »

Certaines écoles ont choisi d'interdire complètement l'alcool et même parfois le gala annuel, pourtant si ancré dans les traditions, par crainte de ces débordements. Il est à redouter que cette solution n'amène les élèves à se focaliser sur les interdits et à les braver pour affirmer leur identité.

La question semble donc bien difficile, et l'alcool particulièrement investi dans ce moment charnière de leur parcours où l'on peut « enfin faire sa crise d'adolescence », comme le signalent les étudiants. Comment éviter chez eux ces conduites de type maniaque les amenant à se remplir sans limites, pour masquer leur versant mélancolique face à une image d'eux-mêmes floue, trop déprimante ? N'y a-t-il pas d'autre moyen que de continuer à « se bourrer », comme en prépa, pour éviter le vide et affronter ses questions ?

« La crise d'adolescence, écrit F. Dolto, n'est pas plus une crise que ne l'est l'accouchement : c'est la même chose, c'est une mutation », et elle ajoute : « Il faut donc qu'un accouchement se passe de façon facile et, pour cela, soit assisté ; il en est de même de l'accouchement d'un adolescent. Il a besoin d'être assisté[2]. » C'est le pari que font les services de psychologie à la disposition des étudiants dans certaines grandes écoles, à l'instar de l'X qui s'est montrée pionnière dans ce domaine en créant son service dès l'année 1946.

La réponse réside donc dans un accompagnement attentif, qui leur permette d'apprivoiser ce futur trop inquiétant et de prendre la mesure de leurs désirs sans avoir besoin de les caricaturer... Le travail des psychologues s'inscrit précisément dans ce sentiment de vide qui pousse trop souvent ces enfants sages à fonctionner en masque, à faire semblant d'aller toujours bien, quitte à geler ce qui les questionne, par peur de ne jamais trouver leur place.

Parler de soi, retourner dans sa trace infantile, c'est mettre des ponts au-dessus de ses abîmes, pour accéder enfin à sa liberté intérieure et sortir de cet état si bien décrit par le poète...

« Dans quel philtre, dans quel vin, dans quelle tisane
    Noierons-nous ce vieil ennemi,
Destructeur et gourmand comme la courtisane,
    Patient comme la fourmi ?
Dans quel philtre ? dans quel vin ? – dans quelle tisane ? »

NOTES

1. Ionescu S., Jacquet M.-M., Lhote C., *Les Mécanismes de défense, théorie et clinique*, Paris, Armand Colin, 2005.
2. Dolto F. et Dolto-Tolitch C., *Paroles pour adolescents, ou le complexe du homard*, Paris, Gallimard, 1999.

15.

Alcool et transgression : des liens compliqués

Parmi les jeunes suivis par la Protection judiciaire de la jeunesse

MICHEL BOTBOL, LUC-HENRY CHOQUET ET
JOCELYNE GROUSSET

Il est classique de considérer que l'alcoolisation excessive est l'un des multiples comportements à risque qui émaillent le parcours des adolescents en difficulté, tout particulièrement ceux qui, pour traiter leur malaise subjectif ou social, ont recours à l'agir en général, et à l'agir transgressif en particulier. Il est également traditionnel de considérer que l'alcoolisme est, sous ses différentes formes, un facteur aggravant des troubles psychopathologiques de ces jeunes, contribuant à compliquer leur insertion sociale et à réduire l'effectivité de l'ensemble des réponses qui peuvent être apportées à leurs problèmes. On considère par ailleurs que l'existence d'un alcoolisme parental peut jouer un rôle majeur dans les difficultés de ces jeunes, directement ou au travers de ses conséquences délétères sur la dynamique familiale, établissant une sorte de transmission transgénérationnelle de ces dysfonctionnements.

Ces impressions sont largement partagées par les professionnels de l'enfance en difficulté et s'appuient sur de nombreux exemples qu'apporte la clinique individuelle et collective au sein des services de soin ou d'éducation qui sont amenés à prendre en charge ces adolescents.

Cette question se pose donc dans le cadre de la Protection judiciaire de la jeunesse (PJJ), qui a pour mission de mettre en œuvre les décisions de justice concernant les mineurs en danger ou les délinquants[1], ainsi que les jeunes majeurs demandeurs de mesures éducatives jusqu'à 21 ans dans les services du secteur public ou dans ceux du secteur associatif habilité[2].

Du fait de la nature même de sa mission et des caractéristiques des jeunes qui lui sont confiés, la PJJ réunit a priori toutes les probabilités d'être confrontée aux problèmes que posent l'alcoolisme et les conduites d'alcoolisation.

C'est ce que se propose d'examiner cet article en partant, d'une part, d'une revue de la littérature sur la consommation d'alcool chez les adolescents en général et ceux qui sont en situation de précarité sociale ou de délinquance en particulier et, d'autre part, de données policières ou judiciaires concernant les mineurs et l'alcool et de données issues d'une enquête INSERM récemment réalisée sur les jeunes suivis par le secteur public de la PJJ.

La discussion des résultats de cette dernière enquête nous conduira à interroger les approches épidémiologiques des troubles du comportement de ces jeunes.

La consommation d'alcool des jeunes dans la littérature spécialisée

Les chiffres récemment fournis par la MILDT à partir de l'enquête ESCAPAD 2003 en population générale font apparaître la nette prédominance des garçons parmi les consommateurs de 17-18 ans et l'importance croissante des premix et alcoopops dans les consommations :

– 21 % des garçons et 8 % des filles disent avoir bu de l'alcool au moins dix fois dans le dernier mois ;

– 2,1 % des garçons et 0,2 % des filles disent en avoir consommé tous les jours ;
– 63 % des garçons et 49 % des filles répondent avoir déjà été ivres au moins une fois au cours de leur vie ;
– quant aux ivresses régulières (plus de dix dans les douze derniers mois), elles concernent 11 % des garçons et 3 % des filles.

Les comparaisons dans le temps de la consommation effectuées par l'enquête ESPAD entre 1999 et 2003 montrent une stabilité tant dans l'expérimentation que dans la consommation régulière. Toutefois, l'enquête PROMES de 2003 montre une évolution (1986-2003) plus nuancée du phénomène : la proportion d'élèves de 13, 15 et 17 ans ayant consommé de l'alcool baisse de 94 % à 81 % ; la consommation régulière baisse également puisque le taux de buveurs hebdomadaires passe de 48 % à 28 %. Néanmoins, on note une augmentation significative (+ 30 %) du nombre d'ivresses plus d'une fois dans l'année. Autrement dit, la diminution de la consommation dans la population générale ne signifie pas une diminution des alcoolisations aiguës. Remarque qui, aux yeux de H.P. Ceusters, va à l'encontre des campagnes visant l'abstinence.

Des précisions concernant les jeunes en difficulté sociale
S'agissant des jeunes qui relèvent de l'insertion, un rapport d'étude apporte des informations plus précises sur leur consommation en les comparant à un groupe témoin. Les résultats sont les suivants :

Indicateurs Âge : 16 ans	En insertion	Non précaires
Garçons		
Consommation : certains ou tous les jours de la semaine	28,1 %	14,6 %
Plus de 5 verres d'alcool un jour de week-end	37,5 %	20,7 %
Filles		
Consommation : certains ou tous les jours de la semaine	15,6 %	8,7 %
Plus de 5 verres d'alcool un jour de week-end	21,7 %	11,5 %

Cette étude constate par ailleurs que l'accès aux soins est très affecté par les situations de précarité, le non-suivi médical étant deux fois plus fréquent chez les jeunes en insertion. Mais également qu'il existe parmi les garçons et les filles de 16 ans en situation de précarité un risque presque double de consommer de l'alcool de façon régulière ou soutenue par rapport aux autres. Cependant, pour les jeunes âgés de 25 ans, ce risque relatif s'inverse pour la consommation des jours de semaine et, pour les consommations de week-end, s'égalise à peu près.

L'ensemble des résultats confirme l'hypothèse d'un risque relatif accru chez les jeunes en difficulté sociale, mais dessine d'ores et déjà un tableau beaucoup plus composite que ce qu'on pouvait attendre de la seule lecture des monographies cliniques.

Ces résultats épidémiologiques sur les jeunes en situation précaire trouvent une illustration dans les constats faits par certains cliniciens. Ainsi, à partir de l'expérience institutionnelle dans une maison d'enfants à caractère social qui prend en charge des enfants de familles en situation précaire, C. Benichou constate que ces conduites s'inscrivent souvent, dans ce groupe au moins, dans des répétitions transgénérationnelles. « Entre 70 et 80 % des jeunes que reçoit l'institution sont issus de milieux où prédominent des conduites d'alcoolisation excessive. Si nous associons ces chiffres à ceux qui circulent dans les services d'alcoologie – à savoir que les enfants d'alcooliques ont cinq fois plus de probabilités de devenir alcooliques que les enfants de parents sobres –, nous pouvons affirmer que dans ce type d'institution nous côtoyons une population à risque qui a toutes les chances de s'inscrire dans des répétitions transgénérationnelles[3]. » Elle relève également que la conduite d'alcoolisation des parents est un facteur de prolongation du placement, quoique l'alcoolisme parental en tant que tel soit rarement en lui-même l'élément déterminant du placement. Toutefois cet alcoolisme paraît souvent déterminant dans les violences que peut subir l'enfant ou dans l'isolement social où l'enfant est conduit par le souci de protéger son parent alcoolique.

Des données disparates sur la relation entre alcool et délinquance juvénile

Les relations entre alcoolisme et délinquance juvénile sont en réalité peu étudiées, ce qui contraste avec les nombreux travaux concernant les rapports entre alcool et délinquance en général. Certes un ensemble de données convergentes montrent que l'alcool est impliqué chez l'agresseur ou chez la victime dans nombre d'actes de violences sexuelles ou physiques, mais ces données ne concernent pas les jeunes, et l'alcoolisme est loin d'être dans ces cas le seul élément favorisant. De plus, les études montrant un lien statistique entre délinquance et alcoolisme peuvent souvent faire l'objet de sérieuses réserves en matière de méthode.

C. Perez-Diaz, dans une récente recension bibliographique, constate la grande abondance de la littérature sur ce thème mais remarque son caractère inégal et disparate. Elle souligne que le lien supposé entre les deux dimensions pourrait trouver de nombreuses explications qu'elles divisent en deux catégories : « La délinquance résulte des modifications de la personnalité induites par l'alcoolisme » ; « La délinquance résulte de la détérioration sociale provoquée par l'alcoolisme ». Sa conclusion est qu'il s'agit d'un processus interactionnel comprenant des facteurs multiples et que les données manquent pour réduire cette difficulté : « En résumé les corrélations observées entre alcool et violence ne doivent pas amener une conclusion simpliste en termes de causalité, alors que cette relation n'est que le résumé commode d'une chaîne argumentaire[4]. »

Notons également que le fait que les comportements « antisociaux » commis en état d'alcoolisation fassent partie des critères nosographiques définissant la catégorie « abus d'alcool » a toutes les chances d'alimenter une circularité des considérations issues des corrélations trouvées entre alcoolisme et délinquance.

Des études standardisées ont d'ailleurs montré qu'il existe une concurrence élevée entre les différents comportements à risque à l'adolescence (consommation d'alcool, consommation de drogues illicites, fugues, rapports sexuels non protégés, activités délictueuses, inadaptation scolaire, tentatives de suicide, etc.), qui a conduit à décrire un « syndrome de déviance générale » dans lequel la consommation d'alcool occupe une place non négligeable à côté des autres consommations abusives de produits psychoactifs.

Ces travaux ont tous en commun de rester peu précis sur l'évaluation de la sévérité de l'alcoolisme en en réduisant l'estimation à celle de la fréquence de la consommation ou des ivresses et sans référence aux effets sur le sujet ou aux mécanismes sous-jacents à ces conduites. Cela limite la portée des conclusions qu'il est possible de tirer de ces études, singulièrement en ce qui concerne l'alcool, qui se distingue dans la plupart des pays européens de tous les autres produits psychotropes[5] par son accessibilité et la banalité de son usage traditionnel, y compris dans certains de ses excès socialisés.

Des études cliniques qui dépassent certaines de ces limites

Des études plus directement cliniques se sont attachées à dépasser certaines de ces limites en se référant aux critères retenus par les classifications nosographiques les plus couramment utilisées (surtout le DSM IV). Ainsi, G. Zimmermann et son équipe[6] utilisent le Mini International Nosographic Inventory, référé au DSM IV, pour comparer la sévérité de la consommation d'alcool chez des adolescents délinquants par rapport à des adolescents tout-venant : 82 adolescents de sexe masculin (36 délinquants et 42 tout-venant ; âge moyen 16,1 +/- 1,02) sont évalués au moyen de la section du Mini spécifiquement destiné au diagnostic d'abus ou de dépendance alcooliques.

Dans les deux groupes, 91,5 % ont consommé de l'alcool, mais l'abus et la dépendance au sens du Mini (et donc du DSM IV) sont retrouvés chez 37,3 % des consommateurs délinquants contre seulement 13,3 % des consommateurs du groupe tout-venant.

Le principal problème technique que pose cette étude tient à la non-représentativité des échantillons, les sujets des deux groupes étant inclus dans l'étude sans aucune règle permettant de prétendre à cette représentativité. De plus, comme dans les études citées plus haut, rien ne permet finalement de donner un sens particulier aux corrélations statistiques constatées.

Enfin, d'autres études s'attachent implicitement à la mise en évidence de facteurs susceptibles d'expliquer ces corrélations.

Dans l'étude ECA, 65 % des femmes et 44 % des hommes présentant un abus ou une dépendance à l'alcool au sens du DSM IV avaient ou avaient eu au moins un autre trouble psychiatrique, et ce chiffre est à rapporter aux 30 % des hommes et 36 % des femmes en population générale. Les troubles alors les plus fréquemment associés sont les phobies sociales, les troubles anxieux généralisés, les états de stress posttraumatique. Dans l'étude de Spak et de son équipe[7], le risque de présenter une dépendance ou un abus d'alcool est trois fois supérieur en cas d'abus sexuels subis avant l'âge de 13 ans ; c'est également le cas pour les antécédents de troubles des conduites et de comportements antisociaux chez les hommes et les troubles de personnalité hystérique et borderline chez les femmes.

Les données policières ou judiciaires

Concernant les mineurs et l'alcool et le cas des jeunes suivis par le secteur public de la PJJ, on dispose de nombreuses données.

Rappelons d'abord qu'en matière législative la détention comme la consommation d'alcool sont légales mais son commerce comme son usage sont réglementés, notamment chez les mineurs : tout d'abord, un certain nombre de textes tendent à limiter et condamnent la promotion de l'alcool en limitant l'affichage publicitaire et la publicité à la télévision et au cinéma[8], la vente aux mineurs[9], ou l'incitation à l'usage[10], et considèrent comme circonstances aggravantes sur ce point que les faits aient lieu à l'intérieur ou aux abords d'un établissement scolaire ou éducatif. D'autres textes tendent à limiter et condamnent des actions ou des comportements qui incluent cette dimension telle l'ivresse publique dans un lieu public[11] ou la conduite avec plus de 0,25 mg d'alcool par litre d'air expiré ou 0,5 g d'alcool par litre de sang, les contrôles d'alcoolémie étant possibles en l'absence d'infraction ou d'accident.

1. L'alcool et les stupéfiants dans les infractions commises par les mineurs relevées dans les condamnations de 2004 dans le casier judiciaire national

Infraction principale	Ensemble	%	Garçons
Conduite en état alcoolique	143		138
Homicide involontaire par conducteur en état alcoolique	2		2
Blessures involontaires par conducteur en état alcoolique avec ITT < = 3 mois	9		9
Blessures involontaires par conducteur en état alcoolique avec ITT > 3 mois	1		1
Total alcool	155	0,35 %	150
Détention, acquisition, emploi de stupéfiants	1 042		1 002
Usage illicite de stupéfiants	716		671
Commerce, transport, offre et cession de stupéfiants	492		466
Autres	20		18
Total stupéfiants	2 270	5,30 %	2 157
Total des infractions commises par des mineurs en 2004	42 873		

En matière judiciaire, les données du casier judiciaire national montrent que la conduite en état alcoolique est l'infraction « alcoolique » la plus fréquente ; pour autant la consommation d'alcool ne représente qu'une faible part (35 pour 10 000) des infractions commises par les mineurs, la part revenant aux infractions en matière de stupéfiants étant plus de quinze fois supérieure (et presque intégralement liée au caractère illicite de ces produits et non aux effets de leur usage). Les infractions liées à l'alcool sont en tout cas le fait des garçons dans près de 97 % des cas (95 % pour les stupéfiants). L'ivresse publique qui n'apparaît pas en infraction principale peut être néanmoins recouverte par d'autres infractions tels les outrages à personnes dépositaires de l'autorité publique par exemple.

L'ivresse publique, en revanche, apparaît comme la conduite en état alcoolique dans la base de données du système de traitement des infractions constatées (STIC) par la police (hors gendarmerie). L'ensemble représente encore une faible part (6 pour 10 000) des infractions constatées et est le fait des garçons dans près de 95 % des cas. En vérité, il est probable que le classement par infractions principales masque la présence de l'alcool dans d'autres infractions plus graves ; plus généralement cela peut expliquer l'écart entre les données judiciaires ou policières et la fréquence des alcoolisations qui sont relevées par les services PJJ dans le cours des prises en charge éducatives des mineurs suivis.

2. L'alcool dans les infractions principales constatées en 2004 par la police (hors gendarmerie[12])

Infraction principale	Ensemble	%	Garçons
Conduite en état d'ivresse	43		41
Ivresse publique et manifeste	29		27
Total alcool	72	0,06 %	68

C'est ainsi que la récente enquête INSERM qui portait, sept ans après la première, sur la santé des 14-20 ans relevant des services du secteur public de la Protection judiciaire de la jeunesse (PJJ) a conduit à étudier la consommation d'alcool. En effet, parmi les multiples versants de cette enquête, la consommation d'alcool y était approchée sous deux angles : la régularité de la consommation (consommation dans la vie, consommation par mois) ; le nombre d'ivresses (durant l'année).

Si entre un quart et un cinquième de ces jeunes n'ont jamais consommé d'alcool, près de quatre sur dix ont connu un épisode d'ivresse dans l'année, de façon répétée (dix fois ou plus dans l'année) pour un plus petit nombre : 11 % des garçons et près de 7 % des filles. La consommation régulière (10 fois ou plus par mois) concerne 15 % des garçons et 10 % des filles. Pour ceux qui l'ont connue, la première ivresse a eu lieu à l'âge de 14 ans et demi et la consommation augmente sensiblement avec l'âge et, avec elle, la consommation régulière comme l'ivresse répétée.

L'évolution d'une enquête à l'autre (1997-2004) de la consommation d'alcool des jeunes relevant des services du secteur public de la PJJ montre principalement une nette diminution des ivresses, occasionnelles comme régulières, encore plus sensible chez les garçons (le fait d'avoir été ivre au moins trois fois durant l'année passe ainsi de 45 % à 26 %).

La comparaison avec l'enquête simultanée ESPAD[13] portant sur les jeunes scolarisés du même âge montre :

– un mode de consommation similaire faite d'alcoolisation ponctuelle, irrégulière mais parfois en grande quantité ;

– un écart entre sexes qui voit les filles être nettement moins consommatrices, même si la différence entre les sexes est plus faible chez les jeunes relevant de la PJJ.

Par ailleurs, si les jeunes relevant de la PJJ ont une consommation de substances illicites, dont le cannabis, plus importante que celle des jeunes scolarisés[14], ils sont moins consommateurs d'alcool, que la consommation soit régulière ou non, comme l'illustre la comparaison du tableau suivant.

3. Comparaison de la consommation d'alcool des garçons dans les enquêtes INSERM-PJJ et ESPAD[15]

Consommation d'alcool des garçons			
Consommation d'alcool	PJJ 2004 (N : 407)	ESPAD 2003 (N : 5 204)	Odds ratio (rapport des cotes)
Non	54,9	39,1	1
Irrégulièrement	39,0	49,5	0,5***
Régulièrement (10 +/mois)	6,0	11,5	0,3***

Comment interpréter ces chiffres

Ce dernier résultat reste à expliquer car il paraît étonnant au regard des données de la littérature et des impressions exprimées par les équipes éducatives qui soulignent fréquemment la présence d'alcoolisation dans des phases aiguës de la prise en charge. Il rejoint un autre résultat surprenant de cette étude : chez les garçons, le constat d'un score de dépression plus faible dans le groupe PJJ que dans le groupe des lycéens tout-venant – les premiers s'avèrent moins déprimés que les seconds lorsqu'ils sont évalués sur ce point avec l'échelle de Kandel. Plusieurs hypothèses peuvent expliquer ces résultats qui renvoient au contexte psychologique, familial et social, dans lequel se trouvent les jeunes enquêtés. Or l'étude, qui est riche en indicateurs de santé physique et mentale, comporte un manque de précision sur ces éléments, tels le statut judiciaire des mineurs suivis (au pénal ou au civil, « en danger » ou « délinquant »), les contextes familiaux ou sociaux, le type de fonctionnement psychique. La commande initiale ne comportait d'ailleurs pas le relevé d'éléments susceptibles de caractériser ce fonctionnement.

La corrélation en elle-même reste donc le seul élément disponible pour expliquer le lien entre les deux caractéristiques générales que constituent, d'une part, le fait d'être suivi par la PJJ et, d'autre part, la consommation d'alcool. Dans ces conditions, leur mention relève plus du registre de l'« enquête d'interpellation » que de celui de l'« enquête d'interprétation ».

En réalité, au regard des applications devenues fréquentes de l'épidémiologie et des techniques statistiques, les praticiens de l'action judiciaire et de l'action éducative sont conduits à interroger les mobilisations de ces disciplines dans leur champ et leurs modalités. Les sciences humaines et médicales sont en effet mises à contribution pour différencier les individus selon leurs conduites, interpréter ces dernières en termes psychologiques et peindre l'adolescence et les adolescents qui empruntent les voies de la délinquance sous des signifiants chargés (« risque », « facteurs de... », « prises de... », « conduites à... », « comportements à... », « populations à... »).

Lorsque les comportements ou les actes sont définis d'emblée comme des troubles, saisis comme des pathologies, des déviances ou des délits, et que les bénéfices secondaires de ces conduites, en conséquence, ne sont pas envisagés, le point de vue classificatoire voire « nosographique » tend à répondre en miroir à la qualification judiciaire ou policière. Dans un tel style de raisonnement, on oublie les formes de vie, les interactions et les processus qui conduisent à ces comportements toujours inscrits dans des chaînes multifactorielles de déterminants. Autrement dit, ces raisonnements s'attachent à désigner et à classer ces (in)conduites en les concevant comme des troubles, ce qui les conduit à rabattre des situations judiciaires ou sociales (telles que suivi par les services de la PJJ, mineur en danger ou en situation de précarité, mineur délinquant, etc.) sur des catégories biomédicales (issues du DSM IV pour l'essentiel). Mais, ce faisant, ils n'apportent pas d'éléments de compréhension sur la dynamique et la fonction de ces manifestations qu'ils ne permettent pas de saisir comme des processus adaptatifs psychologiques et sociaux.

C'est à cette propension que tentent de résister les approches psychodynamiques et sociologiques de la question, qui laissent l'abord nosographique à sa place (c'est-à-dire celle qui concerne la petite minorité des mineurs délinquants ou en danger présentant des troubles psychiatriques caractérisés) et s'attachent à une compréhension des mécanismes psychiques et sociaux qui sous-tendent le recours à l'agir et les types d'équilibre internes et externes qui sont trouvés par le jeune. Ces approches sont donc basées sur l'idée que ces conduites ou ces comportements sont au moins partiellement adaptatifs et pourvus d'un sens social et personnel.

Dans cet esprit, elles refusent de considérer tous les jeunes impliqués soit comme des êtres malades et perturbés, soit comme des déviants sociaux malveillants, en prenant en considération l'intrication des différents aspects impliqués dans leurs difficultés.

C'est sur un tel point de vue que se fonde l'idée, de plus en plus partagée par les cliniciens, que c'est le « faire avec », les actions éducatives (contraignantes ou non) et les modifications du contexte que ces actions permettent qui constituent souvent le meilleur des traitements possibles pour beaucoup de ces adolescents, qui peuvent ainsi accéder à un meilleur fonctionnement psychique et social.

Ces orientations sont d'une réelle actualité dans le cadre des services qui, comme ceux de la Protection judiciaire de la jeunesse, ne peuvent assurer leur mission sans dépasser les clivages introduits par des classifications conduisant à opposer de façon drastique approche médicale et approche sociale ou éducation et traitement psychique dans la prise en charge des comportements des jeunes qu'ils accueillent.

NOTES

1. Au titre de l'ordonnance du 2 février 1945.

2. La PJJ effectue ces missions dans les services éducatifs diversifiés où les équipes éducatives exercent les mesures plus ou moins contraignantes (en milieu ouvert, en centre de jour, ou en hébergements plus ou moins contenants) auprès de jeunes qui leur sont confiés par le juge des enfants.

3. Benichou C., « Alcool et famille : prise en charge institutionnelle », *Cahiers Alfred Binet*, 1999, n° 4, p. 95-107.

4. Perez-Diaz C., *Alcool et délinquance, Recension bibliographique*, Centre de recherches sociologiques sur le droit et les institutions pénales, 1999.

5. À l'exception du tabac qui, malgré sa toxicité physique qui n'est pas contestable, ne peut être mis au même niveau que les autres substances en ce qui concerne ses effets psychotropes, beaucoup plus réduits.

6. Zimmermann G., Rossier V., Bernard M., Cerchia F., Quartier V., « Sévérité de la consommation d'alcool et de cannabis chez les adolescents tout-venant et délinquants », *Neuropsychiatrie de l'enfant et l'adolescent*, 2005, n° 53, p. 447-452.

7. Spak L., Spak F., Allebeck P., « Factors in childhood and youth predicting alcohol dependence and abuse in Swedish women ; findings from a general population study », *Alcoohol*, 1997, 32 (3), p. 267-274.

8. Loi Évin, 10 janvier 1991.

9. Articles L.3342-1,2,3, L.3353-1 et suivants du code de santé publique.

10. Article 227-19 du code pénal.

11. Article L. 3341 du code de santé publique.

12. Les deux tableaux ne concernent pas les mêmes individus car les individus mis en cause en 2004 dans les infractions relevées par les données STIC ne sont généralement pas ceux qui sont concernés dans les données de la même année du casier judiciaire national.

13. Enquête ESPAD (European School Survey Project on Alcohol and Other Drugs) réalisée en 2003 auprès d'un échantillon national de plus de 16 000 jeunes, représentatif des jeunes scolarisés du même âge, sous la responsabilité internationale de Hibell B. et la responsabilité française de l'INSERM (Choquet, Hassler, Morin) et de l'OFDT (Beck, Legleye, Spilka).

14. Pour la consommation régulière de cannabis (dix fois ou plus au cours des trente derniers jours), l'odds ratio (rapport des cotes) entre les deux enquêtes, INSERM-PJJ / ESPAD, est de 1,9 chez les garçons et 5,9 chez les filles.

15. Sources : Enquête ESPAD 2003, INSERM, OFDT ; Enquête PJJ 2004, INSERM.

16.

Incertaines frontières

Une approche transculturelle

TAÏEB FERRADJI ET MARIE-ROSE MORO

> « Tu as renversé ma cruche de vin
> Mon dieu…
> C'est moi qui bois et c'est toi
> Qui commets les désordres de l'ivresse
> Mon dieu… »
>
> Omar Khayyam, *Quatrains*

La consommation d'alcool par les adolescents migrants et/ou enfants de migrants sera abordée dans ses rapports à la culture et à la migration à partir de l'expérience d'une consultation familiale et transculturelle pour patients dépendants.

En l'espace de quelques années, la consommation de drogues en général et d'alcool en particulier a connu un bond qualitatif et quantitatif important, avec des ivresses aiguës apparaissant de plus en plus tôt et une consommation d'alcools forts à fréquences élevées associée ou non à une consommation de cannabis voire de psychotropes.

La construction de l'identité à la seconde génération, le traumatisme migratoire, les ruptures familiales et la transmission sont autant de questions qui renvoient à la vulnérabilité spécifique des enfants de migrants et peuvent éclairer la compréhension et la prise en charge des dépendances et des conduites à risque en général[1].

Nous examinerons ici la nécessité de prendre en charge les représentations culturelles des désordres pour les familles migrantes et leurs enfants, comme l'avaient déjà montré il y a plus de vingt ans les travaux ethnopsychiatriques de Tobie Nathan[2]. Quelques fragments de l'histoire d'un patient pris en charge dans le service serviront de fil rouge à cette réflexion.

Nabil ou l'impossible retour

Nabil, 20 ans, est adressé en consultation pour des ivresses aiguës à répétition d'évolution récente avec dans un premier temps une consommation dominicale de bière et de liqueurs devenue quotidienne en quelques semaines. Ne « tenant » pas l'alcool, il est rapidement ivre. Son entourage le décrit alors comme transformé : l'alcool le rend agressif, labile de l'humeur et comme « habité par un djinn » qui fait de lui un ennemi de ses amis et de ses proches, en particulier de son père.

Il est le deuxième d'une fratrie de quatre enfants dont deux filles et deux garçons. Ses parents, cousins germains, mariés très jeunes, ont d'abord eu une fille. Puis le père a émigré en France et y est resté plus de quinze ans sans donner signe de vie. À son retour, il a trouvé une adolescente. Quand il a décidé de faire venir sa femme en France, il a choisi de marier d'abord sa fille qui, ainsi, est restée en Algérie. En France, trois enfants ont suivi : un garçon, Nabil, une fille, Souad, qui a aujourd'hui 19 ans, et un autre garçon, Hakim, 18 ans.

L'entretien ne retrouve aucun antécédent médical ou psychologique au plan individuel ou familial chez Nabil, que les parents décrivent comme un enfant tranquille, « qui n'a jamais posé de problèmes », studieux et appliqué. Il n'y a aucune notion de trouble du développement et la scolarité est plutôt brillante. Le père a travaillé durant plus de trente ans dans l'industrie automobile et la famille, depuis son installation en France, habite dans un quartier où vit une importante communauté d'origine maghrébine et en particulier algérienne. Tout se passe bien.

Cependant, alors que « la vie suivait son cours ordinaire », la mise à la retraite, de manière anticipée, du père a changé la donne, les parents ayant décidé de rentrer au pays ou, tout au moins, d'y faire de fréquents séjours, et de laisser les enfants « se débrouiller entre eux ici », alors que la question du retour, bien que constamment présente, n'avait jamais été évoquée avec eux et encore moins de façon aussi imminente. Ils ont été mis devant le fait accompli.

Les parents disent avoir toujours très mal vécu la migration et le rétrécissement de leur espace vital, eux qui sont nés et ont pris l'habitude des grands espaces sur les hauts plateaux algériens. Ils souhaitent à présent renouer avec cette vie-là, et retourner aussi souvent et aussi longtemps que possible au pays. Ils décrivent la vie en exil comme une douleur permanente, une coupure d'avec le pays, d'avec ses travaux, d'avec les leurs, leurs ancêtres et leur mémoire. La mère, surtout, vit l'exil comme une amputation de l'existence ; elle considère la vie au pays comme la seule vraie. Le retour est, pour eux, la juste récompense d'une vie de labeur, d'autant que les enfants se montrent autonomes, réussissent à l'école et sont capables de se prendre en charge.

Mais c'est peu de temps après la décision de ses parents de retourner s'établir au pays que Nabil a commencé à devenir irritable, maussade. Il présente une tendance au repli sur soi et a réduit son champ relationnel : il a désinvesti sa famille, coupé avec ses amis et a fini par arrêter sa scolarité, tout en développant des idées de persécution.

La consultation transculturelle intervient dans ce contexte. Dès cette première consultation et après exposition de la situation, Nabil dira : « Quand je suis au pays, je suis bien, et eux encore plus… » Au cours du suivi, il apparaîtra que, confronté au statut que le retour des parents au pays va, de fait, lui imposer, il ne se voit pas assumer le rôle d'aîné et de responsable que le fonctionnement traditionnel lui attribue, ni laisser ses parents rentrer, seuls, au pays : « Dois-je les laisser rentrer seuls, moi qui suis leur aîné ? »

Entre l'affranchissement de son héritage, celui en rapport avec son statut d'aîné, que sa position en référence à la culture lui assigne d'assumer, et la rupture, la décompensation de Nabil renvoie sur le plan transculturel à la difficulté de se construire de manière métissée dans une logique et des perspectives qui autorisent l'intégration et l'appropriation de valeurs et de legs multiples. Enfant d'ici dont les parents viennent d'ailleurs, Nabil doit rompre avec son ancêtre sans le trahir pour rester « protégé » et être capable de circuler librement entre ses différents mondes d'appartenance.

Cette décompensation de type dépressif renvoie ici à une problématique dont la dimension œdipienne mais également culturelle est manifeste. La dialectique filiation/affiliation, alchimie complexe chez les enfants de migrants, est rompue[3].

En fils aîné, studieux, appliqué et « comblant » en tous points les désirs parentaux, Nabil ne s'était, jusque-là, aucunement posé la question de son identité. Le projet de retour au pays des parents le confronte à des choix qu'il avait jusquelà éludés et/ou ignorés. La décompensation vient cristalliser son ambivalence et remettre à plus tard ces choix difficilement « assumables ».

Les effets sur Nabil de la perspective d'un retour au pays – bien que celui-ci n'implique pas les enfants – peuvent paraître inattendus et de nature paradoxale. Sa sœur et son frère semblent se démarquer de leurs parents, et être relativement à l'aise avec eux. Mais Nabil exprime, lui, à travers la dépression et la dépendance à l'alcool, objet qui symbolise par excellence le monde extérieur, l'ambiguïté de sa position dans un monde en changement, au sortir de l'adolescence, avec la problématique de séparation qu'il implique.

Anthropologie et religion

Au Maghreb, aire culturelle d'origine de la famille de Nabil, la consommation d'alcool est prohibée en dehors de certains cercles artistiques et citadins et, parfois, de moments festifs exclusivement masculins dont la valeur initiatique est admise, notamment chez les grands adolescents et les adultes jeunes. L'ivresse facilite le rapport aux pairs et fonctionne comme une soupape pour des jeunes en quête d'autonomie, en manque de lieux et d'espaces de loisirs.

Sur le plan religieux, l'interdiction de l'alcool en Islam s'est faite progressivement. Dans un premier temps, la jeune religion ne faisait nulle mention de l'alcool et ne délivrait aucune prescription en la matière. Les historiens et chroniqueurs rapportent que, dans les environs de La Mecque, l'alcool, notamment la liqueur de dattes, était très prisé. Réputés pour leur hospitalité, friands de poésie et de bonne chère, les Mecquois en étaient de grands consommateurs et utilisaient également l'alcool à profusion dans les rituels et sacrifices religieux.

Le prophète de l'islam naissant, soucieux de préserver ses adeptes et la foi naissante, commença par dire que l'alcool était « détestable » et à recommander aux croyants de ne pas faire la prière en état d'ivresse : il en reçut la révélation divine puisque ce principe figure parmi les versets du Coran. L'interdiction de l'alcool, qui fait également l'objet d'un verset révélé, ne fut formelle et ferme que dans un troisième temps. Le caractère progressif de cette interdiction a été abondamment commenté par les exégètes, dont les mystiques soufis qui considèrent qu'elle permet au croyant de décider du statut licite ou illicite de l'alcool.

Hypothèses sur la vulnérabilité des enfants de migrants à l'adolescence

Dans certaines circonstances traumatiques apparaît une vulnérabilité des enfants de migrants qui peut s'exprimer à l'adolescence par des conduites de dépendance, comme dans l'histoire de Nabil.

Si les enfants de migrants parviennent à supporter relativement bien la coexistence de deux mondes hétérogènes, c'est qu'ils sont habitués à se cliver, c'est-à-dire à se diviser intérieurement pour se protéger, face aux situations traumatiques[4]. Ainsi suspendent-ils l'effet du traumatisme jusqu'à ce que dans l'après-coup un autre événement ou un adulte lui confèrent un sens et l'inscrivent dans une chaîne signifiante. Quelquefois cette attente est vaine, et le clivage est définitivement maintenu quoique au prix de la constitution d'un faux-self plus ou moins envahissant. Mais, avec la puberté, la fonction de résorption du traumatisme autrefois déléguée à un aîné est intériorisée – essentiellement sous la forme du « cadre culturel interne » dont l'une des utilisations quotidiennes est la construction du sens face à la permanente douleur du non-sens[5]. Désormais, ce ne sont plus les parents qui opèrent en lieu et place de l'enfant l'aller-retour entre le « cadre culturel interne » et le « cadre culturel externe », mais l'adolescent lui-même[6]. Les rituels d'initiation si traumatiques dans les sociétés traditionnelles n'ont d'autre destination que de faire brutalement entrer l'adolescent en contact avec cette réalité humaine fondamentale : l'obligation d'étayer le cadre culturel interne sur le cadre culturel externe, procédure en tous points comparable à – et qui d'ailleurs prend le relais de – l'étayage des fonctions psychiques primaires sur les soins maternels[7]. Cette opération ne vise pas à conférer un sens définitivement établi mais à permettre[8] : 1. qu'existe un sens ; 2. qu'existe un lieu hors du sujet où réside le sens ; 3. qu'existe une personne habilitée à attribuer le sens.

Adolescence et migration

Les adolescents fils de migrants ont non seulement été privés du relais parental dans l'établissement d'un lien fonctionnel entre le cadre culturel interne et le cadre culturel externe mais, de plus, ils se voient couper l'accès à tout rituel d'initiation quel qu'il soit[9]. N'ayant pu bénéficier de l'intériorisation de la médiation entre cadre culturel interne et cadre culturel externe, ils sont condamnés à une rencontre traumatique – c'est-à-dire immédiate – avec le monde caractérisée par : 1. un important quantum d'angoisse (de type angoisse de mort) ; 2. la notion de première fois ; 3. la nouvelle fixation d'un objet sur une pulsion ; 4. la paradoxalité. De là leur propension à développer des pathologies centrées autour de la notion de « première fois », des pathologies de reconstruction de l'objet primaire : pathologies traumatiques, toxicomanies[10]…

Si le clivage peut être maintenu jusqu'à l'adolescence, la puberté projette brutalement l'enfant de migrants dans d'insolubles problèmes de filiation. Il s'interroge sur la place qu'il y occupe : Est-il comme son père ? comme son grand-père ? est-il un étranger à sa propre filiation, auquel cas il lui faudrait se définir comme autre, reconstruire son rapport au réel, c'est-à-dire en définitive à la culture – d'où l'appétence de l'enfant de migrant pour des situations traumatiques, par essence « métamorphosiques[11] ». C'est pourquoi l'adolescence est – c'est une banalité de le dire – un moment extrêmement critique pour les enfants de migrants, comme d'ailleurs pour tout enfant qui, pour une raison ou pour une autre, ne peut occuper une place bien définie dans sa propre filiation[12]. C'est une redéfinition nécessaire du même et de l'autre que tout adolescent doit accomplir.

Mais les enfants de migrants sont contraints de négocier une frontière très difficile entre le monde intérieur et le monde extérieur. Dans cette entreprise, l'adolescence est un moment particulièrement délicat pour eux. Pour tenter d'échapper au clivage – qui est un destin d'étrangeté à soi-même –, ils mettent en scène des pathologies « traumatiques » organisées selon la logique d'une « seconde naissance » : prendre de l'alcool ou de la drogue et devenir autre, retrouver la place perdue dedans en cherchant une place dehors dans des néo-groupes comme en constituent parfois les toxicomanes.

Une clinique singulière

Prendre en compte la dimension familiale et culturelle des conduites de dépendance chez les enfants de migrants apparaît à partir de ces hypothèses cliniques nécessaire.

L'implication de la famille est ici importante. Elle a plusieurs conséquences : d'une part, elle permet de rompre l'isolement que vivent ces patients ; d'autre part, elle permet la construction d'une alliance thérapeutique et la mobilisation d'un réseau qui va venir soutenir et étayer le réseau professionnel. Ce qui permet de mobiliser l'histoire et de co-construire un récit.

Chez les adolescents reçus en consultation individuelle, la difficulté de verbalisation, l'absence de narration et une « apparente sécheresse » du discours sont frappantes. Les premières consultations sont souvent difficiles et se caractérisent par des échanges pauvres et peu informatifs. Bien qu'ils viennent plutôt régulièrement, ils ne paraissent pas demandeurs de quelque chose, et ils ne font pas de lien entre leur souffrance psychique, pourtant manifeste, et leur conduite de dépendance.

Quelle médiation permettra que se construise ce lien entre les conduites à risque, la dépendance, la pathologie associée, et l'ensemble de l'histoire individuelle et familiale ? Dans une logique de réseau et de travail multidisciplinaire intégrant le groupe et la dimension transculturelle, le choix de recevoir ces adolescents avec leurs familles ainsi que les partenaires sociaux participant à l'accompagnement et la prise en charge paraît pertinent et garantit un cadre structurant et efficace.

Le dispositif

Notre dispositif de soins est constitué par un groupe de thérapeutes qui reçoit le patient, sa famille et l'équipe qui nous l'adresse. En s'appuyant sur le « nous », le « je » peut émerger, et les conflits à la fois intrapsychiques et intersubjectifs. Dans les sociétés traditionnelles, le sujet est pensé en interaction constante avec son groupe d'appartenance, d'où l'importance du groupe dans les situations de soins : nous cherchons à créer les conditions pour qu'émerge la subjectivité. De plus, la maladie est considérée comme un événement ne concernant pas seulement l'individu malade, mais aussi la famille et le groupe. Par conséquent, la prise en charge est groupale, soit par le groupe social, soit par une *communauté thérapeutique*. Le dispositif permet d'aller du collectif à l'intime.

L'équipe soignante qui a fait la demande de consultation accompagne le patient et sa famille, au moins durant les premières consultations. Souvent elle nous le présente car nous considérons qu'elle porte une partie de l'histoire du sujet et de sa famille. Et cela permet d'éviter que la consultation ne soit une nouvelle rupture dans un parcours souvent long et chaotique.

En plus de sa fonction d'étayage, de coconstruction d'un sens culturel et de modalité de soins, le groupe permet une matérialisation de l'altérité (les cothérapeutes étant de formations et d'origines linguistiques et culturelles variées) et une transformation de cette altérité en levier thérapeutique.

Par ailleurs, quel que soit le désordre (symptôme) ayant motivé la consultation et quel que soit l'âge du patient, ses proches sont conviés à la consultation car ils sont porteurs d'une partie du sens culturel.

Durant la consultation, la *langue maternelle* du patient est utilisée de manière non exclusive, ce dernier pouvant intervenir dans sa ou une de ses langues maternelles : dans ce cas, un cothérapeute connaissant la langue ou un interprète traduisent. Ce qui paraît plus efficient, à ce niveau, est la possibilité de passage d'une langue à une autre plutôt que le renvoi artificiel à une langue maternelle « fossilisée ». Selon ses envies, ses possibilités et la nature du récit qu'il construit, le patient utilise cette possibilité de repasser par sa ou ses langues maternelles[13]. C'est donc le lien entre les langues qui est, ici, recherché.

À noter que la temporalité est modifiée par ce dispositif. Les consultations durent environ deux heures, ce qui permet le déroulement d'un récit. Les suivis se font sous forme de consultations thérapeutiques ou de thérapies brèves, inférieures à neuf mois, à raison d'une séance par mois ou tous les deux mois environ. Les thérapies longues sont plus rares, elles se font plutôt en individuel avec l'un des cothérapeutes, souvent en relais des consultations de groupe, quand l'exploration du matériel culturel n'apporte plus rien de nouveau et ne soutient plus la narrativité ou l'émergence de nouveaux sens.

L'existence d'un groupe de thérapeutes et le *décentrage culturel* permettent d'éviter l'enfermement du patient dans une catégorie diagnostique comme ils permettent de multiplier les propositions, donc les hypothèses étiologiques et les identifications, ce qui optimise l'efficacité thérapeutique.

Le dispositif intègre donc la dimension psychique et culturelle de tout dysfonctionnement humain. Il est encore en cours de formalisation pour s'adapter à la seconde et à la troisième génération[14]. Il s'agit plus d'un *setting* psychothérapique complexe et métissé qui permet le décentrage culturel des thérapeutes et, par là même, la prise en compte de l'altérité culturelle des patients migrants, du moins transitoirement, dans le cadre des soins, qu'un dispositif spécifique.

Loin d'être un obstacle, la langue des patients, leurs représentations culturelles, les logiques culturelles qui les imprègnent deviennent alors des éléments du cadre thérapeutique et des sources de créativité aussi bien pour les thérapeutes que pour les patients[15].

Outre les représentations culturelles du patient, le dispositif intègre un second paramètre : l'*événement migratoire* et ses conséquences potentiellement traumatiques pour le patient. Il est considéré comme un événement psychique : par la rupture du cadre externe qu'elle implique, la migration entraîne, par ricochet, une rupture au niveau du cadre culturel intériorisé du patient[16]. Le migrant est ici considéré comme un être métis : venant d'ailleurs, ayant vécu le voyage migratoire et étant par là même en mouvement.

La consultation

Le patient, sa famille et l'équipe qui l'accompagne s'installent avec le groupe de cothérapeutes.

Pour commencer la consultation et initier l'échange, les règles culturelles sont respectées : le thérapeute principal présente chacun des cothérapeutes, puis le patient se présente et présente sa famille – parfois c'est l'un des accompagnateurs qui présente brièvement le patient, sa famille, ainsi que le motif de consultation. Le parcours de chaque membre de la famille est évoqué (parcours migratoire, origine, langue parlée…).

Une fois le contexte posé, la consultation aborde le désordre et les représentations qui s'y accrochent. Dans un premier temps, c'est le discours « sur » qui est favorisé avant le passage au discours à la première personne. Un sens culturel est élaboré, et il servira de support associatif à un récit individuel qui intègre défenses, conflits psychiques, ambivalences, fantasmes, souvenirs d'enfance, rêves… C'est ce matériel individuel qui se déroule dans le contenant culturel qui sera traité comme tout matériel de psychothérapie analytique avec des allers-retours entre culturel et individuel[17].

Avec ou sans la famille

Quand la famille peut être mobilisée, le travail se centre sur l'histoire familiale et la trajectoire de chacun des membres.

L'élaboration d'un récit est fondamentale dans la construction de l'alliance thérapeutique : elle permet de renforcer le lien avec le patient et d'ouvrir des perspectives qui étaient impensables avant. La technique psychothérapique s'appuie sur un étayage de la famille et la reconstruction d'un récit, l'histoire du patient en sa présence et avec lui.

Ces séances de thérapie de groupe permettent le décentrage et modifient la place de la conduite de dépendance, qui devient secondaire voire accessoire et ne constitue plus le point de cristallisation de la souffrance du patient et de sa famille. La prise en charge en est alors grandement facilitée.

Quand il n'y a aucun référent familial mobilisable, l'enjeu consiste à créer, dans le cadre du groupe de cothérapeutes, un environnement suffisamment métaphorisant et à même de pallier cette absence de référent familial, en utilisant la narration de contes par exemple, technique que nous utilisons dans le service – mais bien sûr d'autres médiations sont possibles pour permettre l'émergence du récit[18].

À partir de la narration de contes dans les séances de travail avec les patients, il se crée des accrochages qui suscitent des identifications multiples et variées et qui, au fil des séances, leur permettent de reconstruire, de reconstituer leur propre histoire. Ainsi, ils la réinscrivent dans une trame similaire à celle décrite pour les patients dont les familles sont présentes et actives dans le processus de prise en charge.

Les éléments du puzzle que constitue l'*histoire familiale* sont repris dans le cadre du dispositif. Dans le cas de Nabil, ils plongent leurs racines bien avant sa naissance. Ils sont repris en groupe devant un Nabil attentif, et dans une temporalité différente. Le récit migratoire et la trajectoire des parents sont élaborés et coconstruits par la famille et le groupe de thérapeutes à travers leurs interrogations, leurs métaphores, leurs images et leurs propres histoires.

Ce temps permet à Nabil de se situer dans sa fratrie, de reprendre dans le détail les circonstances qui ont présidé à la constitution du couple parental, ainsi que l'évolution du projet d'enfant jusqu'aux premières interactions précoces, puis l'enfance et l'adolescence de chacun des enfants. Ce temps lui permet également d'entendre ses parents parler pour la première fois de leur passé prémigratoire et de la dimension traumatique qu'il comporte. La tristesse de la mère, en évoquant cette partie de sa vie, fait penser à une possible dépression périnatale qui n'a peut-être pas été sans conséquences sur le développement psychoaffectif de Nabil.

L'alliance thérapeutique

L'accent est mis sur la question de l'alliance et de la coconstruction à plusieurs partenaires, la famille étant à ce moment-là considérée comme un des partenaires possibles et créatifs de cette alliance et un des partenaires possibles du récit et de la narration à plusieurs voix.

L'intérêt et l'originalité de cette approche résident notamment dans le fait qu'elle interroge nos pratiques et nos manières de faire au double plan diachronique et synchronique. Elle permet aussi de passer de la notion de famille en position de partenaire de l'alliance autour du patient à une alliance à trois au moins puisqu'elle va s'inscrire dans un contexte. Nous sommes dans le cadre d'une alliance triadique.

De plus, cette alliance et ce copartenariat permettent d'aboutir à un récit à la première personne du patient, donc à un récit subjectif plus complexe, plus nourri, qui va permettre la construction d'un vrai travail élaboratif. Perspective d'autant plus intéressante et riche qu'elle met les patients et leurs familles – et ce en dépit de la complexité et des difficultés de leurs relations – en position d'indiquer de nouvelles émergences, de nouveaux possibles.

Théories étiologiques

Quand Nabil est arrivé en consultation transculturelle, ses parents commençaient à se demander si les moyens de la « biomédecine » n'avaient pas montré leurs limites. Suivi depuis le début des troubles, son état ne faisait que « s'aggraver », dira le père. Face à la maladie de Nabil et au désordre induit par ses troubles, les parents donnaient l'impression d'être dans une sorte d'incapacité à mettre en place un processus d'attribution de sens.

Les théories étiologiques sont des énoncés sur les causes de la maladie et du désordre de nature culturelle. Ce sont des hypothèses qui n'appartiennent pas en propre à l'individu mais qui lui sont fournies par sa culture. Elles sont transmises de différentes manières, ici par la parole ou le geste, par des rituels ou des techniques spécifiques ailleurs, par l'expérience ou l'initiation. Elles sont en quelque sorte mises à disposition par la communauté d'affiliation. Elles constituent des mécanismes traditionnels de production de sens.

Créer des espaces de figuration

L'expérience montre qu'au début de certaines prises en charge, les familles sont absentes – en dehors des moments de crise où la seule demande est en général l'éloignement du patient désigné ou l'arrêt immédiat de la conduite addictive.

286

Cela peut s'expliquer par le fait soit qu'elles se sentent trop stigmatisées pour venir, soit qu'elles ont honte de venir en raison de ce symptôme qui est la dépendance d'un des leurs ou parfois de plusieurs de leurs membres.

Dans ces situations, l'espace thérapeutique va fonctionner comme espace intermédiaire pour permettre d'une certaine façon que la famille vienne dans un second temps. Elle ne viendra que quand l'espace intermédiaire sera constitué par le groupe thérapeutique. Et même lorsqu'elle ne vient pas, dans certaines situations on arrive à ce qu'elle soit rendue présente dans le dispositif thérapeutique, c'est-à-dire qu'elle ne vient pas physiquement, mais on peut l'évoquer, on peut presque rêver autour d'elle, on peut raconter un conte en disant par exemple : « Peut-être que quelqu'un de votre famille a ce conte-là en tête, peut-être qu'il aurait pu vous le raconter, ou peut-être que vous-même vous pourriez le lui raconter. »

Utiliser des objets intermédiaires comme le conte permet à la famille d'avoir quand même une place, que ce soit dans la réalité du dispositif ou même dans un dispositif rêvé ou dans tous les cas présentifié. Ce sont des perspectives qui, quoique complexes, sont efficientes.

Le récit migratoire

Une des hypothèses de travail, inspirée par les travaux en psychiatrie et psychologie transculturelle, c'est que, dans la migration, on observe parfois un phénomène, qu'on peut appeler la « transmission par le vide » ou la « non-transmission », qui conduit à une psychopathologie de l'effacement[19]. Situation génératrice de troubles sur le plan psychopathologique et notamment de conduites de dépendance. Le conte est un moyen de réintroduire la famille mais aussi la mémoire à travers une mythologie, à travers des histoires qui sont référées à la culture du patient, en mobilisant ainsi des représentations et en lui permettant d'associer à partir des productions et des apports des thérapeutes.

Chaque fois que la famille est présente, la reconstruction du récit de la migration du patient pris en charge et des siens est plus facile. C'est alors la famille qui donne le fil, le groupe le complexifie avec elle. Quand la famille est absente, c'est à partir d'un récit élaboré à partir de contes que le même travail se fait.

Rappelons, par rapport à ce choix des contes, que les objets culturels sont des objets transitionnels dans la définition de Winnicott.

L'identification de Nabil

À ce stade, le lien avec le groupe est suffisamment fort et sécurisant pour permettre à la mère d'énoncer sa théorie étiologique quant aux conduites d'alcoolisation de Nabil.

Cette théorie étiologique est en rapport avec la nature ontologique du patient et détermine la logique de soins.

La mise en perspective du récit laisse apparaître que l'alliance entre les parents n'avait pas fait l'unanimité au sein de la famille. Que Nabil, premier enfant né en France, était un beau bébé mais n'était pas attendu aussi vite après l'arrivée de la famille et qu'« il s'est passé des choses pendant la grossesse ». Ces données sont en rapport avec une représentation culturelle qui identifie Nabil comme un enfant singulier et vulnérable dès sa naissance.

Les logiques de l'exposition sont alors déroulées et déclinées dans plusieurs variantes culturelles par les cothérapeutes.

La question de l'objet

D'autres équipes utilisent d'autres objets que les contes. Le choix d'objet peut être théorisé, conceptualisé, mais il reste quand même étroitement lié aux investissements des thérapeutes. En effet, au-delà même de la théorie, c'est le type d'investissement et la place que cela va prendre à ce moment-là dans cette théorie ou dans ce dispositif qui sont déterminants en termes d'alliance et d'efficacité thérapeutiques.

Parmi les choix possibles, ces dernières années, avec les adolescents, on a beaucoup investi des objets qui passent par le langage. À présent, on commence à investir d'autres objets plus psychodramatiques (psychodrame ou théâtre), artistiques (écriture, slam, peinture)... Cette production doit reposer sur un langage partagé, ce qui suppose que le patient parle bien le français et ses parents aussi. Dans le cas contraire, il est important d'utiliser un traducteur formé à la traduction en situation clinique.

L'alcool, métaphore d'une transmission par l'effacement

De la problématique de l'entre-deux à celle du deuil, de la faillite de la transmission à l'effacement et de la nostalgie au traumatisme de l'exil, la dépendance chez les patients migrants et/ou d'origine migrante se manifeste à travers des conduites et des expressions individuelles. Elle vient nous rappeler l'intérêt de la médiation et l'exigence de créativité de notre part afin d'aider nos patients à renouer des liens perdus ou distendus qui leur sont indispensables pour tracer leur sillon et se construire comme des êtres singuliers.

En effet, l'adolescent d'origine migrante, peut-être plus qu'un autre à la recherche de soi, peut se trouver dans l'impossibilité de se réaliser par l'affirmation de son individualité. En lui rappelant son devoir social et en lui refusant cette reconnaissance, le milieu exige de lui une démarche qui parfois apparaît comme paradoxale : être inscrit dans sa filiation et investir de nouvelles affiliations, celles du monde d'ici, tout seul, parfois sans l'aide de ses parents. Incapable d'éluder et/ou d'assumer cette double contrainte – « être ou ne pas être » –, il se réfugie dans le conflit. L'alcool vient alors masquer et faire écran dans une répétition sans fin qui peut n'avoir d'autre issue que la marginalité et la décompensation.

Reste, à la fin, la question des soins et de la prévention, ainsi que celle de la liberté et de ses limites dans une dialectique soi / l'autre aux contours nouveaux.

Bien que la migration des parents de Nabil soit le résultat d'un choix, le réaménagement psychique et les conséquences à la génération suivante sont importants. Le deuil consécutif au départ, à la perte du cadre culturel et aux difficultés de construction d'une position parentale différente de celle de leurs pères et mères les laisse désemparés devant la consommation d'alcool de leur fils.

L'irruption brutale chez lui d'ivresses aiguës au moment même où la possibilité d'un retour au pays est évoquée est révélatrice d'un malaise dans la transmission que parents et enfant étaient parvenus jusque-là à voiler.

La perspective du retour des parents confronte Nabil à la nécessité d'un choix toujours remis à plus tard, car celui-ci met à mal les rôles parentaux, alors même que la recherche d'un modèle identificatoire, la remise en cause de l'ordre des choses et son interrogation quant à sa propre place au double plan de la filiation et de l'affiliation se posent avec acuité. La discontinuité entre le dedans et le dehors, entre le monde de ses parents et celui de la société d'accueil, semble induire chez lui un brouillage psychique, source de douleur et de désarroi. Les valeurs parentales lui paraissent comme vides de sens alors que, dans l'effervescence des phénomènes de construction de l'identité, sa place et la nouvelle situation familiale lui enjoignent justement de concilier ces mêmes valeurs avec celles du pays d'accueil.

L'alcool permet d'échapper au clivage qui le guette en permanence du fait de cette double appartenance. Il lui permet d'éluder l'obligation de faire des liens et d'inventer des stratégies de métissage.

NOTES

1. Moro M.-R., *Enfants d'ici venus d'ailleurs, Naître et grandir en France*, Paris, La Découverte, 2002 ; rééd. Hachette Littératures, 2004.

2. Nathan T., « Trauma et mémoire, Introduction à l'étude des soubassements psychologiques des rituels d'initiation », *Nouvelle Revue d'ethnopsychiatrie*, 1986, n° 6, p. 7-19.

3. Moro M.-R., Moro I. *et al.*, *Avicenne l'andalouse. Devenir psychothérapeute en situation transculturelle*, Grenoble, La Pensée sauvage, 2004.

4. Moro M.-R., Nathan T., Rabain-Jamin J., Stork H., Si Ahmed J., « Le bébé dans son univers culturel », in Lebovici S., Weil-Halpern F. (éd.), *Psychopathologie du bébé*, Paris, PUF, 1989, p. 683-750.

5. Devereux G., *Essais d'ethnopsychiatrie générale*, Paris, Gallimard, 1970 ; Nathan T., *La Folie des autres*, Paris, Dunod, 1986.

6. Moro M.-R. *et al.*, « Le bébé dans son univers culturel », art. cit.

7. *Holding* et *handling object presentering*.

8. Nathan T., « Trauma et mémoire. Introduction à l'étude des soubassements psychologiques des rituels d'initiation », *La Folie des autres, op. cit.*

9. Moro M.-R. *et al.*, « Le bébé dans son univers culturel », art. cit.

10. Nathan T., « La fonction psychique du trauma », art. cit.

11. Guillaumin J., « Besoin de traumatisme et adolescence », *Adolescence*, 1989, n° 3 (1), p. 127-138, a développé dans une autre perspective la notion de « traumatophilie ».

12. *Id.*
13. Moro M.-R., *Parents en exil, Psychopathologie et migrations,* Paris, PUF, 1994 ; rééd. 2002.
14. Moro M.-R. *et al.*, *Avicenne l'andalouse, op. cit.*
15. Moro M.-R., *Enfants d'ici venus d'ailleurs, op. cit.*
16. Nathan T., *La Folie des autres, op. cit.*
17. Moro M.-R., *Parents en exil, op. cit.*
18. Ferradji T., « L'exil, entre errance et nostalgie », *Champ psychosomatique,* 2000, n° 20, p. 49-56 ; « Temporalité et soins dans la migration », *Champ psychosomatique,* 2003, n° 30, p. 75-81 ; « Le conte en situation transculturelle », *Métisse,* 2003, vol. 2, n° 3,.
19. Ferradji T., « Le conte en situation transculturelle », art. cit.

17.

Sur les rives du Bosphore

TEVKIKA TUNABOYLU-IKIZ

L'alcool occupe une place à part entière dans la culture turque. Nous le savons, la consommation d'alcool remonte à la nuit des temps. Ainsi, des documents sur la production de bière datant de cinq mille ans av. J.-C. ont été retrouvés en Anatolie, en Égypte et dans de nombreux pays méditerranéens. Néanmoins, la dépendance à l'alcool a toujours été considérée comme un problème éthique ainsi que la question du libre arbitre.

La racine du mot « alcool », *el-kuhl*, signifie l'essence, l'origine d'une chose. L'islam considère la consommation d'alcool comme un péché, comme en attestent quatre versets du Coran. Les Turcs, qui se sont convertis à l'islam plus tardivement, voyaient dans l'alcool qui enivre l'esprit une source de plaisir. Le koumis, qui est la plus vieille boisson turque, est défini comme la « boisson de Dieu ». Sous l'Empire ottoman vieux de six cents ans, l'alcool, qui accompagnait les poèmes et les œuvres littéraires destinés aux sultans, entraînait parfois des condamnations importantes allant jusqu'à la peine de mort ; ainsi en 1555, le sultan Kanuni Süleyman, constatant que le plaisir du vin prenait trop d'ampleur, fit brûler les bateaux transportant du vin vers Istanbul. En outre, après chaque victoire, les Ottomans organisaient une « journée de gloire » au cours de laquelle l'interdiction de la consommation du vin était levée, ce qui donnait lieu à tous les abus. À travers ces événements en apparence paradoxaux, le but de l'État était de tenir sous son contrôle la consommation d'alcool ; c'est ainsi que le terme « boire de façon modérée » est entré dans les mœurs.

Les légendes, les mythes, les poèmes, les chants et les romans ont contribué à la naissance de la sous-culture de l'alcool. Le regard que portent les médecins comme les écrivains sur les ivrognes varie. Dans la culture populaire turque, le discours des consommateurs d'alcool avait un tout autre sens. Inventé au XVIe siècle, Karagöz en est l'exemple typique. Il s'agit du personnage le plus important du théâtre d'ombres turc. Il illustre bien l'un des aspects de la culture populaire turque qui consiste à créer une histoire comique à partir d'un fait tragique. L'humour traditionnel turc s'est développé grâce à la satire et à la parodie ; il en est de même du soufisme qui considérait l'humour comme un moyen d'approcher la réalité, ce qui a permis à cet art de perdurer.

Tuzsuz Deli Bekir, le personnage principal du théâtre de Karagöz, n'a peur de personne et n'en fait qu'à sa tête. Il a coutume d'entrer en scène, une bouteille de vin à la main et une épée dans l'autre, sans cesser de boire. Au cœur même de la pièce, il châtie les coupables et rétablit l'ordre. C'est lui qui représente la loi tout en restant l'ivrogne qui se rebelle contre l'ordre des choses et s'exprime avec courage dans une société qui ne tolère pas les contestataires.

C'est toujours Deli Bekir qui met fin aux histoires de Karagöz. Il intervient aussitôt que quelqu'un enfreint la morale populaire ; et c'est lui qui répartit les maîtresses du Zenne (le représentant de toutes les femmes chez Karagöz). Il attrape les coupables mais finit toujours par les prendre en pitié et par les relâcher. Seul Karagöz a le courage de lui tenir tête. Grâce à ce personnage de Tuzsuz Deli Bekir, le peuple peut s'autoriser à faire la satire de l'État. À l'opposé de l'approche médicale et bien que la culture populaire considère le buveur d'alcool comme un fou, l'image de ce personnage, qui se situe à un autre niveau, n'est nullement négative.

Dans notre pays, la consommation de raki est particulièrement importante. Cette boisson célèbre en Turquie est fabriquée à partir de la distillation de fruits tels que le raisin, la figue et la prune. Elle est faite essentiellement d'anis. Les termes tels que « comment le boire », « boire lentement » ou bien encore « se distiller » signifient en général boire du raki à petites gorgées en prenant son temps. Si cette boisson attire l'attention des littéraires, elle représente en premier lieu un mode de vie avec ses rituels. Depuis longtemps, « boire de l'alcool » signifie se réunir, être en communauté. La nature de la boisson alcoolisée peut changer, mais chaque classe sociale a ses propres rituels, qui sont préservés.

Depuis l'Empire ottoman, les mézés qui accompagnent le raki se sont transmis de génération en génération. « La table du dîner arrosée de raki est comme une scène de théâtre : certains jouent leur propre rôle, d'autres simulent, et le succès de la soirée dépend de l'entente entre les convives. » Boire du raki est associé au fait de grandir, de devenir un homme, c'est pourquoi ce sont surtout les hommes qui se réunissent et prennent du plaisir. Bien que les traditions portant sur la façon de boire le raki et les usages à respecter au cours de ces dîners soient solidement ancrées, la consommation d'alcool dans notre pays est limitée par rapport aux autres.

Depuis la naissance de l'Empire ottoman, en Turquie où 99 % de la population est musulmane, la consommation d'alcool se limite à onze mois de l'année puisque, durant le ramadan, l'alcool est proscrit. Pendant ce mois, la baisse de la consommation d'alcool et la gêne que cet interdit entraîne même chez les alcoolodépendants sont des phénomènes socio-logiques importants. On constate que les centres de désin-toxication sont presque vides ; ces personnes dépendantes, désireuses de respecter les règles religieuses, entrent alors dans une période de « rupture ».

Néanmoins, comme partout dans le monde, nous obser-vons une nette augmentation de la consommation d'alcool et d'autres substances. L'intérêt se porte sur les dangers qu'entraîne la consommation de ces produits sur l'indi-vidu, la famille et la société. Les adolescents représentent à cet égard un groupe à haut risque, trop souvent négligé. Mieux comprendre leur consommation nous permettra de nous orienter dans nos travaux de traitement et de préven-tion.

La consommation de substances chimiques chez les adoles-cents forme un spectre composé de différentes étapes. Sous l'effet des divers facteurs biologiques, psychologiques et sociaux, l'adolescent passe d'une étape à l'autre, revient sur l'étape précédente ou bien s'attarde sur l'une d'entre elles. Ajoutons que ce processus peut être influencé par l'utilisation endémique de certaines substances.

Actuellement, les travaux épidémiologiques se limitent à quelques villes. Selon certaines données, c'est dans les lycées à haut niveau socioéconomique que la consommation d'alcool chez les adolescents est la plus élevée. Le taux de consomma-tion est de 46,7 % dans les écoles supérieures, de 34,4 % dans les lycées et de 28,9 % dans les collèges.

L'environnement social des métropoles crée de nouveaux problèmes ; la nécessité de se faire accepter dans des milieux nouveaux et d'être « performant » ne se fait pas sans anxiété. Ces difficultés d'adaptation peuvent déclencher la consom-mation d'alcool, facilitée dans les villes par le grand nombre de bars.

Néanmoins, la hausse de la consommation d'alcool est moins forte en Turquie comparée à d'autres pays occidentaux puisque l'alcool est interdit par la religion. C'est un argument souvent invoqué par les adolescents interrogés venant pour la plupart de milieux conservateurs et religieux ; ce sont les mêmes qui acceptent d'épouser une femme choisie par leur famille.

La bière vient en tête des alcools consommés par les jeunes. Selon les recherches effectuées dans les grandes villes comme Istanbul, la consommation de produits autres que l'alcool et le tabac est en hausse. Il s'agit particulièrement de marijuana, d'ecstasy et d'héroïne, cette dernière arrivant en tête chez les jeunes comme chez les adultes, alors que l'alcool est en dernière place. Rappelons que l'héroïne est traditionnellement cultivée et consommée en Turquie. L'âge moyen de la première prise est de 11,6 ans.

Une recherche sur les liens entre la dépendance à l'alcool, l'âge, le sexe et les spécificités culturelles nous montre que les femmes alcooliques sont particulièrement stigmatisées et rejetées par la société. C'est le sentiment de solitude et de dépendance qui les pousse à l'alcool, alors que chez les hommes, ce sont des raisons économiques liées à l'extérieur. Du fait de l'importance de la famille, on préfère souvent garder secret l'alcoolisme féminin, c'est pourquoi rares sont les femmes qui suivent une thérapie. Une recherche détaillée a d'ailleurs été menée sur les raisons pour lesquelles les femmes consomment moins d'alcool dans notre pays. Selon les traditions, qui occupent une place importante dans les pays musulmans, la femme est considérée comme celle qui doit protéger les valeurs éthiques ; elle est d'ailleurs la première à être réprimandée lorsqu'elle ne se comporte pas selon les règles. Dans ce contexte, l'alcoolisme au féminin est inconcevable, sous peine de voir s'effondrer les valeurs familiales.

Dans un milieu urbain et moins traditionaliste, prenons le cas de M., hospitalisée à sa demande à la clinique Balikli Rum Vakfi. À 19 ans, elle est étudiante en première année à l'université et habite avec ses parents et son jeune frère. Elle dit n'éprouver ni joie de vivre, ni désir, ni espoir en l'avenir. Elle refuse de sortir de chez elle et ressent en permanence des nausées et des vomissements qui provoquent chez elle un sentiment de vide. À plusieurs reprises elle a été suivie à l'hôpital pour troubles du comportement alimentaire et consommation d'alcool. Dans le cadre hospitalier, son état s'améliorait mais, rentrée chez elle, elle rechutait. La vie familiale est difficile et, quand des problèmes surviennent entre ses parents, ses vomissements s'accroissent et ses angoisses réapparaissent avec une sensation de vide qu'elle ne parvient ni à définir ni à combler.

On notera que les premiers symptômes sont apparus auparavant, il y a sept ans juste au début de l'adolescence (elle avait alors 12 ans). Elle associe la cause de sa maladie à son surpoids lorsqu'elle était en cinquième, et évoque les moqueries de ses camarades de classe. Depuis, ses angoisses n'ont cessé de s'amplifier. Elle a même été hospitalisée après une tentative de suicide. Dans le cas de M., nous observons de sérieux problèmes psychosomatiques, fréquents à l'adolescence (troubles du comportement alimentaire, tentative de suicide). Malgré tout, M. poursuit ses études avec succès tout en continuant d'aller à l'hôpital où elle dit se sentir protégée. On peut s'interroger sur la place de l'alcool dans ce cas. M. considère l'alcool comme un calmant extérieur qui a pour effet de réduire son sentiment de vide. Elle répète souvent la phrase : « Mon estomac reste vide » et précise qu'elle abuse de la nourriture sans satisfaire sa faim.

M., plongée dans un abysse pulsionnel, choisit un objet simple. Ce processus, parallèlement à l'affirmation freudienne selon laquelle « la haine, en tant que relation à l'objet, est plus ancienne que l'amour », éclaire la pulsion destructrice de l'adolescent dans son instauration d'une relation amoureuse. Coincé entre l'amour et l'agressivité, il choisit d'utiliser son propre corps comme médiateur. Bien que ce processus soit fréquent, il n'en est pas moins vrai que le corps risque de devenir l'objet de jeux dangereux (troubles du comportement alimentaire, blessures corporelles, consommation d'alcool et d'autres substances).

M. recours également à la consommation d'alcool pour tenter d'établir des rapports sexuels stables. Elle dit avoir eu plusieurs partenaires depuis son jeune âge et consommer beaucoup d'alcool avant les rapports sexuels. Ce besoin d'un calmant extérieur pour réguler ses pulsions sexuelles peut avoir des explications socioculturelles. En effet, mis à part dans les grandes villes, le rapport sexuel avant le mariage reste tabou en Turquie. Les jeunes filles vivent dans la crainte d'être jugées par leurs parents et exclues de leur entourage. Cet aspect culturel s'ajoute aux difficultés inhérentes à l'adolescence.

Nous conclurons en soulignant un phénomène qui n'a pas été traité dans notre étude : en Turquie, le problème primordial reste l'augmentation croissante du nombre de jeunes sans abri, entraînant les abus d'alcool et d'autres substances ainsi que des problèmes de délinquance. Cette situation est loin d'être résolue.

V.

Recherches et propositions

18.

Les jeunes Européens et l'alcool

MARIE CHOQUET

Certes, l'alcool est un « nutriment non indispensable », mais il s'agit d'une « partie intégrante de notre culture, de notre patrimoine et de nos traditions ». En effet, pas de repas convivial sans vin, pas de fête sans champagne, pas de vacances sans apéritifs... À ce titre, l'alcool occupe dans notre pays une place bien particulière parmi les substances psychoactives, dont font partie, outre l'alcool, le tabac, le cannabis et les drogues illicites. Car il est à la fois, consommé de façon modérée, signe de distinction, de savoir-vivre et d'hédonisme et, consommé de façon excessive, source de dépendance, de surmortalité et de surmorbidité. Dans cette perspective, la mise en lumière des « modes de consommation problématiques » prend toute son importance, en particulier à l'adolescence où les troubles et conduites s'installent et se chronicisent. Il s'agit alors de savoir si toute consommation d'alcool est à proscrire à l'adolescence ou s'il faut reconnaître, parmi les consommateurs, ceux qui expriment des difficultés plus profondes qui vont rendre leur consommation tout comme leur vie sociale et professionnelle problématiques.

L'interdiction de l'alcool paraît une mesure peu réaliste, non seulement parce que la majorité des jeunes ne boivent qu'exceptionnellement, mais aussi parce que durant cette

303

période les jeunes acquièrent progressivement les attitudes et les codes de conduites adultes, la consommation maîtrisée de l'alcool en faisant partie, au même titre que d'autres comportements socialement intégrés, voire valorisés. Plus encore, cette interdiction peut être même contre-productive, car toute mesure d'interdiction visant un sous-groupe de la population est vécue comme injuste et pousse à la transgression. Il convient donc de mieux prévenir les excès et de comprendre *qui* consomme de façon potentiellement problématique et *pourquoi* certains en sont là. D'où le besoin d'enquêtes plus approfondies sur ce sujet, et surtout de comparaisons internationales, car un regard trop franco-français réduit la compréhension des phénomènes. L'Europe est de ce point de vue un excellent vivier de modes de vie et de modes de consommation.

Mais la mesure de la consommation d'alcool par les adolescents s'avère plus complexe qu'il n'y paraît. D'abord parce que la consommation est devenue de plus en plus « situationnelle », les jeunes ne buvant plus de façon régulière une boisson spécifique (comme c'était le cas pour leurs grands-parents, qui buvaient surtout du vin lors des repas quotidiens), mais à l'occasion des rencontres entre pairs, le type de boisson consommée et la quantité absorbée étant alors variables d'une occasion à l'autre. Ensuite parce que la variété de l'offre est telle que quelques questions simples ne permettent pas de couvrir cette diversité et donc d'avoir une description exacte de la consommation. Outre les diverses boissons mises sur le marché, les mélanges sont de plus en plus en vogue. Enfin parce que la mémoire n'est pas parfaite, non pour situer des contextes ou des modes de boire, mais pour préciser les quantités exactes absorbées. Quant à la définition d'une consommation « problématique », elle dépend de l'âge, du sexe et de la tolérance individuelle. Nous aborderons donc l'alcoolisation des jeunes par une étude plus « factuelle », permettant d'avoir une mesure de la régularité de la consommation, du type de boisson consommée et des effets ressentis (ivresse).

Nous disposons principalement de trois enquêtes effectuées à intervalles réguliers en France. Deux d'entre elles, HBSC (Health Behaviour among School Children) et ESPAD (European School Project on Alcohol and Other Drugs), sont des enquêtes quadriennales faites au niveau de plusieurs pays européens, l'une est une enquête française annuelle (ESCAPAD). Toutes sont faites auprès de larges échantillons représentatifs et effectuées dans des conditions standardisées comparables.

– L'enquête HBSC, qui concerne les élèves de 11, 13 et 15 ans, est pilotée par l'OMS Europe. En France, elle est sous la responsabilité de Godeau, Navarro, Vignes et Sand-François (service médical du rectorat de Toulouse). La plus récente enquête date de 2002.

– L'enquête ESPAD, qui concerne les élèves de 16 ans, est pilotée par la Suède (Hibell et Adersson). En France, elle est sous la responsabilité conjointe de l'INSERM (Choquet, Hassler, Morin) et l'OFDT (Beck, Spilka, Legleye) et a la particularité d'inclure tous les élèves du second degré. La dernière enquête date de 2003.

– L'enquête ESCAPAD concerne les jeunes de nationalité française de 17-18 ans lors de la journée d'appel de préparation à la défense (JAPD), sous la responsabilité de l'OFDT (Beck, Spilka, Legleye). La dernière enquête date de 2004.

Comme la diversité européenne est importante en ce qui concerne la consommation des adolescents, des pays ont été sélectionnés en fonction de leur type de production de boissons alcooliques. La France, l'Italie et le Portugal sont des pays essentiellement vinicoles (même si certains produisent aussi de la bière) ; la Belgique, l'Allemagne, l'Angleterre et le Danemark sont des pays producteurs de bière (même si certains produisent aussi du vin) ; la Finlande, la Hongrie et la Pologne sont surtout productrices de spiritueux. Il est donc intéressant de regarder si des différences importantes existent selon le type de production, et donc de culture et de l'offre. Rappelons que, dans tous les pays sélectionnés, la scolarité est obligatoire jusqu'à l'âge 16 ans, les échantillons étudiés étant ainsi représentatifs de la population générale de cet âge.

Les premières consommations et les premières ivresses

En Europe, le début de la consommation est relativement précoce, avec un âge moyen de 12,9 ans chez les garçons, de 12,3 ans chez les filles. La première ivresse se situe, en moyenne, à un an de distance de cette première consommation, avec un âge moyen de 13,9 ans chez les garçons et de 12,6 ans chez les filles.

Si la première consommation tout comme la première ivresse ne se font pas partout au même âge, l'écart entre les pays est plus important pour la première consommation d'alcool que pour la première ivresse, et plus important pour les filles que pour les garçons. Ainsi :

– l'âge de la première consommation oscille chez les garçons entre 11,8 ans (République tchèque) et 13,7 ans (Italie), soit un écart de près de deux ans, et chez les filles entre 10,9 ans (République tchèque) et 13,2 ans (Italie), soit un écart de plus de 2,5 ans ;

– l'âge de la première ivresse oscille chez les garçons entre 14,6 ans (Ukraine) et 13,4 ans (Autriche), soit un écart de moins d'un an, et chez les filles de 14,1 ans (Italie) et 13,1 (Autriche), soit un écart d'un an ;

– la France se situe près de la moyenne pour l'âge de la première consommation comme pour l'âge de la première ivresse.

Force est donc de constater que l'initiation n'est pas plus précoce dans les pays qui ont une longue tradition de consommation d'alcool qu'ailleurs. Bien au contraire.

L'augmentation avec l'âge

En Europe, la consommation tout comme l'ivresse augmentent très sensiblement entre l'âge de 11 et 15 ans, et ce quel que soit le pays. Cette augmentation est indépendante du niveau de consommation (ou d'ivresse) initial et n'est pas plus faible dans les pays où les 11 ans sont peu nombreux à boire (ou à s'enivrer), ni plus forte dans les pays où les 11 ans sont nombreux à boire (ou à s'enivrer)…

Cette augmentation est toutefois plus ou moins progressive. En France, comme dans la majorité des pays, l'augmentation se situe surtout entre l'âge de 13 et 15 ans alors qu'elle est plus progressive au Royaume-Uni, en Italie et, dans une moindre mesure, au Portugal. Mais, fait intéressant, en France cette augmentation est aussi moins importante qu'ailleurs. Ainsi, la France se situe : pour la consommation hebdomadaire au 20e rang des 34 pays européens à l'âge de 11 ans, mais au 30e rang à 13 ans et au 31e rang à 15 ans ; pour la consommation répétée au 28e rang des 34 pays européens à l'âge de 11 ans, mais au 32e rang à 13 ans et au 31e rang à 15 ans.

Plus les jeunes Français avancent en âge, plus ils se situent donc en queue de l'Europe ! Une « amélioration » qui n'est pas du tout perçue par l'opinion publique, volontiers accusatrice quand elle parle de la consommation juvénile. Rappelons que ce sont les adultes français qui se situent dans le peloton de tête de l'Europe, même s'ils ne sont plus, comme avant, les premiers consommateurs d'alcool du monde.

La consommation occasionnelle et régulière

À 16 ans, la majorité des jeunes boivent occasionnellement, voire très occasionnellement. Cette consommation très occasionnelle est surtout le fait des pays qui ont une longue tradition du « boire culinaire » comme l'Italie, le Portugal, la France, la Hongrie et la Pologne, alors que dans des pays où l'alcool est surtout une occasion de s'enivrer, comme la Belgique, le Royaume-Uni, l'Allemagne ou le Danemark, la consommation d'alcool est nettement plus ancrée dans la vie quotidienne des adolescents (plus de 60 % ont bu durant le mois écoulé). En France, à l'entrée dans l'âge adulte, 21 % des garçons et 7 % des filles boivent régulièrement, 1 % quotidiennement, les Franciliens ayant une consommation de boissons alcoolisées inférieure à celle des jeunes du reste de la France.

À propos de l'ivresse, il existe des pays où l'ivresse est très fréquente, surtout l'ivresse du week-end et des pays (dont la France) où l'ivresse est nettement plus occasionnelle. Ainsi, en tête le Danemark, mais aussi l'Allemagne, le Royaume-Uni, la Finlande, la Belgique, la Hongrie et la Pologne sont des pays où plus de 60 % des garçons de 16 ans ont été ivres durant leur vie, plus de 50 % ont été ivres dans l'année, plus de 30 % ont été ivres dans le mois et plus de 10 % ont été ivres au moins dix fois dans l'année. À titre de comparaison, en France, les proportions sont respectivement de 45 % (ivresse dans leur vie, soit deux fois moins qu'au Danemark), 31 % (ivresse dans l'année, soit trois fois moins qu'au Danemark),

4 % (dix ivresses dans l'année, soit dix fois moins que le Danemark).

La différence entre les sexes

La différence entre garçons et filles n'existe pas dans tous les pays. En France, en Italie, au Portugal, en Belgique et en Pologne, les garçons sont nettement plus consommateurs (et s'enivrent plus souvent) que les filles, alors que dans des pays comme l'Allemagne, la Finlande et le Royaume-Uni la différence entre les sexes est faible. On note même que les filles s'enivrent plus que les garçons au Danemark ou au Royaume-Uni. Cette différence de consommation entre garçons et filles est à relier non seulement au statut de l'alcool, considéré comme une boisson virile ou virilisante dans la majorité des pays du sud et de l'est de l'Europe, mais aussi au statut plus général de la femme. En effet, dans les pays où l'écart hommes/femmes est important (salaire, participation à la vie politique et sociale, etc.), l'écart entre le comportement des adolescents et adolescentes est aussi important.

Notons qu'à Paris la différence entre garçons et filles est bien moindre qu'ailleurs, même si partout les garçons boivent plus (et s'enivrent plus) que les filles.

Évolution de l'alcoolisation entre 1999 et 2003

Parmi les 28 pays ESPAD qui ont participé au moins à deux enquêtes successives, on note une augmentation significative de la consommation occasionnelle dans 18 pays (dont 11 pays de l'Est), de la consommation régulière d'alcool dans 10 pays (dont 7 pays de l'Est), de l'ivresse occasionnelle dans

13 pays (dont 9 pays de l'Est) et des ivresses régulières dans 9 pays (dont 5 pays de l'Est).

Il est intéressant de remarquer que, en dehors de certains pays de l'Est, c'est en Norvège, au Danemark, en Irlande et au Royaume-Uni que les augmentations sont significatives... alors qu'en France la consommation occasionnelle et régulière est restée stable. Cette différence entre pays est rarement notée, tant la tendance à la dramatisation l'emporte quand on parle de l'alcoolisation juvénile.

La boisson préférentielle

Dans l'ensemble de l'Europe, bière ou/et spiritueux sont les boissons préférentielles des adolescents, alors que le vin, pourtant souvent bu par les adultes, est une boisson moins prisée, probablement considérée comme une boisson « à papa ». À 16 ans, entre 35 % (Portugal) et 69 % (Danemark) ont consommé de la bière durant les trente derniers jours, entre 36 % (Pologne) et 61 % (Royaume-Uni) des spiritueux, entre 15 % (Portugal) et 49 % (Allemagne) du vin. En France les proportions sont respectivement de 40 % (bière), 39 % (spiritueux) et 24 % (vin). Notons que dans les pays où la consommation d'alcool est élevée, la consommation de vin est plus élevée qu'en France ou au Portugal.

Les lieux de consommation

Si, en moyenne, 49 % des jeunes ont bu (la dernière fois qu'ils ont consommé) « à la maison » (22 % chez eux et 27 % chez quelqu'un), 32 % ont bu dans un bar, un pub ou une discothèque et 14 % dans la rue, un parc ou sur la plage, on note qu'en France le bar (discothèque) ou les lieux publics sont moins des lieux de consommation que la maison. Ainsi, 52 % ont bu « à la maison », 15 % dans un bar, pub ou discothèque et 9 % dans la rue.

Mais la diversité est grande selon les pays et liée autant aux conditions climatiques qu'au mode de vie (dans les pays méditerranéens, les jeunes se retrouvent plus à l'extérieur de la maison, alors que dans les pays du Nord, ils se retrouvent plus à la maison, chez les uns ou les autres). Ainsi, au Danemark par exemple, les lieux sont respectivement la maison (87 %), le bar (17 %) et la rue, parc ou plage (11 %), alors qu'au Royaume-Uni les proportions sont de 59 % (maison), 22 % (bar, etc.) et 18 % (rue, etc.), en Italie de 38 % (maison), 49 % (bar, etc.) et 10 % (rue, etc.) et en Pologne de 47 % (maison), 35 % (bar, etc.) et 30 % (rue, etc.)

Opinion des jeunes sur l'accessibilité de l'alcool

La bière est la boisson jugée la plus accessible pour les jeunes de 16 ans (en moyenne, selon ESPAD, 87 % la jugent facile à obtenir), suivie de près par le vin (82 %) et de plus loin par les spiritueux (72 %).

En France, comme quasiment dans tous les pays, cet ordre est respecté. Mais, de façon peut-être étonnante, les pays où la bière est très accessible (comme en Allemagne, en Belgique, au Danemark où plus de 90 % la jugent facile à obtenir) sont aussi les pays où l'ensemble des boissons alcooliques sont jugées disponibles. Ainsi, en Allemagne par exemple, 95 % des 16 ans jugent la bière aisément disponible, 92 % le vin et 75 % les spiritueux, alors qu'en France, les proportions sont respectivement de 79 % (bière), 74 % (vin) et 62 % (spiritueux).

De toute évidence, cette disponibilité perçue ne se rapporte pas à une disponibilité économique.

Opinion des jeunes sur les risques liés à l'ivresse du week-end

En moyenne en Europe, 32 % des jeunes estiment qu'il existe un risque lié à une consommation massive de fin de semaine. Ce qui est faible tout compte fait, car le risque est pourtant bien évident, en particulier le risque routier ou d'accident de toute forme (à la maison, dans la rue...).

Toutefois, ici encore, il existe des différences importantes entre les pays, puisque les trois pays où le risque est le mieux perçu sont (parmi les pays étudiés plus haut) la France (51 %), la Pologne (48 %) et la Hongrie (48 %), alors que les trois pays où le risque est le moins bien perçu sont le Danemark (26 %), la Belgique (23 %) et le Royaume-Uni (21 %). Reste que, en France, au Portugal, en Pologne et en Finlande, les filles sont plus sensibles aux risques que les garçons, alors qu'en Belgique, au Danemark, au Royaume-Uni, en Allemagne et en Italie, les perceptions sont peu différentes entre garçons et filles.

Reste que dans les pays où la consommation est la plus élevée, la perception des risques est moindre qu'ailleurs.

La comparaison nationale et internationale concernant l'alcoolisation des jeunes nous réserve quelques surprises. En France, la proportion de consommateurs réguliers est moindre qu'ailleurs et l'augmentation avec l'âge se situe plus tardivement dans l'adolescence que dans la majorité des pays. Par ailleurs, les Franciliens s'avèrent moins consommateurs que l'ensemble des jeunes Français de leur âge. Comme pour les adultes, les garçons sont plus consommateurs que les filles, mais cette différence s'accroît en fonction des niveaux de consommation considérés. Plus on considère des niveaux de consommation élevés, plus on retrouve une nette prédominance masculine. Reste maintenant à savoir si (et pourquoi !), à l'entrée à l'âge adulte, les jeunes Français n'augmentent pas sensiblement leur consommation pour atteindre celle des adultes...

En France, comme partout en Europe, bière et spiritueux sont les boissons préférentielles des jeunes. Si les boissons alcooliques sont aisément disponibles aux jeunes Européens, elles sont toutefois jugées moins disponibles en France qu'ailleurs. Quant à la perception du risque d'une consommation massive du week-end, elle reste à améliorer, car seulement un tiers des jeunes sont conscients des risques, même si, en France, cette perception est meilleure qu'ailleurs.

1. Consommation d'alcool des garçons (16 ans)

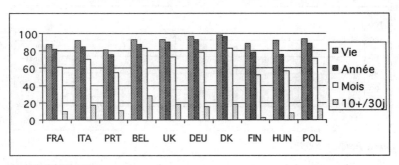

Source ESPAD 2003

2. Consommation d'alcool des filles (16 ans)

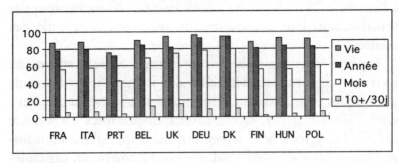

Source ESPAD 2003

3. Ivresse des garçons (16 ans)

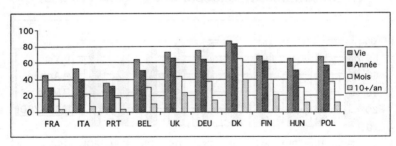

Source ESPAD 2003

4. Ivresse des filles (16 ans)

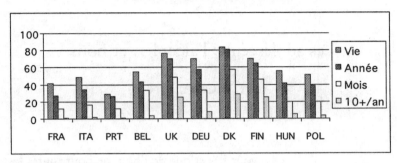

Source ESPAD 2003

19.

Les adolescents, l'alcool… et nous

PATRICK ALVIN

> « Le goût frénétique de l'homme pour toutes les
> substances, saines ou dangereuses, qui exaltent sa
> personnalité, témoigne de sa grandeur. […]. Mais
> il faut voir les résultats. »
>
> Charles Baudelaire, « Du vin et du hachish »,
> *Les Paradis artificiels*

La boisson favorite des adolescents et des jeunes adultes aujourd'hui n'est pas tant le vin que la bière, les alcools forts ou encore les premix, dans le cadre d'un usage festif souvent de fin de semaine. En France, une personne sur cinq consomme de l'alcool quotidiennement[1]. À 12 ans, la moitié des enfants en a déjà goûté et, à 19 ans, presque tous les adolescents en ont fait l'expérience[2]. S'il est vrai que notre consommation moyenne d'alcool s'est stabilisée depuis la deuxième moitié des années quatre-vingt-dix, elle a indiscutablement augmenté parmi les plus jeunes.

L'alcool, les professionnels et le dispositif de soins

Avec ses 1,2 million d'hectares de vignes et ses 60 à 80 millions d'hectolitres, la France détient le quart de la production mondiale du vin. À en croire Baudelaire et son apologie inconditionnelle de la divine liqueur, tout serait donc pour le mieux en France, pays « humide »...

Pourtant, si entre la moitié et la fin du siècle dernier notre consommation nationale est passée de 25 à 11 litres d'alcool pur par habitant et par an, nous détenons toujours le triste record européen de surmortalité par alcoolisme chez les hommes.

Les professionnels de la santé sont les premiers à dénoncer le fléau que représente l'alcoolisme pour l'être humain et la santé publique. Ils n'en sont pas moins influencés par leurs propres représentations de l'alcool et des « malades de l'alcool ». Pour résumer, ils sont confrontés à un triple problème : d'abord, les « lettres de noblesse » du produit lui-même, avec sa composante socioculturelle largement ancrée dans les mœurs, son caractère légal, le flou des définitions de l'excès ; ensuite, la faible efficacité auprès des alcooliques des thérapeutiques et des sevrages, qui font douter du rôle de la médecine dans ce domaine ; enfin, la méconnaissance des nouveaux produits diffusés par les grands groupes alcooliers comme la bière 8.6 ou surtout les boissons très aromatisées à base de vodka, rhum ou whisky – premix et autres alcopops –, très en vogue parmi les plus jeunes.

Les médecins en particulier vivent ainsi, pour la plupart, dans un monde dans lequel la consommation d'alcool est soit minime et sans conséquences, soit totale et dangereuse. De fait, l'identification de l'alcoolisme à la dépendance et aux complications somatiques imprègne encore toute l'organisation du dispositif de soins, alors que l'usage à risque demeure occulté. Or, chez les jeunes consommateurs, un problème majeur – bien en amont de la dépendance ou de la maladie – est celui des risques immédiats, parfois mortels, liés pour l'essentiel aux états d'ivresse.

La consommation d'alcool chez les jeunes

L'alcool est censé offrir aux adolescents deux bénéfices notables : faciliter certains comportements en société et diminuer l'anxiété. Une étude en laboratoire a comparé des rats adultes et adolescents[3]. Par rapport aux rats adultes et en contexte familier, les rats adolescents se montrent plus sensibles à l'effet de facilitation sociale de l'alcool. En revanche, en contexte non familier ou anxiogène, ils sont cette fois moins sensibles à son effet anxiolytique. Enfin, dans ces deux types de contexte mais à degré d'alcoolisation plus élevé, les rats adolescents sont moins sensibles que les rats adultes à l'effet d'« extinction » des interactions sociales. Même si toute transposition avec l'adolescent *Homo sapiens* mérite prudence, de tels résultats n'en demeurent pas moins intéressants.

Quels déterminants ?

Parmi les jeunes, l'alcool est le produit psychoactif consommé en premier et un petit groupe de consommateurs réguliers commence à se dessiner dès l'âge de 13 ans[4]. L'âge et le sexe se dégagent comme deux variables principales : avoir consommé de l'alcool au moins une fois par semaine au cours de la dernière année concerne environ 6 % des 12-14 ans mais 43 % des 18-19 ans ; par ailleurs, les garçons dépassent les filles sur tous les indicateurs, en particulier sur les quantités bues[5].

Mais les disparités régionales ou sociales en termes de consommation sont fortes[6] et influent elles aussi sur la précocité, l'intensité et les modes d'exposition au produit alcool. Ainsi, autour de 17 ans, les jeunes des filières professionnelles ou non scolarisés ont un niveau de consommation d'alcool – comme de tabac et de cannabis – plus élevé que les lycéens de l'enseignement général[7]. Surtout, les jeunes exclus

318

des filières scolaires et professionnelles, aussi bien filles que garçons, ont des taux de consommation beaucoup plus élevés que les autres jeunes. À ce propos, le fait de sortir fréquemment apparaît à cet âge un facteur déterminant d'une consommation « régulière » d'alcool[8]. Enfin, cette consommation est très liée à celle d'autres substances : on sait par exemple que plus de la moitié des usagers de cannabis consomment régulièrement de l'alcool.

De la « teuf » à la « cuite » : les états d'ivresse
Plus du quart des adolescents français rapportent avoir déjà connu l'ivresse[9]. Cela est très inférieur aux moyennes enregistrées chez les autres jeunes Européens, mais ne doit pas pour autant nous rassurer.

Certes, les deux tiers des adolescents qui ont déjà bu de l'alcool au cours de leur vie n'ont jamais été ivres. Mais l'ivresse augmente beaucoup avec l'âge : à 18 ans, deux garçons sur trois et une fille sur deux en ont déjà fait l'expérience[10]. L'âge moyen de la première ivresse est de 15,5 ans, sans réelle différence entre les sexes. Mais près d'un jeune sur dix a connu au moins dix ivresses, avec ici une très forte surreprésentation masculine (13 % des garçons contre 3 % des filles). Enfin, l'ivresse est beaucoup plus le fait d'adolescents n'habitant pas avec leurs deux parents[11], d'adolescents par ailleurs consommateurs réguliers de tabac ou ayant déjà consommé du cannabis[12].

La consommation d'alcool : quels risques immédiats ?

Alcool et accidents
Tous âges confondus, on estime à plus d'un tiers la proportion des accidents mortels de la circulation survenus dans un

contexte d'alcoolisation du conducteur [13]. Dès le seuil légal de 0,5 g/l dépassé, soit après trois ou quatre verres à jeun chez l'adulte, la probabilité d'un accident mortel est déjà multipliée par vingt, et même par cinquante les nuits de week-end[14] ! Cet effet dose est accru chez les jeunes conducteurs. Par ailleurs, plus du tiers des accidents entraînant des blessés graves et presque la moitié des accidents mortels surviennent la nuit[15], période pourtant de très moindre circulation. On sait aussi :

– qu'au vu des statistiques régulièrement publiées, les accidents de la route représentent plus de 40 % de la mortalité parmi les 15-24 ans, les garçons formant presque 80 % de ces tués ;

– qu'en 2001 par exemple, parmi les 15-24 ans, on a compté 47 639 blessés et 2 077 décédés par accident de la route, et que ces décès ont représenté presque *le quart* de l'ensemble des décès de la circulation (alors que les 15-24 ans ne comptaient que pour 13 % de la population totale) ;

– qu'enfin et surtout l'alcoolisation est en cause dans 15 % de ces accidents non mortels et 33 % de ces décès accidentels, proportion identique à celle retrouvée chez les adultes.

Des statistiques plus précises seraient toutefois nécessaires. Aux États-Unis, en 2001, la National Youth Risk Behavior Survey a ainsi indiqué que, durant le dernier mois, 13 % des lycéens avaient bu avant de conduire et 31 % avaient roulé en compagnie d'un chauffeur qui avait bu[16]. En France, il faudrait au moins pouvoir calculer la proportion exacte des jeunes conducteurs tués sur la route et, parmi ces décès, spécifier ceux survenus en soirée ou la nuit et ceux mettant directement en jeu l'alcoolisation du conducteur.

Alcool, sexualité, violence et suicide

Les conséquences les plus graves de la désinhibition et de la « myopie » alcooliques sont sans conteste enregistrées sur la route, comme nous venons de le voir, mais elles ne sont malheureusement pas les seules.

Certaines données d'Europe du Nord indiquent que l'alcool accompagne le premier rapport sexuel chez le quart des adolescents[17]. Aux États-Unis, une étude récente démontre la plus grande vulnérabilité des filles dont la puberté est avancée face au risque de précocité combinée de relations sexuelles, d'alcoolisation et de grossesse[18]. Surtout, nombreuses sont les études qui font état d'une fréquence élevée d'alcoolisation corollaire des violences sexuelles, le lien entre les deux étant évidemment croisé[19]. Certes, la moitié des viols sont le fait d'un agresseur alcoolisé[20]. Mais d'après une étude nationale américaine récente, parmi les adolescentes ayant déjà bu de l'alcool (soit les deux tiers), presque la moitié de celles qui ont été victimes de violences sexuelles avaient consommé de l'alcool juste avant[21].

Comme en population générale[22], l'alcoolisation est un facteur connu du risque suicidaire chez les adolescents[23]. La prise d'alcool peut alors jouer le rôle de symptôme réponse au mal-être sous-jacent, de simple facilitation du passage à l'acte suicidaire ou encore, dans le cas d'une alcoolisation aiguë, de véritable geste ou équivalent suicidaire[24].

Les dangers d'une initiation précoce

La précocité de consommation d'un produit, quel qu'il soit, est un facteur important de prédiction d'une consommation future excessive ou dépendante. Pour l'alcool, le groupe des jeunes de moins de 15 ans apparaît comme particulièrement vulnérable. Une étude canadienne assez récente[25] montre ainsi que dix ans après le début de la consommation :

– parmi ceux qui ont commencé à boire régulièrement à 11 ou 12 ans, 13 % sont retrouvés consommateurs excessifs et 16 % consommateurs dépendants ;

– parmi ceux qui ont commencé à boire à 19 ans ou plus, seulement 2 % sont devenus des consommateurs excessifs et 1 % des consommateurs dépendants.

En outre, si une consommation précoce expose clairement à un plus grand risque de problèmes psychocomportementaux de tous ordres[26], elle fait aussi courir ultérieurement un surrisque d'accident sous l'effet de l'alcool. Une étude conduite il y a quelques années auprès de plus de 42 000 adultes étatsuniens est très explicite sur ce point[27] (voir tableau 1).

1. Surrisque d'accident en fonction de l'âge de début de consommation d'alcool[28]

Sur > 42 000 adultes américains	
Âge de début de consommation	Surrisque d'accident
20 ans	1,39
18 ans	1,33
16 ans	2,38
14 ans	2,96

Les difficultés de la prévention auprès des jeunes

Dans une expertise INSERM sur les démarches et méthodes en éducation pour la santé des jeunes[29], le chapitre consacré à la consommation des produits psychoactifs remarque la pauvreté des données françaises à ce sujet. Or c'est souvent à partir de l'adolescence que l'individu adopte des habitudes pouvant durablement influencer sa santé. On sait bien que l'initiation à l'alcool a presque toujours lieu en famille et que le comportement ultérieur vis-à-vis de l'alcool est largement dicté par l'attitude des parents. En termes d'éducation à la santé[30], ce constat est important pour nous, professionnels, d'autant que les approches traditionnelles sont souvent décevantes[31].

L'échec des approches traditionnelles

Force est d'abord de constater que la majorité des adolescents consommateurs d'alcool ou d'autres produits ne sont pas particulièrement en danger. Cet usage dit « simple » appartient à l'espace de liberté individuelle. En médecine générale, la méconnaissance des conduites d'alcoolisation des adolescents est assez fréquente et, en France, le sujet est spontanément très peu abordé en consultation[32]. Les adolescents qui devraient surtout retenir notre attention sont ceux qui, outre l'alcool, consomment parallèlement d'autres produits (tabac, cannabis) ou cumulent des symptômes de mal-être ; ceux qui font face à des contraintes sociofamiliales difficiles ou qui se trouvent en situation de rupture ; également ceux qui, entre autres motifs évoqués pour boire de l'alcool, sont manifestement en recherche de sensations fortes voire de « défonce »[33]. Les enfants et adolescents de parent(s) alcoolique(s) sont à ce propos particulièrement vulnérables : outre leur surrisque personnel de conduites addictives, on sous-estime souvent chez eux la souffrance engendrée par les multiples retombées familiales et sociales de cette véritable maladie parentale[34].

Ensuite, les adolescents peuvent se montrer très moralistes et condamner sans appel les alcooliques et les toxicomanes, sans pour autant renoncer eux-mêmes à toute consommation. Ce paradoxe a de quoi déconcerter les meilleures intentions.

Enfin, il faut savoir reconnaître et accepter les bénéfices à court terme de la consommation à cet âge : se sentir libre, faire comme les grands, rencontrer l'autre sexe, défier l'autorité, acquérir du prestige auprès des camarades, etc. Faire comme si ces bénéfices n'existaient pas serait, de la part des adultes

« pédagogues », certainement très maladroit et source de non-crédibilité. Cette mise en garde n'est pas spécifique à l'alcool, elle concerne en réalité toutes les conduites d'essai[35].

Les pistes à développer

D'après la littérature internationale, les actions de prévention auprès des jeunes doivent surtout – plutôt que viser l'abstention complète – tendre à limiter les risques d'accidents et les conduites sexuelles à risque liés à l'ivresse, à favoriser une consommation « responsable », etc. Les programmes spécifiques comportent ainsi parfois un volet sur le renforcement des compétences générales. Il s'agit alors de favoriser les capacités à la critique, à la prise de décision, tout en renforçant la résistance aux messages délivrés par les médias ou aux pressions normatives du milieu. Une revue des études contrôlées de langue anglaise ayant évalué les effets de ce type de conseils préventifs prodigués en médecine ambulatoire est en cours de publication[36]. Celle-ci insiste sur l'importance du caractère interactif et personnalisé du *councelling* médical.

Quant aux campagnes médiatiques, si elles peuvent contribuer à modifier les représentations sociales, elles n'agissent pas directement sur les comportements individuels. Les actions de proximité restent donc indispensables. À l'hôpital par exemple, en 2000 dans notre pays, les ivresses chez les jeunes de 15-24 ans ont représenté 7 804 séjours annuels[37]. Depuis la première étude de Thunström sur les ivresses aiguës des adolescents[38], certains auteurs sont allés jusqu'à suggérer l'intérêt d'une détection systématique d'alcoolémie positive aux urgences[39]. En France, une sensibilisation de la communauté pédiatrique a été initiée en 2003[40], doublée d'une étude menée sur les ivresses aux urgences pédiatriques[41]. Dans une

324

logique de prévention tertiaire, l'ANAES[42] a dans le même temps élaboré des recommandations sur la prise en charge de ces situations[43].

Par ailleurs, dans le chapitre « Consommation d'alcool » du rapport pour le projet de loi d'orientation de santé publique[44], des actions à divers niveaux ont été proposées à l'intention des adolescents et des jeunes. Elles se résument en actions préventives : 1. législatives ; 2. spécifiques à l'ivresse routière ; 3. tertiaires (notamment à partir des urgences) ; 4. primo-secondaires ; 5. auprès des parents très en amont (entre autres via le carnet de santé, voir page suivante : « Propositions d'action »).

Enfin, au sein des récentes propositions de dépistage individuel chez l'enfant de 7 à 18 ans[45], destinées aux médecins généralistes, aux pédiatres et aux médecins scolaires, nous avons choisi d'inclure l'alcool au sein des consommations de produits, elles-mêmes considérées comme élément d'un contexte plus large de mise en risque : « Le groupe de travail propose de rechercher une consommation occasionnelle ou régulière de tabac par des questions simples dès l'entrée au collège. Un début précoce de consommation de tabac doit inciter le médecin à rechercher d'autres consommations, à commencer par le cannabis et l'alcool, prise d'anxiolytiques et/ou d'hypnotiques, mais aussi des relations sexuelles précoces ou des conduites à risque »[46].

Propositions d'action

Actions législatives
– Application de la loi Évin : pas de vente d'alcool à un mineur de 16 ans ou d'alcool dépassant la 2e catégorie à un mineur de 16-18 ans. Revoir la catégorisation de la bière, boisson alcoolisée préférée des jeunes.

– Abandon de la notion ambiguë de consommation « modérée » (comme norme de comportement) comme celle de consommation « excessive » (comme risque pour la santé), à remplacer par des seuils bien définis.

Actions préventives spécifiques à l'ivresse routière
– Abaissement du taux légal toléré d'alcoolémie sur la route.

– Devoir d'identification précoce des signes d'ivresse par les divers employés (barmen, etc.).

– Alcoolémie (éthanotest) obligatoire au sortir de boîte de nuit + stratégie du conducteur désigné (« capitaine de soirée ») et organisation du voiturage.

– Réduction de l'accès aux boissons alcoolisées sur la route et la nuit : interdire totalement la vente d'alcool dans les stations-service.

Actions préventives tertiaires
– Gestion cohérente et soutenue des ivresses d'adolescents reçus aux urgences hospitalières : voir les recommandations de l'ANAES (HAS) à ce sujet.

– Pour les jeunes repérés à haut risque, en particulier les garçons : mettre l'accent non pas sur la prévention de l'initiation ou de la consommation occasionnelle (qui s'avère très peu efficace) mais sur les risques du passage à une consommation plus régulière et de l'ivresse.

Actions préventives primo-secondaires

– En consultation (pédiatres, généralistes, médecins ou infirmières scolaires), détection généralisée des conduites de consommation et des antécédents d'ivresse, à l'aide de questions simples, par exemple au sein d'un questionnaire anonyme systématique de préconsultation.

– Cycles de formation spécifiques destinés aux professionnels sur les risques et les besoins spécifiques des adolescents en matière de santé et en particulier de consommation alcoolique (modes de consommation, risques attachés, modalités d'une aide éventuelle), en lien avec les professionnels locaux du réseau communautaire psychosocial.

– Organisation de forums, rencontres adultes-jeunes sur le thème des consommations et de l'alcool, avec exploitation active des expériences rapportées par les jeunes eux-mêmes pour mieux conceptualiser et « orienter » les diverses propositions locales de prévention.

Actions très en amont : le carnet de santé

À l'heure actuelle, aucune recommandation, aucun conseil n'est diffusé par les organismes responsables de la santé publique pour informer les parents du risque alcool chez les jeunes ni les guider dans le processus d'initiation dont ils sont souvent promoteurs. Les quatre pages de conseils généraux que nous avons ajoutées à la fin du carnet de santé en 1995, en direction des jeunes adolescents et de leurs parents, comportent des généralités sur les consommations, mais pas de développement spécifique sur l'alcool. La version toute récente du carnet de santé, refondue et rééditée en 2006, comporte une mise en garde à destination des adolescents vis-à-vis des consommations et du risque encouru en compagnie d'un chauffeur qui a bu. Mais, comme pour la version précédente, ces pages devront par la force des choses attendre plus de dix années avant d'atteindre leur population cible, celle des jeunes adolescents.

NOTES

1. GTNDO, *Élaboration de la loi relative à la politique de santé publique*, rapport 2003, ministère de la Santé, sante.gouv.com/htm/ dossiers (voir « Consommation d'alcool »).

2. Baudier F., Guilbert P., « Alcool », in Arènes J., Janvrin M.-P., Baudier F. (dir.), *Baromètre santé-jeunes 97-98*, Vanves, CFES, 1998, p. 141-154.

3. Varlinskaya E.-I., Spear L.-P., « Acute effects of ethanol on social behavior of adolescent and adult rats : role of familiarity of the test situation », *Alcohol Clin. Exp. Res.*, p. 26 (10), p. 1502-1511.

4. Godeau E., *Les Années collège. Enquête HBSC 1998 auprès des onze-quinze ans en France*, Paris, CFES, 1998.

5. Beck F., Legleye S., Peretti-Watel P., *Santé, mode de vie et usages de drogues à 18 ans. ESCAPAD 2001*, Paris, OFDT, 2001 ; Beck F., Legleye S., Peretti-Watel P., *Regards sur la fin de l'adolescence. Consommations de produits psychoactifs dans l'enquête ESCAPAD 2000*, Paris, OFDT, 2001.

6. GTNDO, *Élaboration de la loi...*, *op. cit.*

7. Beck F., *op. cit.*

8. Choquet M., « Alcoolisation des jeunes. Quelle fréquence ? Quelle évolution ? Quelle signification ? », in *Alimentation de l'enfant et de l'adolescent*, colloque CERIN, 2004, p. 219-232.

9. Baudier F., Guilbert P., « Alcool », art. cit.

10. Beck F., *Santé, mode de vie et usage des drogues à 18 ans*, *op. cit.*

11. Bjarnason T., Andersson B., Choquet M., Elekes Z., Morgan M., Rapinett G., « Alcohol culture, family structure and adolescent alcohol use : multilevel modeling of frequency of heavy drinking among 15-16 year old students in 11 european countries », *J. Stud. Alcohol*, 2003, 64 (2), p. 200-208.

12. Baudier F., « Alcool », art. cit.

13. INSERM, *Alcool, dommages sociaux, abus et dépendance. Expertise collective*, Paris, INSERM, 2003.

14. Reynaud M., Le Breton P., Gilot B., Ervialle F., Falissard B., « L'alcoolémie est positive dans 2 accidents mortels sur 3 la nuit », *Rev. Prat. Méd. Gén.*, 2002, n° 16, p. 1701-1706.

15. Prévention routière, 2000.

16. Grunbaum J.-A., Kann L., Kinchen S.-A., Williams B., Ross J.-G., Lowry R., Kolbe L., « Youth risk behavior surveillance – United States, 2001 », *MMWR Surveill. Summ.*, 2002, 51 (4), p. 1-62.

17. Häggström-Nordin E., Hanson U., Tyden T., « Sex behavior among high school students in Sweeden : improvement in contraceptive use over time », *J. Adolesc. Health*, 2002, 30, p. 288-295.

18. Deardorff J., Gonzales N.A., Christopher S., Roosa M.-W., Millsap R.-E., « Early puberty and adolescent pregnancy : the influence of alcohol use », *Pediatrics*, 2005, 116 (6), p. 1451-1456.

19. Kaysen D., Neighbors C., Martell J., Fossos N., Larimer M.-E., « Incapacitated rape and alcohol use : a prospective study », *Addict Behav.*, 2006, 31 (10), p. 1820-1832.

20. Abbey A., Zawacki T., Buck P.O., Clinton A.M., McAuslan P., « Sexual assault and alcohol consumption : what do we know about their relationship and what types of research are still needed ? », *Aggr. Viol. Behav.*, 2003, 277, p. 1-33.

21. Champion H.-L., Foley K.-L., Durant R.-H., Hensberry R., Altman D., Wolfson M., « Adolescent sexual victimization, use of alcohol and other substances, and other health risk behaviors » *J. Adolesc. Health*, 2004, 35 (4), p. 321-328.

22. Ramstedt M., « Alcohol and suicide in 14 European countries », *Addiction*, 2001, 96 (Suppl. 1), p. 59-75.

23. Light J.-M., Grube J.-W., Madden P.-A., Gover J., « Adolescent alcohol use and suicidal ideation. A nonrecursive model », *Addict. Behav.*, 2003, 28, p. 705-724.

24. Muszlak M., Picherot G., « Intoxication alcoolique aiguë de l'adolescent aux urgences. Une enquête prospective multicentrique française », *Alcoologie et Addictologie,* 2005, 27 (1), p. 5-12.

25. Dewit D.J., Adlaf E.M., Offord D. R., Ogborne A.C., « Age at first alcohol use : a risk factor for the Development of Alcohol Disorders », *Am. J. Psychiatry*, 2000, 157 (5), p. 745-750.

26. Ellickson P.-L., Tucker J.-S., Klein D.-J., « Ten-year prospective study of public health problems associated with early drinking », *Pediatrics*, 2003, 111 (5), p. 949-955.

27. Hingson R.-W., Heeren T., Jamanka A., Howland J., « Age of drinking onset and unintentional injury involvement after drinking », *JAMA*, 2002, 284 (12), p. 1527-1533

28. *Id.*

29. INSERM, *Alcool, effets sur la santé. Expertise collective de l'INSERM,* Paris, INSERM, 2001.

30. Michaud P.-A., Baudier F., Sandrin-Berthon B., « L'éducation pour la santé », in Michaud P., Alvin P. *et al. La Santé des adolescents.*

Approches, soins, prévention, Lausanne, Payot ; Paris, Doin ; Presses de l'université de Montréal, 1997, p. 611-619.

31. Alvin P., Deschamps J.-P., « Santé, risques et "mises en risque" à l'adolescence. Réflexions sur certaines priorités contemporaines », *Ann. Pédiatr.*, 1999, n° 45 (5), p. 378-384.

32. Picard V., Gerbaud L., Perthus I., Clément G., Glanddier P.-Y., « Reynaud M., « Place du médecin de famille dans la prévention des conduites d'alcoolisation chez les adolescents », *Rev. prat. Méd. gén.*, 2002, n° 16 (575), p. 796-799.

33. Menetrey A. C., « L'alcool, le tabac, des drogues légales toujours bien présentes », in *La Santé des adolescents, op. cit.*, p. 611-619.

34. Werner M.J., Joffe A., Graham A.V., « Screening, early identification, and office-based interventions with children and youth living in substance-abusing families », *Pediatrics* (suppl.), 1999, 103 (5, part 2), p. 1099-1112.

35. Alvin P., Marcelli D., « Conduites à risque et accidents », in Alvin P., Marcelli D., *Médecine de l'adolescent*, Paris, Masson, 2005, 2e éd., p. 317-324.

36. Boekeloo B.-O., Griffin M.-A. « Review of clinical trials testing the effectiveness of physician intervention approaches to improve alcohol education and councelling in adolescent outpatients », *Curr. Pediatr. Rev.* (sous presse).

37. Cf. PMSI.

38. Thunström M., « The alcohol intoxicated child and its prognosis », *Acta Paediatr. Scand.*, 1988, 77, p 3-9.

39. Spirito A., Barnett N.-P., Lewander W., Colby S.-M., Robsenow D.-J., Eaton C-A, *et al.*, « Risks associated with alcohol-positive status among adolescents in the emergency department : a matched case-control study », *J. Pediatr.*, 2001, 139, p. 694-699 ; Colby S.-M., Barnett N.-P., Eaton C.-A., Spirito A., Woolard R., Lewander W. *et al.*, « Potential biases in case detection of alcohol involvement among adolescents in an emergency department », *Pediatr. Emerg. Care*, 2002, 18, p. 350-354.

40. Alvin P. *et al.*,« L'adolescence et l'alcoolisation » (table ronde), *Arch. pédiatr.*, 2003, n° 10 (suppl. 1), p. 137-147*sq.*

41. Muszlak M., « Intoxication alcoolique aiguë de l'adolescent aux urgences », art. cit.

42. Aujourd'hui Haute Autorité de santé.

43. ANAES, *Orientations diagnostiques et prises en charge, au décours*

d'une intoxication éthylique aiguë, des patients admis aux urgences des établissements de soins (recommandations), septembre 2001.

44. GTNDO, *Élaboration de la loi…, op. cit.*

45. HAS, *Propositions portant sur le dépistage individuel de l'enfant de 7 à 18 ans, destinées aux médecins généralistes, aux pédiatres et aux médecins scolaires,* Service des recommandations professionnelles (www.has-sante. fr, section publications).

46. *Ibid.*, p. 12.

20.

De l'expérimentation à l'excès

Résultats d'une recherche clinique
menée auprès de collégiens, lycéens et étudiants

ALEXANDRE PEYRE, VALÉRIE DISCOUR, MARJORIE TOLLEC,
ÉLODIE PASSERI ET JOSÉPHINE TRUFFAUT

Les jeunes Français consomment en moyenne moins d'alcool que leurs prédécesseurs, plus ponctuellement, mais de manière massive. Que recherchent-ils à travers ce nouveau comportement ? Des ivresses ? Certainement, mais au-delà ? Une équipe de l'Institut de psychologie de l'université Paris-V s'est intéressée à l'étude des motivations des collégiens, des lycéens et des étudiants à s'alcooliser ainsi. À partir des données épidémiologiques, un autoquestionnaire a été élaboré en vue de dégager les principales caractéristiques de consommation. La recherche s'est centrée sur l'analyse des facteurs d'âge et de genre dans les différents modes de consommation. Dans un second temps, l'analyse d'entretiens de recherche et de tests projectifs (Rorschach et Thematic Aperception Test, TAT) nous permettra de mieux comprendre ce qui se joue d'un point de vue psychodynamique.

L'enquête ESCAPAD 2005, menée par l'Observatoire français des drogues et des toxicomanies, confirme une baisse de la consommation régulière chez les jeunes de 17 ans depuis 2003. Cette baisse apparaissait déjà dans l'enquête de l'Institut de recherche sur les boissons datant de 2001 sur une population de 13-20 ans. À partir de ces études et du baromètre 2000 de l'Institut national de prévention et d'éducation pour la santé, de grandes tendances se dégagent : l'âge moyen déclaré de première consommation sans les parents est de 14 ans, et plus les sujets sont jeunes plus ils déclarent avoir bu pour la première fois précocement ; la première ivresse a lieu en moyenne au cours de la quinzième année ; à 17 ans, plus de la moitié des jeunes déclarent avoir déjà été ivres ; de plus, les 20-25 ans qui consomment sont les buveurs qui reconnaissent le plus d'ivresses par rapport à la population générale, sur les douze derniers mois, plus de sept pour les garçons et plus de trois pour les filles.

De nombreuses études révèlent l'importance des facteurs comportementaux. D'un autre point de vue, il est difficile de ne pas envisager la consommation d'alcool à l'adolescence comme associée aux processus normaux et pathologiques de cette période de la vie. Il est alors nécessaire de différencier la simple rencontre avec le produit des premiers signes de l'installation d'une dépendance. À cet âge se dégagent deux facteurs de prédisposition à un alcoolisme : l'alcool au sein d'une polytoxicomanie et l'alcoolisation solitaire.

En coordination avec les services de médecine préventive, notre étude portant sur les conduites de consommation chez les adolescents et les jeunes adultes scolarisés (12-25 ans) a eu lieu en milieu scolaire, universitaire et au sein de grandes écoles à la fin de l'année scolaire 2005-2006. Outre les comportements de consommation, nous avons cherché les caractéristiques cliniques liées à l'usage d'alcool ainsi que les éventuelles difficultés psychologiques sous-jacentes. Nos hypothèses font apparaître deux axes principaux : la consommation en général et la consommation abusive.

Concernant la consommation en général, comme le mettent en avant les données de la littérature, on s'attend à retrouver l'âge et le sexe comme facteurs de mode de consommation des jeunes : la consommation serait plus importante et fréquente chez les plus âgés et chez les hommes. D'autres modalités de consommation seraient également liées à ces deux facteurs : les moments, le type de boissons et les effets recherchés. Concernant la consommation abusive, on s'attend à observer des spécificités tant au niveau des modalités de consommation que des effets recherchés.

La participation de chaque sujet (N = 648) a consisté, dans un premier temps, à remplir un autoquestionnaire constitué d'items relatifs aux données sociodémographiques du sujet, à son environnement familial, ses activités, ses loisirs, ses relations avec ses pairs, son état émotionnel. D'autres questions renseignant sur la consommation d'alcool, de cannabis ou de tabac proviennent d'enquêtes françaises ou européennes (ESCAPAD, IREB) ou de tests déjà validés en français et présentant de bonnes qualités métrologiques (Crafft, questionnaire d'auto-évaluation cannabis, Fagerström). Des modifications y ont parfois été apportées. Dans un second temps – après tirage au hasard au sein de groupes de consommateurs préalablement constitués – a été mené un entretien clinique de recherche, ainsi que la passation d'épreuves projectives (Rorschach et TAT)[1].

Nous ne présenterons ici que les résultats issus du dépouillement des questionnaires dont une analyse descriptive des données brutes a été réalisée, en examinant les moyennes et les écarts types.

1. Effectif des sujets en fonction du sexe et de la classe d'âge

	Hommes	Femmes	Total
Collégiens	105	145	250
Lycéens	78	162	240
Étudiants	80	68	148
Total	263	375	648

La consommation d'alcool selon le sexe et l'âge

Une grande majorité des sujets déclarent avoir déjà consommé de l'alcool au cours de leur vie. Il n'y a pas de différences notables en fonction du sexe. Par contre, on observe une différence importante au niveau des classes d'âge, les plus âgés (lycéens et étudiants) étant plus nombreux à avoir déjà consommé. 65,4 % des sujets estiment par ailleurs que l'information sur l'alcool est suffisante.

La consommation d'alcool et l'ivresse sont de plus en plus précoces. La moyenne d'âge de la première consommation d'alcool est de 11 ans 2 mois. Les écarts observés entre les sexes sont minimes, mais il y a une différence de deux ans entre les collégiens (10 ans 4 mois) et les étudiants (12 ans 4 mois).

La moyenne d'âge de la première consommation d'alcool sans les parents est de 13 ans 7 mois. On retrouve la même tendance que pour la première consommation d'alcool, avec un écart de plus de deux ans entre les collégiens (12 ans 5 mois) et les étudiants (14 ans 10 mois), mais les moyennes d'âge sont plus élevées.

2. Âge de la première consommation d'alcool et de la première consommation d'alcool sans les parents en fonction du sexe et de la classe d'âge

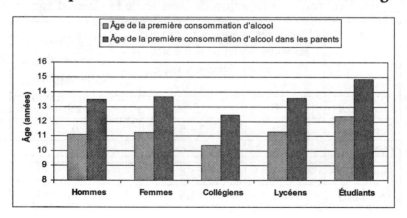

La première ivresse a lieu en moyenne vers 14 ans 9 mois. De nouveau il n'y a pas de différences entre les sexes mais entre les classes d'âge. En effet, les collégiens sont ivres pour la première fois plus tôt (13 ans 1 mois) que les étudiants (16 ans 3 mois).

Les hommes et les étudiants consomment plus fréquemment de l'alcool et sont plus concernés par l'ivresse. En moyenne, et tous types d'alcools confondus, les hommes consomment plus fréquemment que les femmes. Celles-ci sont plus nombreuses à répondre ne jamais ou rarement consommer d'alcool. Par rapport aux classes d'âge, les étudiants déclarent boire plus fréquemment que les autres sujets, tandis que la majorité des collégiens disent ne jamais consommer d'alcool.

Les différences de fréquence de consommation entre les sexes et les classes d'âge se retrouvent également pour l'ivresse. En effet, plus d'hommes (48,8 %) que de femmes (44,9 %) disent avoir déjà été ivres au cours de leur vie. De même, 34 % des hommes et 23,5 % des femmes déclarent avoir été souvent ivres au cours des douze derniers mois, les hommes rapportant sur cette même période deux fois plus d'ivresses que les femmes.

3. Taux d'ivresses au cours de la vie et au cours des douze derniers mois et nombre d'ivresses au cours des douze derniers mois en fonction du sexe et de la classe d'âge

	Déjà ivres au cours de la vie (%)	Souvent ivres au cours des douze derniers mois (%)	Nombre d'ivresses au cours des douze derniers mois
Hommes	48,8	34	19
Femmes	44,9	23,5	9
Collégiens	27,5	15,9	4
Lycéens	53,3	32,4	15
Étudiants	65,9	38,5	16

Il existe une différence importante entre les classes d'âge : les étudiants déclarent avoir été plus souvent ivres que les collégiens. En outre, étudiants et lycéens rapportent trois fois plus d'ivresses que les collégiens au cours des douze derniers mois.

Les occasions de consommation

L'ensemble des sujets déclarent consommer de l'alcool plus fréquemment entre amis et en famille, et privilégient la bière et les premix au vin et à l'alcool fort.

On relève que, de façon surprenante, plus de la moitié des sujets (52,6 %) déclarent ne pas consommer davantage pendant les vacances.

Les effets recherchés dans la consommation d'alcool : les hommes et les étudiants

La grande majorité des sujets (72 %) déclarent consommer de l'alcool « pour faire la fête ». Les autres effets se répartissent en deux grandes tendances : d'une part les facteurs liés à la sociabilité (c'est-à-dire « parce que c'est convivial »), d'autre part ceux liés à la modification d'un état interne (c'est-à-dire « pour me relaxer »). On observe que les femmes sont plus nombreuses à rechercher les effets autothérapeutiques de l'alcool. On retrouve des différences entre les classes d'âge, même si pour certains effets recherchés il y a peu d'écart entre les lycéens et les étudiants. Presque tous les effets concernent davantage les étudiants. On peut souligner que plus de la moitié des collégiens déclarent consommer de l'alcool « pour connaître de nouvelles sensations ».

Les difficultés psychologiques : les femmes et les lycéens

D'une manière générale, l'ensemble des sujets présentent plus de signes anxieux (être inquiet, avoir du mal à s'endormir, se réveiller la nuit) que de signes dépressifs (se sentir déprimé, être désespéré en pensant à l'avenir, penser au suicide). On retrouve cependant des différences selon le sexe et l'âge des sujets.

Les femmes expriment en effet davantage d'inquiétude et rendent compte de plus de signes dépressifs que les hommes. Quant aux lycéens, ils présentent plus de signes anxiodépressifs que les deux autres classes d'âge, même si les signes dépressifs apparaissent également fréquemment chez les étudiants.

Les profils de consommation d'alcool

Dans notre échantillon, 66,1 % des sujets déclarent ne jamais consommer d'alcool ou rarement (groupe 1), 30,1 % des sujets reconnaissent consommer occasionnellement de l'alcool (groupe 2), enfin 3,8 % des sujets ont une consommation abusive d'alcool (groupe 3).

Les sujets ayant une consommation abusive d'alcool se distinguent des deux autres groupes de sujets sur les points suivants : *leur consommation est plus précoce, plus fréquente, et parfois solitaire*. En moyenne, ces sujets ont consommé de l'alcool pour la première fois sans leurs parents plus tôt par rapport aux deux autres groupes.

4. Moyenne d'âge de la première consommation d'alcool sans les parents en fonction du groupe d'appartenance

	Âge de consommation d'alcool sans les parents
Groupe 1	13 ans 7 mois
Groupe 2	13 ans 8 mois
Groupe 3	13 ans 1 mois

La consommation est beaucoup plus fréquente, quel que soit l'alcool : les sujets du groupe 3 déclarent consommer fréquemment les quatre types d'alcool, et plus particulièrement de l'alcool fort et des premix. Les sujets ayant une consommation occasionnelle d'alcool consomment davantage de la bière.

Les trois groupes diffèrent également par la fréquence de consommation. On observe ainsi un écart de plus d'un point entre les groupes 1 et 3 pour la consommation d'alcool fort.

5. Fréquence de consommation de différents alcools en fonction du groupe d'appartenance

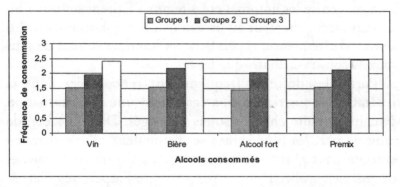

(1 = jamais ; 2 = rarement ; 3 = une fois par semaine ; 4 = plusieurs fois par semaine).

Les sujets du groupe 3 obtiennent des fréquences de consommation plus élevées que les deux autres groupes, quelle que soit la personne avec qui ils consomment de l'alcool (amis, famille, en couple, seul). Cependant, l'écart le plus important entre le groupe 1 et 3 concerne *la consommation solitaire.*

Tendances générales

La tendance la plus remarquable est l'avancée de l'âge de la première consommation d'alcool. Cette donnée concerne également l'âge de la première ivresse, significativement plus précoce chez les sujets plus jeunes. De notre point de vue, et comme on l'a déjà souligné[2], il n'est pas indifférent de rapprocher l'avancée de la puberté biologique – et donc un surgissement du pubertaire lui aussi plus précoce – de celle de l'âge de la première consommation. Tandis que nous retrouvons des écarts importants entre les classes d'âge, les différences minimes entre les hommes et les femmes laissent supposer un certain rapprochement au niveau de ces comportements. En termes de fréquence, cependant, les hommes restent de plus grands consommateurs que les femmes.

Parmi les données fréquemment rencontrées dans la littérature, nous retrouvons également une consommation plus importante chez les sujets plus âgés. Dans la façon de consommer, les plus jeunes se distinguent, d'une part, en consommant plus fréquemment entre pairs ou en couple, et moins en famille. D'autre part, malgré l'aspect régulier de leur consommation (le samedi soir, les vacances), celle-ci n'en apparaît pas moins « circonstanciée », rattachée à certaines occasions qui s'inscrivent par-dessus tout dans un contexte de recherche de « nouvelles sensations ». Cela étant, les données concernant les plus jeunes sous-évaluent peut-être la consommation réelle de certains d'entre eux. Compte tenu du fait que les questionnaires des sujets mineurs ont nécessité l'accord préalable des parents, et malgré nos garanties de confidentialité, quelques sujets ont en effet exprimé des craintes à répondre authentiquement.

En matière d'ivresse, si les lycéens rapportent quasiment le même nombre d'ivresses au cours de l'année que les étudiants, ces derniers sont néanmoins plus nombreux à dire avoir été souvent ivres sur la même période. On peut s'interroger sur ce décalage entre l'impression d'avoir été souvent ivres et l'évaluation du nombre d'ivresses correspondantes. Plus généralement, c'est sur le terme même d'« ivresse » et sur ce qu'il peut signifier au niveau de l'expérience de chacun que l'aspect subjectif devrait être davantage pris en compte pour l'analyse de ces données.

Difficultés psychologiques et consommation d'alcool

Parmi les liens que nous avons cherchés entre les comportements d'alcoolisation et les facteurs d'ordre psychologique, nous avons voulu explorer la présence ou non de difficultés liées à l'anxiété ou au mal-être, ainsi que différentes « raisons » de consommer. Plus précisément nous pensions établir un lien entre des difficultés rapportées et un certain usage « autothérapeutique » de l'alcool.

La majorité des sujets donnent les réponses classiques d'une consommation rattachée à la sociabilité, les hommes insistant sur la notion de fête et le fait d'être avec des amis.

En ce qui concerne les difficultés d'ordre psychologique, les femmes et les lycéens sont les plus nombreux à en rapporter. Ils se distinguent cependant sur les raisons de consommer : les femmes donnent davantage de raisons « directes », liées à l'alcool comme moyen de diminuer l'angoisse, tandis que les lycéens mettent l'accent sur la recherche de la sensation de « défonce ».

On retrouverait ainsi plus ou moins certains traits des types d'alcoolisme adulte dont parle Pierre Coslin, soit le type « féminin » plus introspectif, et le type « masculin » davantage inscrit dans le groupe. Parallèlement, l'usage féminin pourrait être qualifié de « nocif » dès lors que la consommation d'alcool vient pallier des difficultés psychiques, tandis que l'usage masculin serait « abusif » lorsque l'excès d'alcool permet de dépasser ses limites.

Concernant la recherche de la sensation de « défonce », plus présente chez les lycéens, on peut se demander si cette mise en avant des sensations physiques ne leur permettrait pas de masquer et de dénier d'éventuelles difficultés psychiques par le recours à l'agir spécifique que représente l'alcool pour ces adolescents.

Quelques caractéristiques de la consommation abusive

La loi

Nous avions fait l'hypothèse que ces sujets se distingueraient par une méconnaissance de la législation, qui les ferait négliger les risques associés à une consommation d'alcool abusive. Les résultats obtenus dans ce registre sont ténus, ce qui montre une certaine indépendance des deux registres, la connaissance des risques ou des lois en matière d'alcool n'empêchant absolument pas qu'ils soient transgressés. Au contraire, la meilleure connaissance de ces sujets relative à l'interdiction d'être ivre dans un lieu public, par exemple, montrerait que la notion des règles et des interdits est présente, qu'elle fait partie de ce qui entoure la consommation d'alcool (les sujets ne consommant pas n'ayant aucune « raison » de se sentir concernés par cette loi).

Poids et place de l'alcool chez le consommateur abusif

L'*âge de la première consommation d'alcool*, significativement plus jeune chez le consommateur abusif, permet d'expliquer que le produit gagne de plus en plus d'importance dans la vie de celui-ci. La consommation actuelle est ainsi plus fréquente, moins rattachée à des occasions particulières, et elle se distingue également par le fait qu'elle concerne tous les types d'alcool, contrairement à la consommation occasionnelle, circonscrite à la bière. On peut supposer qu'à chaque lieu puisse correspondre un alcool, augmentant ainsi les opportunités de consommer.

Le *type d'alcool* le plus consommé, et de manière significativement plus importante qu'au sein des autres groupes, est l'alcool fort. Sachant que les doses sont habituellement plus « généreuses » dans les soirées à la maison que dans les bars ou les discothèques, on peut facilement imaginer que l'alcool fort est choisi afin de conduire à cet état, recherché pour lui-même, d'une ivresse rapide et radicale, et qui caractérise le plus la manière de boire des jeunes consommateurs abusifs.

Le *fait de boire seul* apparaît comme un marqueur hautement significatif, évoquant un premier trait de ressemblance avec l'alcoolisme adulte. Quasiment absent chez les autres consommateurs, il est placé avant la consommation en couple par les consommateurs abusifs. Cette dernière caractéristique interroge alors clairement la place symbolique occupée dans l'économie psychique de ces sujets, notamment dans le rapport à l'autre et à ses aléas durant l'adolescence.

Comme nous l'avons indiqué au départ, ces résultats, préliminaires, sont en voie d'être complétés par de nouvelles passations et donneront lieu à une communication ultérieure, plus approfondie. Les limites qu'ils peuvent présenter à l'heure actuelle sont ainsi à mettre sur le compte de l'aspect exploratoire de notre recherche et des moyens mis en œuvre pour exploiter nos données. Nous poursuivons actuellement cette étude, plus particulièrement sur la consommation abusive.

L'analyse des entretiens de recherche et des tests projectifs nous permettra de mieux comprendre ce qui se joue d'un point de vue psychodynamique.

D'un point de vue clinique, notre travail interroge la qualité des assises narcissiques, les investissements narcissiques et objectaux et le travail identificatoire. On s'attend en effet à observer chez les jeunes consommateurs abusifs ou nocifs des modalités différentes dans ces trois registres précités. Au niveau projectif, nous nous sommes demandé si nous allions retrouver une constante au niveau de la problématique de l'angoisse ou de l'organisation défensive. On s'attend ainsi à observer chez les consommateurs abusifs/nocifs une quête d'étayage plus marquée, une certaine porosité des limites, ainsi qu'une prévalence des défenses narcissiques au niveau de l'organisation défensive.

L'entretien semi-directif de recherche, en préparant à la passation des épreuves projectives, permet d'apprécier la qualité du discours du sujet, la façon dont il se représente dans sa propre histoire, ainsi que la souplesse de ses représentations, notamment parentales. Il aborde les thèmes présents dans l'autoquestionnaire, en particulier la qualité des relations avec l'entourage ou l'investissement des études, mais compris dans une dynamique affective et intellectuelle plus globale et plus spécifique au sujet. Les questions sur la consommation d'alcool s'intègrent à l'évocation des relations avec les pairs et tentent de cerner la place et la signification que le sujet donne à son rapport individuel à l'alcool.

NOTES

1. Conformément au respect de la personne nous avons recueilli le consentement libre et éclairé de chaque participant (et des parents

pour les sujets mineurs). Nous avons respecté le principe de bienfaisance (aucune nuisance n'est conséquente à cette étude) et le principe de justice et d'équité (non-exploitation de personnes vulnérables).
2. Martin C.-A., Kelly T.-H., Rayens M.-K. *et al.*, « Sensation seeking, puberty and nicotine, alcohol and marijuana use in adolescence », *Journal of the American Academy of Child and Adolescent Psychiatry*, 2002, 41, p. 1495-1502.

21.

Pour une prise en charge globale des dépendances

MARC VALLEUR ET ÉLISABETH ROSSÉ

Il est très généralement admis que la toxicomanie, l'alcoolisme, le tabagisme et les autres dépendances se constituent le plus souvent au cours ou au décours de l'adolescence et que la précocité des premières consommations ou des premiers abus constitue un élément pronostique péjoratif en matière de conduites addictives.

L'anamnèse dans la clinique des addictions comme les recherches épidémiologiques confirment cette importance de la période d'adolescence en tant que phase d'initiation à la consommation de substances psychoactives et, surtout, en tant que moment où se fixent durablement les modalités ultérieures de ces consommations. Celles-ci vont en effet participer à la constitution d'une identité, en tant qu'élément d'appartenance ou de distinction d'un groupe, et c'est – entre autres – pour cette raison que les publicitaires ciblent tout particulièrement les adolescents dans leurs campagnes, qu'il s'agisse de promouvoir des marques de vêtements ou de chaussures de sport, mais aussi de tabac ou d'alcool. Les stratégies préventives doivent donc a contrario tendre, par des mesures visant l'ensemble des jeunes, à retarder l'âge des premières consommations et viser, par des « contre-publicités », à promouvoir d'autres images et d'autres modèles d'identification.

346

Mais il est aussi évident que les dépendances vraies, alcoolisme, toxicomanie, jeu pathologique, etc., ne surviennent que bien plus tard, souvent après des années de pratique de consommation, et sont exceptionnelles chez les adolescents. Les stratégies « curatives », destinées à agir le plus tôt possible de façon thérapeutique, se heurtent au fait évident qu'il s'écoule un temps certain, généralement très long, avant que la « carrière » de dépendant ne conduise à une demande de soins et à une prise en charge.

Les conséquences de l'abus et de la dépendance à l'alcool ou au tabac sont bien connues, mais les troubles (cirrhose, cancer, etc.) surviennent bien loin après l'instauration de la dépendance, plus loin encore des premiers abus, et encore plus à distance des premières consommations. Dans ce contexte, il existe souvent une tension, un décalage entre les cliniciens d'un côté, les décideurs et les acteurs du champ de la santé publique de l'autre : les premiers fondent l'essentiel de leur action sur la demande des personnes concernées, alors que les seconds se réfèrent à des indicateurs objectifs de dangerosité des pratiques de consommation. Mais il doit malgré tout être possible de mettre en œuvre des actions ciblées, visant à prévenir les dépendances en luttant contre les usages problématiques, en dépistant de façon précoce les prémices d'instauration d'une dépendance.

Les premières stratégies préventives s'adressent donc à l'ensemble de la population, les autres tendent à cibler des groupes ou des individus vulnérables ou « à risque » afin de développer des modalités d'intervention spécifiques. Les interventions précoces peuvent consister, lorsque l'addiction n'est pas constituée, en « conseil minimum », en entretiens motivationnels, en façons d'aider le patient à construire le problème. Partant de la prévention, elles se rapprochent des logiques cliniques, sans toutefois s'inscrire en première intention dans un cadre clairement thérapeutique.

Une autre approche, partant de la clinique, nous paraît pouvoir constituer un axe d'action préventive : le recours à la notion d'addiction au sens large, comme à celle de toxicomanie sans drogue permet un abord des formes les plus précoces de dépendance. Approche thérapeutique, fondée sur la demande des sujets et celle de leur entourage, elle peut constituer à la fois une modalité d'intervention précoce en matière de dépendances et une façon de prévenir le passage à des dépendances plus « dures », alcoolisme ou toxicomanies. Cela parce que certaines formes d'abus, d'excès ou d'addiction, comme la dépendance aux jeux vidéo, sont d'instauration rapide lors de l'adolescence et, posant par exemple des problèmes de scolarité, donnent rapidement lieu à des demandes familiales. Mais aussi parce que des conduites addictives, comme le jeu d'argent, même si elles restent très stigmatisées socialement, pourraient parfois être abordées cliniquement plus tôt que l'alcoolisme, auquel elles sont souvent associées.

Quelques exemples cliniques peuvent nous permettre d'illustrer cette problématique.

Quentin, 19 ans, a pris contact par téléphone avec le centre Marmottan en janvier 2004 pour un problème de dépendance aux jeux vidéo : il joue de façon excessive depuis un an à *Dark Age of Camelot*, un jeu d'aventure en univers persistant, dans lequel il incarne un guérisseur. Actuellement, il redouble sa terminale, section bâtiment, et, pour essayer de restreindre son temps de jeu, il a lui-même fait le choix d'un internat parisien. Cependant, il passe la plupart de ses soirées à jouer chez l'un de ses frères aînés qui habite à Paris, ainsi que les week-ends au domicile familial dans l'Oise. En quelques séances, la situation s'améliore. Quentin réussit à mettre peu à peu le jeu à distance : en changeant de guilde[1], en se construisant un nouveau personnage plus à l'initiative d'actions (guerrier et non plus guérisseur). La dernière extension du jeu par son fonctionnement contribuant pour lui à cette mise à distance, il fait officiellement ses adieux aux autres joueurs. Parallèlement, il développe des relations amicales, affectives avec certains de ses camarades d'internat. Il considère avoir mis sa vie entre parenthèses pendant sa période intensive de jeu, décrivant un comportement de contemplation, une « phobie de l'expérience », des angoisses concernant ses capacités à parler, écrire, se souvenir. Il s'intéresse de plus en plus aux filles et recherche leur compagnie. Depuis une forte désillusion lors de sa première expérience amoureuse à l'âge de 15 ans, il préférait se tenir à l'écart, privilégiant les amitiés féminines plutôt que de se confronter à une réalité ressentie comme décevante.

En revanche, sa motivation pour les études ne s'est pas améliorée et, avec ses parents, les relations restent difficiles : ses résultats scolaires moyens et son avenir professionnel cristallisent angoisses et tensions, surtout avec sa mère. Quentin est le troisième enfant d'une fratrie de cinq frères ; l'un de ses petits frères est atteint d'une maladie cardiaque grave nécessitant une attention intense et particulière dont il dit avoir souffert, se sentant moins investi par ses parents. Depuis que le jeu ne constitue plus son occupation principale, Quentin évoque beaucoup l'ennui, le vide. S'il est aux prises avec les réalités de ses études, l'échéance du bac et les inquiétudes de ses parents étant là pour le lui rappeler, il développe à ce sujet essentiellement une stratégie du moindre effort ; sa réflexion étant envahie par des questionnements existentialistes, par sa vision désenchantée du monde et des autres. Durant un mois, Quentin n'est pas revenu : absence qui s'explique en partie par le passage d'épreuves du bac blanc, des vacances scolaires, mais aussi… par une rechute. Pendant les vacances chez ses parents, il a de nouveau joué, mais le jeu ne lui a pas apporté le réconfort attendu, son personnage principal ayant perdu beaucoup de sa valeur en à peine deux mois. Quentin dit ne pas s'être reconnu dans son comportement avec ses parents, agressif sans raison, buvant plusieurs bières dans la journée. Sa consommation d'alcool a selon lui beaucoup augmenté au cours de ce dernier mois. À l'internat tout d'abord, où, à défaut de fumer du cannabis comme ses autres camarades, il préfère la vodka, en quantité importante ; chez ses parents ensuite, où la tradition est plutôt la consommation de whisky. Quentin s'est refermé sur lui-même, évoquant des problèmes de communication, sa retenue auprès des autres, préférant se taire voire fuir plutôt que d'exprimer son opinion et éprouvant des difficultés à faire respecter son espace, se sentant abusé.

Quentin est un bon représentant d'une nouvelle catégorie potentielle de patients pour des centres d'accueil et de soins qui s'adresseraient à l'ensemble des dépendances : les jeunes « accros » des jeux en ligne sur Internet. Comme nombre d'entre eux, il a développé une dépendance à un « MMORPG » (*Massively Multiplayer Online Role Playing Game* ou « jeu de rôle en ligne massivement multijoueurs »), c'est-à-dire à un jeu d'aventures en univers persistant. Les premières séances du traitement ont surtout consisté à lui permettre de parler de son jeu, des rôles qu'il y joue, de ses attentes comme des plaisirs qu'il peut y prendre. Peu à peu, il a pu aborder ses difficultés scolaires, puis les tensions intra-familiales, qui ont de loin précédé ses problèmes d'études et d'engloutissement dans le jeu. Dans son cas comme dans bien d'autres, nous avons affaire à une problématique qui semble rapidement mobilisable, et après moins de deux mois de suivi, à raison d'une séance par semaine, le cadre psycho-thérapeutique permet de dépasser les simples conseils d'aide au contrôle ou à l'abstinence du jeu, pour se rapprocher d'un suivi de jeune présentant des troubles phobiques, dans un contexte de difficultés familiales anciennes. Mais si cet abord relativise la place de l'addiction au jeu, qui apparaît plus symptomatique que processuelle, il met aussi en évidence une possibilité (qui est certes loin d'être la règle) de déplacement de symptômes, à travers les débuts d'une alcoolisation avec répétition des ivresses.

Nous avons donc, à partir d'une consultation demandée spontanément par le patient lui-même, assisté chez ce jeune homme à ses premières consommations problématiques d'alcool. Comme ces consommations apparaissent au décours d'une phase problématique d'engloutissement dans le jeu, le sujet n'a guère de difficultés à en percevoir la dimension potentiellement addictive : le jeu a été un refuge, une façon de s'anesthésier et aussi de transposer dans un univers plus neutre ses conflits inconscients, et le patient se rend lui-même compte que l'alcool pourrait jouer tout à fait le même rôle. Sans pour autant dramatiser, « pathologiser » des conduites, qui, au cours de l'adolescence, peuvent constituer des « appels » ou des demandes très fortes de reconnaissance, un accompagnement peut former un appui non négligeable, moins dans l'idée de mettre fin à un comportement émergent et susceptible ou non de s'accentuer que, dans ce temps délicat et difficile de l'adolescence, d'offrir un lieu, un espace et une écoute accessibles. Il est notable que, parmi les joueurs de jeux vidéo, nombreux sont ceux qui souffrent d'une forme de phobie sociale : avoir un contact et savoir qu'on peut les aider, et ce dans d'autres domaines de dépendance que ce qui les a amenés à consulter, permettra certainement une remobilisation ultérieure plus aisée.

De la même façon que pour une consultation jeux, cette fonction de « dépistage » d'un risque addictif est l'un des intérêts majeurs des consultations cannabis, lorsqu'elles permettent l'expression de demandes précoces, souvent liées à une inquiétude de la famille. Au cours de la prise en charge qui peut être centrée sur une problématique de consommation de cannabis comme sur une dépendance aux jeux vidéo, les jeunes sont amenés à parler de leurs expériences de vie en général, et parmi celles-ci l'alcool occupe une place importante. Nul besoin de rappeler ici le caractère hautement social de ce produit et sa position dans le système économique et culturel français. Cette situation particulière a certainement des conséquences sur les discours des jeunes à propos de l'alcool : rarement évoquée comme « grave », l'expérience éthylique apparaît comme un « passage obligé ». Si d'emblée le jeune ne parle pas de cette consommation, c'est peut-être parce qu'il est plus simple de se présenter comme fumeur de cannabis ou joueur de jeux vidéo, autant de signes d'appartenance à une même génération, plutôt que comme aimant boire de l'alcool… « comme papa ».

Tristan, 24 ans, se présente comme fumeur de cannabis. Il dit « claquer » dix à quinze « douilles » par jour et cela depuis plus de sept ans (il utilise un « bang » pour fumer, c'est-à-dire une pipe à eau, ce qui a comme conséquence d'élever la teneur en THC pour chaque bouffée). Sa première plainte concerne son humeur : il se décrit comme très déprimé. Sa petite amie avec qui il était depuis plus de six ans vient de mettre fin à leur relation pour, dit-il, « mauvais comportements » : il explique qu'il a de grosses difficultés à se maîtriser et que certaines fois il se trouve dans des « états qui ne sont pas de lui » (insultes, injures et violence physique quelquefois).

Il termine actuellement son cursus d'études par un stage. Originaire du sud de la France, il a suivi ses parents à Paris lorsqu'il avait 18 ans. Son père, absent et avec lequel il communique très peu, travaille dans la banque et sa mère est au foyer ; il est le dernier de sa fratrie, ses deux frères étant âgés de dix ans de plus. Concernant sa consommation de cannabis, il pense que son père ne peut pas le comprendre et dit que sa mère, même si elle est au courant, n'a jamais abordé le sujet avec lui.

Au cours des entretiens, il fait longuement part de sa rupture affective qu'il supporte très mal, ainsi que de son plaisir à fumer qui lui apporte une meilleure tolérance aux contraintes du quotidien et qui lui permettrait de simplifier ses relations ; il décrit sa relation au cannabis comme une habitude malsaine. Tristan n'a jamais quitté le foyer familial par facilité et par confort. Il a du mal à se définir, à savoir ce qu'il souhaite dans sa vie, à se projeter dans l'avenir.

Un événement (une confrontation avec la police sans lien avec sa consommation) le conduit à cesser d'utiliser son bang et il se résout à fumer des joints. Au cours des séances suivantes, il se met à parler d'alcool, produit qu'il n'avait jusqu'alors évoqué qu'à propos de son père qu'il décrit comme « bon buveur ». Tristan explique qu'il boit tous les soirs, voire certains midis ; jusqu'ici, pour lui, ce n'était pas un problème. Néanmoins, il remarque que depuis quelque temps il a grossi et reconnaît qu'il ne peut pas attribuer cette augmentation de poids à son alimentation. Boire, il le fait depuis aussi longtemps que fumer et tout aussi régulièrement. Il s'interroge d'ailleurs sur la cocaïne ainsi que sur l'ecstasy, des produits qui lui ont été proposés.

La relation de confiance qui s'est établie au cours de la prise en charge autour du cannabis aura donc permis à Tristan d'évoquer d'autres produits, dont l'alcool, et de se questionner sur l'ensemble de ces conduites.

Certaines addictions sont ainsi plus faciles que d'autres à « construire » par un sujet et vont donner lieu à une demande d'aide plus précoce. Contournant le refus d'aborder l'alcool comme une maladie, le fait de s'intéresser à d'autres pratiques addictives peut précipiter la chute du « déni », de la négation par le sujet de ses difficultés à contrôler sa consommation.

Parallèlement aux autres stratégies d'aide à la prise de conscience, un abord des addictions au sens large est une voie d'avenir pour l'alcoologie, même en ce qui concerne des patients adultes, qui ont du mal à aborder de front l'alcool comme un problème central de leur existence.

Serge, 39 ans, se présente pour un problème de jeu d'argent ; il joue aux courses de chevaux et au « multicolore » de façon problématique depuis environ trois ans. Il a précédemment effectué deux prises en charge de six mois avec une thérapeute à un an d'intervalle, périodes pendant lesquelles il a réussi à ne plus jouer. Père de deux filles de 13 et 11 ans qui vivent avec leur mère depuis huit ans, il entretient, depuis la séparation, une relation à distance avec sa nouvelle compagne qui réside en Bretagne et pense que cet éloignement l'a poussé à tromper l'attente et l'ennui dans le jeu.

Les entretiens portent ensuite sur son divorce, contemporain du décès de sa mère. Il en vient à raconter précisément le jour où son père a mis à la porte cette mère alcoolique, qui, en dépit de plusieurs sevrages, ne parvenait pas à cesser de boire. Il était alors âgé de 5 ans. « Monté » à Paris à 17 ans, il devient commerçant sur les marchés en vendant des jouets en bois, métier qui lui plaît et qui lui rapporte suffisamment d'argent. Il s'installe rapidement en couple avec la mère de ses enfants et mène une vie « sans histoires » jusqu'à ce qu'il décide de se séparer de sa compagne, ne supportant plus les humiliations qu'elle lui fait subir.

Dans son cas, une réflexion analytique sur sa mère et sa relation aux femmes apparaît plus comme une façon de justifier son attitude, et, afin de favoriser une approche plus concrète, une grille journalière permettant de noter les temps de jeu et leurs circonstances lui est proposée. Une semaine après, nous lui proposons d'ajouter une colonne « alcool » à cette grille. À la séance suivante, il vient sans avoir rempli les grilles, mais il se dit franchement alcoolique, alors qu'il n'avait pas abordé de front ce problème, même dans sa thérapie antérieure. Il explique qu'il a commencé à boire vers l'âge de 15 ans, au début les samedis soir dans un cadre festif – consommation qu'il décrit comme excessive, une « défonce ». À son arrivée à Paris, séparé de sa famille, il boit quotidiennement dans les bars, de la bière essentiellement, tout au long de la journée, mais jusqu'alors il ne considérait pas cette consommation comme problématique : « Je buvais sans m'en rendre compte, sans être saoul. » Serge est un tout jeune adulte quand s'installe son addiction à l'alcool ; celle-ci va s'aggraver lorsque plus tard, suite à une blessure, il est contraint d'arrêter le sport dans lequel il s'était très investi. Lorsqu'il se retrouve seul et qu'il s'interroge sur son échec affectif, il fait un lien avec son histoire familiale et particulièrement sa mère, tout en continuant à être dans le déni concernant sa consommation d'alcool. Avec cette mise en perspective, le jeu apparaît comme une activité compensatoire venant suppléer aux effets de l'alcool. Depuis l'« aveu » de son alcoolisme, Serge ne joue pour ainsi dire plus, il éprouve même du dégoût à l'égard des jeux d'argent ; les séances d'entretien s'orientent plus sur la compréhension du type de relation qu'il établit avec les autres et du rôle de l'alcool dans sa vie et son histoire familiale.

Le cas exposé ici ne relève pas d'une problématique adolescente : l'addiction est installée de longue date mais non reconnue comme telle. Il est emblématique d'une problématique installée dès l'adolescence, mais qui n'est reconnue et traitée que bien plus tard. Pour les personnes alcooliques, l'acceptation de la dépendance constitue souvent une étape majeure : avec J.-O. Prochaska et C.-C. Di Clemente, on peut voir dans cette étape un passage de la « précontemplation » à la « contemplation », avant le passage du sujet à la « décision » puis à l'« action »[2]. Cette maturation progressive de la prise de conscience du problème justifie en grande partie la place d'approches cognitives et comportementales, voire pédagogiques. Mais la prise en compte de l'ensemble des dépendances, et non plus seulement des addictions à une substance, permet d'engager plus tôt une véritable prise en charge clinique.

Dans le cas de Serge, nous ne pouvons certes pas prétendre que l'intervention ait permis un dépistage précoce de la consommation, puisque celle-ci est en fait installée depuis plusieurs années. Mais certains alcooliques ne sont soignés qu'encore plus tardivement, au stade des complications somatiques évidentes. La maturation de la demande a certainement été ici plus rapide, « grâce » à l'existence, simultanément, d'une dépendance au jeu d'argent et aux achats compulsifs.

Que chez un même sujet le « déni » (ou la négation) de l'alcoolisme soit très présent, alors qu'il n'existe que peu ou pas du tout pour le jeu pathologique, est en soi un facteur assez fréquent pour nous interroger sur la place différentielle de ces conduites dans le psychisme, et sur leur psychopathologie, autant que sur la différence de stigmatisation sociale entre ces conduites.

Notons en premier lieu que le fait de proposer dans le même lieu une consultation pour joueurs et pour toxicomanes lui a permis de faire une demande de soins avant d'avoir à « reconnaître » ou à « avouer » sa dépendance à l'alcool. Une fois la problématique de dépendance abordée, et le cadre psychothérapique instauré, parler d'alcool devient moins difficile.

Dans ce cas, l'investissement dans sa propre prise en charge s'est poursuivi, après reconnaissance de la problématique d'alcool, sur le vécu positif de l'alliance thérapeutique construit dans les premières séances autour du jeu. Quand bien même l'acceptation de sa consommation excessive d'alcool engendre chez lui un sentiment de honte, le fait d'avoir établi un lien auparavant a allégé l'aveu, libéré la parole, amoindri la culpabilité. Il est ainsi plus aisé de mettre en place avec le client une prise en charge efficace.

La difficulté à reconnaître sa propre dépendance existe d'ailleurs en matière de jeu pathologique, et il est possible que le cas de figure inverse se produise, dans des structures soignantes destinées uniquement à des patients alcooliques : il convient que les soignants soient au fait de l'occurrence fréquente de ces recoupements entre addictions.

Il faut aussi – c'est tout le sens de ce texte – accorder une particulière importance aux successions d'addictions différentes chez un même sujet, qui reposent, sous un angle nouveau, la traditionnelle question des « déplacements de symptômes ».

Quentin, initialement cyberdépendant, évite de passer à une alcoolisation régulière, parce qu'il prend vite conscience du risque de dépendance. Mais, quelque temps plus tard, c'est de sa relation affective avec son amie qu'il vient parler : il a surinvesti cette relation, qui joue un peu une fonction de garde-fou et qui risque, elle aussi, de prendre une dimension addictive. Toute l'histoire du sujet peut, en quelque sorte, être relue sous l'angle de l'addiction, le patient « apprenant » à repérer les phases d'instauration d'un mécanisme addictif et à se mobiliser en conséquence. Il est par ailleurs impossible, au début d'une prise en charge, même dans des problématiques aussi généralement labiles que l'addiction au jeu vidéo, de savoir si un suivi de quelques semaines suffira ou s'il débouchera sur une psychothérapie à plus long terme.

En conclusion, soulignons que les « nouvelles consultations » mises en place au centre Marmottan concernent donc un ensemble de problématiques addictives qui diffèrent tant des toxicomanies aux drogues illicites que de l'alcoolisme. Elles s'adressent soit à des consommateurs non forcément dépendants (c'est le cas de la plupart des jeunes consultants de la consultation cannabis), soit à des jeunes dépendants de conduites non initialement liées à la consommation de substances chimiques licites ou non.

Cet abord large des addictions présente l'intérêt théorique de dépasser les approches centrées sur l'intoxication (les « ismes », comme l'alcoolisme), comme celles qui se préoccupent de l'appétence pour une substance donnée (les « manies » les plus diverses). Ainsi sommes-nous conduits à voir l'addiction, non simplement comme une dépendance à une substance ou à une conduite, mais comme une modalité existentielle complexe où s'entremêlent toujours, mais de façon variable, une dimension d'habitude allant jusqu'à la dépendance physiologique et une dimension de prise de risque et de transgression. L'exemple de Serge, chez qui coexistent ou alternent alcoolisme, jeu pathologique et achats compulsifs, illustre bien une conduite addictive dans laquelle l'objet de dépendance est mouvant et qui gagne à être abordée à la fois dans ses dimensions de processus et comme symptôme, relié à l'histoire du sujet.

Ce changement de point de vue ouvre sur une extension importante du spectre addictif, qui pourrait dans les années qui viennent inclure des problématiques comportementales comme certains troubles des conduites alimentaires, ou purement affectives, de la dépendance au sexe aux codépendances. Notamment afin de ne pas étendre le champ de l'intervention de façon infinie, il devient nécessaire de tracer une frontière suffisamment stricte entre le normal et le pathologique : nous considérons que la définition d'une addiction au sens plein doit être basée sur le sentiment subjectif d'aliénation éprouvé par le sujet lui-même. Les tentatives répétées mais infructueuses pour réduire ou cesser la conduite, critère facultatif dans le DSM, deviennent le meilleur élément diagnostique : le sujet sait que cette conduite lui est nuisible, il tente d'y mettre fin, mais n'y arrive pas. Ainsi se définit l'addiction et se légitime l'intervention du thérapeute.

Cette position clinique paraît au premier regard en rupture avec une construction plus sociale des addictions, centrée sur des problématiques quantitatives de santé publique, et elle semble de ce fait peu apte à remplir une fonction préventive. Nous pensons avoir donné des éléments qui permettent de nuancer cette affirmation, en montrant qu'un abord clinique des addictions au sens large permet d'accéder très tôt à des problématiques de dépendances authentiques qui, sans avoir la gravité des grandes toxicomanies, pourraient les précéder dans le temps : la clinique des addictions, comme ce fut le cas pour Quentin avec la dépendance aux jeux en réseau, ou pour Tristan avec le cannabis, devient ainsi l'un des outils de la prévention des toxicomanies et de l'alcoolisme.

NOTES

1. Regroupement de joueurs en association rendu nécessaire pour la réussite des quêtes.

2. Prochaska J.O., Di Clemente C.C, « Stages and processes of self-change of smoking : toward an integrative model of change », *J. Consult. Clin. Psychol.*, 1983, 51(3), p. 390-395.

22.

État des lieux des recherches

VALÉRIE DISCOUR

La consommation d'alcool chez les jeunes est un véritable problème de santé publique qui depuis plusieurs années interpelle les chercheurs de différentes disciplines (épidémiologie, médecine, psychologie, champs socioéducatif...). Longtemps limitées aux patients suivis en institution ou aux jeunes arrêtés pour conduite délictueuse, les recherches se sont peu à peu ouvertes à une population plus vaste. Ainsi, les jeunes scolarisés, les jeunes en général font l'objet d'une attention régulièrement renouvelée et l'on observe un intérêt croissant pour des formes de consommation a priori moins sévères. Cependant, ces travaux ne permettent pas toujours d'éclairer la complexité des rapports des jeunes avec l'alcool car ils ne s'adressent pas nécessairement à la même population et n'utilisent pas les mêmes méthodologies. Les études sont nombreuses à tenter de comprendre les motivations et caractéristiques de consommation des jeunes à travers des orientations diverses qui fournissent de vastes champs de références et d'approches explicatives – et qui le plus souvent ne sont pas spécifiques de l'alcool mais des addictions (selon M. Valleur et J.-C. Matysiak).

L'étude des conduites et des comportements de consommation

D'un point de vue épidémiologique, les recherches sont nombreuses et se donnent pour objectif de « cerner les attitudes et les comportements spécifiques de cette population à un moment donné[1] ». Ces recherches réactualisées régulièrement permettent de clarifier la nature des problèmes rencontrés, de dresser des « profils » de consommation et d'établir des comparaisons. À ce titre nous pouvons citer les grandes enquêtes épidémiologiques menées par des organismes tels l'INPES, l'OMS[2], l'INSERM[3], l'IREB[4], ou l'OFDT[5], au niveau national ou européen, auprès de jeunes d'âges différents. Citons également l'expérience renouvelée aux États-Unis de l'enquête *Monitoring the Future*[6].

Ces études s'accordent à affirmer une précocité de l'âge de la première consommation, moins manifeste chez les filles que chez les garçons. Il ressort souvent cette dichotomie filles/garçons concernant les modalités de consommation, tant sur la fréquence que sur le volume consommé, sur l'ivresse, sur le type de boissons (plus de spiritueux et de vin pour les filles et moins de bière) et les lieux de consommation (les consommations changeant aussi selon les lieux). Est également souligné le caractère festif, familial de la première consommation féminine, celle du garçon étant plutôt liée à des circonstances extrafamiliales.

Les premières consommations, les premiers « vrais verres[7] » ont valeur de rites initiatiques à l'alcool ou à la vie festive loin des parents et ont souvent lieu le soir, la nuit, temps plus propices à la séduction, au jeu et à l'expérimentation fréquemment associés aux consommations[8]. Les soirées, alors liées à l'alcool et à l'ivresse, fournissent souvent le prétexte de l'usage dans une déculpabilisation et une normalisation toujours renouvelées. Les consommations diurnes sont également citées mais dans un contexte de célébration d'un événement particulier ou souvent à l'abri d'une justification événementielle. Ainsi est vite marginalisé celui qui consomme dans la journée à l'inverse de celui qui consomme la nuit. Ces circonstances de consommation varient également en fonction de l'âge[9].

On note aussi une distinction des effets recherchés dans le sens d'une amélioration des relations interpersonnelles pour les garçons et de la modification d'un état interne pour les filles. De même est également précisée une différence des effets recherchés selon l'âge, le type d'usage et ainsi des modalités de consommation adaptées[10].

Enfin, les modalités de consommation semblent être plus « explosives » que pour les générations précédentes, où la consommation d'habitude tend à diminuer au profit d'une recherche d'ivresse plus marquée chez les garçons et où le *binge drinking*[11] semble occuper une place de plus en plus conséquente[12]. De plus, comme le signale Navarro[13], l'ivresse n'est plus un « accident » isolé mais figure un mode de consommation particulier.

La recherche des facteurs d'alcoolisation chez les jeunes consommateurs : du manifeste au latent

L'intérêt des chercheurs n'est pas seulement de clarifier les modalités d'usage mais aussi de répertorier des facteurs de consommation. Intérêt qui est commun aux épidémiologistes ou chercheurs en médecine et en psychologie. Différents facteurs de risques liés à la consommation d'alcool sont ainsi mentionnés de façon récurrente dans la littérature. Il faut toutefois rester prudent et ne pas considérer nécessairement comme facteurs de causalité ces différents éléments même s'ils se trouvent liés à la consommation d'alcool.

Le rôle des représentations

La consommation d'alcool des jeunes en France se manifeste chez les consommateurs excessifs par un risque important de décès (par intoxication ou accident)[14]. Elle favorise aussi des passages à l'acte particulièrement violents et impulsifs ainsi que des ruptures scolaires et sociales importantes[15]. Malgré cela les effets « bénéfiques » attribués par les jeunes à l'alcool semblent dominer les risques encourus : l'usage d'alcool demeure encore aujourd'hui socialement encouragé et les jeunes des cibles privilégiées[16]. Les représentations et les attentes concernant les substances influencent la consommation, les adolescents minimisant souvent le pouvoir addictif et les difficultés à arrêter une consommation devenue habituelle.

D'une manière générale, il ressort que l'alcool est souvent lié aux notions de virilité, qu'il a une valeur initiatique en permettant d'accéder au statut d'adulte et à l'identité sociale (et cela particulièrement chez le garçon). Même si ces croyances et ces représentations associées à l'alcool sont loin de la réalité, le poids de ces effets « bénéfiques » ne fait que favoriser l'usage de boissons[17].

Certains travaux se sont attardés sur les croyances attachées aux consommations de substances : des représentations anticipatoires reflétant les attentes de plaisir liées au produit ou de soulagement d'un malaise psychologique ; des représentations permissives reflétant la représentation de la substance comme dénuée de risque et de danger. Ressortent alors des corrélations intéressantes entre les attentes de soulagement et d'apaisement et la dépendance. Dépendance qui elle-même favoriserait d'autres situations de souffrance nécessitant un apaisement et déclenchant un « cycle d'assuétude » enfermant le jeune dans une activité répétitive de consommation[18].

L'influence des pairs

Les différentes études publiées s'accordent pour avancer que le cadre de l'alcoolisation est majoritairement et significativement le groupe de pairs. L'alcoolisation solitaire est plus discrète et manifeste une consommation à risque ou nocive[19]. Le groupe de pairs constitue souvent le cadre des expérimentations adolescentes, des passages à l'acte et des consommations de substances alcooliques. Quel que soit l'âge du sujet, si le groupe a tendance à avoir une consommation importante d'alcool, alors le jeune augmentera aussi la sienne : la fréquentation de pairs consommant des substances – licites ou non – est un des principaux facteurs de risque favorisant et accentuant l'accroissement d'une consommation en miroir de celle des camarades[20].

La qualité de l'environnement scolaire est alors également à considérer : le manque de discipline, la taille de l'établissement, la pression dans l'attente de résultats scolaires prestigieux, les institutions corporatistes où la fraternité est favorisée et recherchée sont à prendre en compte[21]. Dans le même sens, il est souvent signifié dans la littérature les liens entre consommations nocives d'alcool et fléchissement scolaire – absentéisme, retards fréquents, échec scolaire voire refus ou rupture scolaires[22].

Certains chercheurs décrivent que l'évaluation individuelle du jugement que les autres peuvent avoir à l'égard de son propre comportement de consommation influence la quantité et la fréquence des alcoolisations des jeunes[23]. La capacité de refuser de boire est dans le même sens une perspective développée par d'autres auteurs. Cette capacité de résistance individuelle fait référence à la croyance du consommateur dans la possibilité de refuser de l'alcool dans certaines situations. Le milieu socioculturel d'origine jouerait un rôle moins important chez les étudiants que chez les 12-24 ans en général, du fait des situations précises que la vie étudiante implique[24].

Du comportement...

Beaucoup d'articles se font l'écho de recherches sur les facteurs individuels susceptibles d'influencer, de favoriser la consommation d'alcool.

Le non-conformisme (tolérance aux comportements déviants, exigences excessives d'indépendance, manque de responsabilité, etc.) et la recherche excessive de sensations (comprenant la « recherche de danger et d'aventure », la « recherche d'expérience », la « désinhibition » et la « susceptibilité à l'ennui »)[25] sont cités comme facteurs de risque. Des données documentées permettent de considérer des sujets à forte recherche de sensations comme présentant un risque de développer une dépendance alcoolique. La recherche excessive de sensations prédirait en outre chez le jeune enfant l'usage de substances à l'adolescence[26].

D'autres notions comme celle de régulation des angoisses ou de régulation des émotions négatives sont aussi retrouvées, tout comme les difficultés de contrôle émotionnel et l'impulsivité[27]. La fragilité des processus de maîtrise (*coping*) seraient également des facteurs de risque : les adolescents non consommateurs auraient un répertoire plus important de stratégies de *coping* que les adolescents consommateurs. Le défaut d'« habiletés sociales » et de compétences à la résolution des problèmes interpersonnels pourrait ainsi contribuer aux difficultés d'adaptation et rendre l'adolescent plus vulnérable à l'usage de substances[28].

D'autres auteurs ont également repéré que les mécanismes d'apprentissage (apprentissage social, opérant, et conditionnement pavlovien) pouvaient contribuer à l'installation et au développement de l'usage de substances[29].

De nombreuses recherches se sont également attachées à définir le rôle des facteurs familiaux. La difficulté à maintenir de bonnes relations avec les parents, le manque d'autorité et les attitudes parentales permissives à l'égard de la consommation de substances, le laxisme éducatif (ou l'excès de punitions), les relations parents-enfants conflictuelles, les carences éducatives, la discorde parentale et les troubles psychiatriques parentaux sont autant de facteurs énoncés dans la littérature[30].

La proximité entre parents et enfants, l'affection et le support parental seraient des facteurs de protection contre l'usage de substances à l'adolescence. L'implication des parents dans la fixation des limites et de règles est également un facteur de protection structurante pour le jeune. Il est à noter que le fait d'avoir des parents divorcés apparaît également comme un facteur associé à une moindre consommation[31].

Tous ces facteurs vont dans le sens de l'importance des influences familiales et des possibilités de perte de distance entre les problématiques familiales et les individus qui la composent[32].

... au processus latent

Dans un tout autre registre, si l'on reprend les travaux de Freud et de ses successeurs, ils mettent en évidence l'existence de liens entre certains traits de caractère et des fixations à certains stades du développement libidinal. Ainsi mettent-ils en avant l'importance dans la genèse de l'alcoolisme de tendances inconscientes, parmi lesquelles l'homosexualité latente inconsciente, une constitution bisexuelle plus marquée qu'à la normale, l'auto-agressivité et la fixation au stade oral. De Mijolla et Shentoub[33], en rappelant les écrits freudiens et en les approfondissant[34], nous donnent à penser la consommation d'alcool comme ce qui permet de nier un deuil. Aspect qui a une acuité particulièrement importante durant le processus d'adolescence.

Quelques études évoquent également un lien entre la précocité pubertaire et l'usage de substances, dans le sens d'un accroissement des risques chez les sujets précocement pubères[35].

Du côté des publications d'inspiration psychanalytique, trois thèmes ressortent fortement des différents développements proposés : la question de l'excitation érotique, le narcissisme et l'apaisement des tensions. Dimensions particulièrement actives à l'adolescence expliquant peut-être par là l'extrême vulnérabilité aux problèmes de consommation de substances. Cette analyse soulève dès lors d'autres questions relatives à l'économie masochiste et aux phénomènes liés aux pathologies des limites.

Pour H. Lida-Pulik et N. Vacher-Neill, les caractéristiques communes liées aux aménagements relationnels précoces de l'enfant à son environnement sont des éléments fondamentaux à prendre en compte. Suivant la même idée, M. Corcos développe l'idée d'une problématique de dépendance primaire.

L'usage des substances paraît lié aux conflits normaux et pathologiques du processus d'adolescence. La consommation d'alcool peut ainsi figurer une lutte contre un sentiment important de dépendance permettant de surmonter l'anxiété, les sentiments de tristesse, de dépressivité ou de culpabilité que le jeune ressent. L'alcool peut en outre pallier le sentiment de manque d'identité, la consommation peut être une conduite d'opposition aux parents et de contre-dépendance manifestant ainsi la volonté d'autonomisation du jeune, l'alcool est un moyen de s'intégrer mais aussi de se différencier. L'usage de substances permet enfin de lutter contre la passivité si difficile à vivre à cet âge en devenant actif, mais elle conserve finalement sa signification de soumission.

C'est finalement de toute la problématique du lien et de la dépendance qu'il est question.

Du normal au pathologique : vulnérabilité psychopathologique

Chez l'adolescent la consommation régulière de substances psychoactives est souvent associée à un trouble psychiatrique, en particulier les troubles dépressifs et anxieux, les troubles des conduites, la personnalité limite ou la personnalité anti-sociale[36].

Certains auteurs relèvent que les pathologies associées à la consommation d'alcool affectent également le comportement alimentaire des filles (substitut alimentaire palliant la sensation de faim). Enfin la comorbidité associant la consommation d'alcool et les tentatives de suicide concerne surtout les garçons, pour lesquels le risque suicidaire, et plus encore en cas de diagnostic de dépression, est également précisé[37].

Plusieurs études ont montré que l'usage de substances psychoactives à l'adolescence entraîne souvent une altération du fonctionnement psychosocial qui peut se manifester par des difficultés scolaires, une augmentation des activités déviantes, une perturbation des relations aux parents[38]. Et, dès lors, une mortalité et une morbidité accrues. Cette perturbation du fonctionnement se poursuivrait à l'âge adulte. Le diagnostic d'abus ou de dépendance à une substance à l'âge de 18 ans serait lié à une fréquence moindre d'études supérieures, une fréquence plus élevée de licenciements, de comportements antisociaux, d'idées ou de tentatives de suicide, et d'abus ou de dépendance à une substance à l'âge de 21 ans[39].

Les conduites de consommation de substances et de dépendance associée sont considérées comme transnosographiques. H. Lida-Pulik et N. Vacher-Neill relèvent bien la diversité de présentation des conduites d'alcoolisation suivant des configurations symptomatiques et des pathologies différentes. Il est ainsi difficile de savoir si la consommation de substances chez un sujet donné précède le trouble psychiatrique ou si elle en est la conséquence. Cependant, plutôt que de s'attarder à distinguer l'origine des troubles de consommation, il s'agit, comme le suggère M. Corcos, de considérer la vulnérabilité psychopathologique en fonction de l'histoire singulière de chaque individu. Ou encore, comme le précise F. Marty, de prendre en compte la dépression sous-jacente. Il s'agit ici non plus de considérer les conduites de consommation dans leur aspect comportemental ou contextuel, mais de comprendre le processus latent.

L'alcoolisation juvénile : quel « profil » ?

Les chercheurs s'attachent également à la reconnaissance de « profils de consommateurs ». Comme toute substance psychotrope, l'alcool a des effets variables – sur le psychisme et sur le comportement – selon la quantité consommée. Une consommation modérée mais ponctuée d'ivresses peut alors amener de jeunes consommateurs à une alcoolisation plus sévère. Une constante relevée au sein des recherches signale une tendance à la recherche de cette consommation d'ivresse et la baisse d'une consommation d'habitude[40].

Les différents travaux permettent d'établir plusieurs classifications ou « profils » de consommateurs, parmi lesquels nous pouvons citer celle de A.-M. Thomazeau[41] qui distingue le consommateur « fêtard » qui boit pour faire la fête, l'« aventurier » qui boit pour connaître de nouvelles sensations, le « timide » qui boit pour faire comme les autres et s'intégrer et le « fuyard » qui boit pour fuir la réalité et ses problèmes.

D'autres auteurs encore rendent compte de plusieurs formes d'alcoolisation chez les jeunes. Une alcoolisation comme « mode d'intégration » au monde adulte où l'habitude de boire s'installe par pression du groupe et peut signer les prémices d'une intoxication pour des sujets qui deviendront des buveurs excessifs voire dépendants ; l'influence des parents et des pairs y est manifeste. Une alcoolisation par « automédication » est distinguée, plus fréquente chez la jeune fille, plus discrète, solitaire et culpabilisée, avec la recherche d'effets sédatifs ou excitants pouvant évoluer vers une marginalisation rapide. Enfin, une consommation proche des « conduites toxicomaniaques » avec la recherche délibérée d'ivresse et de « défonce », consommation souvent associée à celle d'autres psychotropes. Un point important à souligner est le risque accru pour ce type de consommation d'une banalisation et d'un effacement de l'usage derrière des usages et rites de consommation socialisés et socialisants[42].

Selon D. Marcelli et A. Braconnier[43], différents « itinéraires » peuvent être rencontrés. Chez le jeune collégien la consommation se caractérise essentiellement par des consommations épisodiques mais excessives d'alcool ; ces conduites permettent un maintien dans le groupe de pairs (voire facilitent l'intégration). Pour les adolescents plus âgés (lycée), la dépendance peut être déjà manifeste et se traduit par un hyperinvestissement et une centration autour de multiples comportements marqués par leur caractère répétitif et impulsif. Enfin, pour les adolescents plus âgés, pour les jeunes adultes, la marginalisation est un risque important qui peut succéder aux parcours précités (ou survenir directement) et la dépendance psychique est alors plus massive, franche ou quotidienne.

Une classification nous semble très pertinente pour synthétiser les différents profils existants ou précités. Elle distingue une consommation conviviale groupale, caractérisée par la recherche d'un effet euphorisant et un maintien des activités sociales ; une consommation autothérapeutique plus solitaire caractérisée par la recherche d'effets anxiolytiques, un décrochage scolaire et social, et une consommation toxicomaniaque, groupale ou solitaire, quasi quotidienne, avec la recherche d'effets anesthésiants, de « défonce », et une rupture sociale importante[44].

Contrairement à l'alcoolisme adulte, une des caractéristiques de la consommation des jeunes est souvent une association de plusieurs produits. Un certain consensus semble exister pour considérer comme « à risque » tout adolescent consommant régulièrement des substances psychoactives. Ainsi certains éléments doivent faire l'objet d'une attention toute particulière, parmi lesquels : les caractéristiques du mode de vie, la pression des pairs et leur rôle dans l'initiation ou la poursuite d'une consommation, l'entourage familial, le besoin d'expérimentation et de découverte propre à cet âge, l'âge de début des consommations, sa précocité, la répétition et le cumul des consommations, la recherche de « défonce », d'excès, et d'un autotraitement[45].

Dans cette perspective ont été élaborés plusieurs outils sous la forme de questionnaires, échelles, permettant d'évaluer aisément un usage à risque, un usage nocif[46].

Les recherches à venir

La question de la polytoxicomanie

Le risque d'évolution vers une polytoxicomanie semble spécifique de l'usage d'alcool chez les jeunes. Il faut toutefois nuancer. En effet, si l'alcoolisation des jeunes peut amorcer l'un des différents types d'alcoolisme décrits chez l'adulte, elle n'est par pour autant une conduite nécessairement toxicomaniaque.

La diminution de la consommation « classique » occasionnelle se produisant au profit d'un mode de consommation de plusieurs substances ou de consommation de « défonce » avec de nombreuses ivresses et de *binge drinking*, les auteurs sont nombreux à se poser la question de l'isolement du phénomène de consommation d'alcool chez les jeunes par rapport à l'utilisation d'autres substances psychoactives[47].

La consommation solitaire

La compréhension de la consommation solitaire constitue sans doute un des axes majeurs des recherches à venir. En effet, même si la consommation solitaire est un des critères retenus pour qualifier une consommation « nocive », elle est peu explorée et reste encore mal comprise[48]. Quel processus sous-tend ce type de consommation puisque habituellement le cadre de l'alcoolisation est le groupe ?

L'arrêt de la consommation

Les travaux consacrés à la consommation rendent compte, nous l'avons dit, des modalités d'usage et des aspects comportementaux et contextuels. Un point important à souligner est sans doute le peu de place (voire l'absence) laissé à l'étude des arrêts de consommation. Beaucoup de jeunes consomment à un moment donné une ou plusieurs substances. Ils s'y initient, et pour certains, malgré une consommation qui peut être excessive ou nocive, l'arrêt de la consommation va s'effectuer plus ou moins progressivement. Cet arrêt de la consommation est peu exploré alors qu'il pourrait cependant éclairer d'une manière plus subjective les mécanismes sousjacents aux conduites de consommation de substances.

Les études longitudinales

Les travaux réalisés jusqu'à présent ont le mérite de fournir des informations très précises sur les caractéristiques de consommation des jeunes à un moment donné. Leur actualisation régulière permet en outre d'observer l'évolution des usages. Cependant, l'intérêt est aussi de découvrir l'évolution sur une même génération, sur une même population, des modalités de consommation, des effets recherchés, du rôle des représentations.... Il s'agit de mieux comprendre l'influence de tel ou tel facteur – en lien avec la population concernée – ou encore, par exemple, les mécanismes d'arrêt que nous évoquions ci-dessus. Il n'est pas ici question de substituer le longitudinal au transversal mais de pouvoir travailler sur les deux plans.

Cette revue de la littérature met en évidence l'existence de grandes tendances relevant des comportements, des conduites, mais aussi du processus de consommation lui-même. Les recherches soulignent la précocité de la consommation ainsi qu'une baisse de la consommation classique au profit d'une recherche d'ivresse plus importante. Le rôle des pairs est réaffirmé et la polyconsommation semble être une des spécificités de la consommation juvénile. De plus, à côté des influences comportementales ou contextuelles, certains auteurs explorent également le rôle des répercussions psychologiques du processus d'adolescence sur la consommation de substances psychoactives en général et d'alcool en particulier.

NOTES

1. Choquet M. *et al.*, *Les 13-20 ans et l'alcool en 2001. Comportements et contextes en France*, IREB, 2003.

2. Godeau E., Grandjean H., Navarro F. (dir.), *La Santé des élèves de 11 à 15 ans en France, 2002. Données françaises de l'enquête internationale HBSC*, Éditions INPES ; 2005.

3. INSERM ; *Alcool, dommages sociaux, abus et dépendance. Expertise collective*. Paris, INSERM, 2003.

4. Choquet M. *et al.*, *Les 13-20 ans et l'alcool en 2001*, *op. cit.*

5. Choquet M. *et al.*, « Les substances psychoactives chez les collégiens et lycéens : consommations en 2003 et évolutions depuis dix ans », *Tendances*, n° 35, ESPAD 2003, INSERM, 2004 ; Choquet M., « Alcoolisation des jeunes. Quelle fréquence ? Quelle évolution ? Quelle signification ? » in *Alimentation de l'enfant et de l'adolescent*, colloque CERIN, 2004, p. 219-232 ; Beck F., Legleye S., Spilka S., « Cannabis, alcool, tabac et autres drogues à la fin de l'adolescence : usages et évolutions récentes », ESCAPAD 2003, *Tendances*, n° 39, OFDT, 2004.

6. Johnston L.-D. *et al.*, *Monitoring the future. National Results on Adolescent Drug Use : Overview of Keys Findings, 2005*, Bethesda, National Institute on Drug Abuse, NIDA, NIH Publication n° 06-5882, 2006.

7. Navarro F. et Godeau E., « Les collégiens et l'alcool », dans cet ouvrage ; Le Garrec S., *Ces ados qui en prennent. Sociologie des consommations toxiques adolescentes*, Toulouse, Presses universitaires du Mirail.

8. Le Garrec S., *Ces ados qui en prennent, op. cit.* ; Coslin P.G., *Les Conduites à risque à l'adolescence*, Paris, Armand Colin, 2003.

9. Choquet M. *et al.*, *Les 13-20 ans et l'alcool en 2001, op. cit.* ; Choquet M. *et al.*, « Les substances psychoactives chez les collégiens et lycéens… », art. cit.

10. Godeau E., Grandjean H., Navarro F. (dir.), *La Santé des élèves de 11 à 15 ans en France…, op. cit.* ; Choquet M. *et al.*, « Les substances psychoactives chez les collégiens et lycéens… », art. cit. ; Beck F. *et al.*, « Cannabis, alcool, tabac et autres drogues… », art. cit.

11. Le fait de boire cinq boissons alcoolisées en une même occasion.

12. Godeau E. *et al.*, *La Santé des élèves de 11 à 15 ans en France…, op. cit.* ; Choquet M. *et al.*, « Les substances psychoactives chez les collégiens et lycéens… », art. cit. ; Beck F. *et al.*, « Cannabis, alcool, tabac et autres drogues… », art. cit. ; Picherot G., Muszlak M., David V., Dufilhol-Dreno L., Alvin P., Armengaud D., *et al.*, « Intoxication alcoolique aiguë de l'adolescent aux urgences : enquête prospective multicentrique », *Arch. Pédiatr.*, 2003, n° 10 (supp. 1), p. 140-142.

13. Voir Navarro F. et Godeau E., « Les collègiens et l'alcool » dans cet ouvrage.

14. INSERM, *Alcool, dommages, sociaux…, op. cit.*

15. Tomkiewicz S., « Conduites de risque et d'essai chez l'adolescent », in Turz A. (dir), *Adolescents, risques et accidents*, Paris, Centre international de l'enfance, 1987, p. 59-66 ; Le Garrec S., *Ces ados qui en prennent, op. cit.* ; Nahoum-Grappe V., « Histoire et anthropologie

des conduites d'excès : les jeunes et l'alcool », in *Adolescentes, adolescents. Psychopathologie différentielle*, Braconnier A., Chiland C., Choquet M., Pomarède R. (dir.), *Adolescentes, adolescents...*, Paris, Bayard, 1995 ; voir dans cet ouvrage Alvin P., « Les adolescents, l'alcool et nous » et Assailly J.-P., « Les accidents dus à l'alcool ».

16. Voir Mahler V., « Quand le marketing cible les jeunes », dans cet ouvrage.

17. Schmidt H. *et al.*, « Drunkenness among young people : a cross-national comparison », *J. Stud. Alcohol*, 2003, 64, p. 650-661 ; Le Garrec S., *Ces ados qui en prennent, op. cit.*

18. Brook *et al.*, « The psychosocial etiology of adolescent drug use : A family interactionnal approach », *Genetic, social, and general Psychology Monographs*, 1990, 116, p. 111-165.

19. Choquet M. *et al., op. cit.* ; Karila L., Legleye S., Donnadieu S., Beck F., Corruble E., Reynaud M., « Consommations nocives de produits psychoactifs. Résultats préliminaires de l'étude ADOTECNO », *Alcoologie et Addictologie*, 2004, 26 (2), p. 99-109 ; Morel A., Reynaud M., « Les modalités de consommation à risque », in *Usage nocif de substances psychoactives*, Paris, La Documentation française, 2002, p. 37-44.

20. Chabrol H., *Les Toxicomanies de l'adolescent*, Paris, PUF, « Que sais-je ? », 1995.

21. Voir Delaigue A., « L'ivresse des grandes écoles » dans cet ouvrage.

22. Chabrol H., *Les Toxicomanies de l'adolescent, op. cit.* ; Godeau E. *et al., La Santé des élèves de 11 à 15 ans en France..., op. cit.* ; Choquet M. *et al.*, « Les substances psychoactives chez les collégiens et lycéens... », art. cit. ; Beck F. *et al.*, « Cannabis, alcool, tabac et autres drogues... », art. cit. ; Crum R.M. *et al.*, cité dans *Santé des enfants et des adolescents. Propositions pour la préserver. Expertise opérationnelle*, INSERM, 2003.

23. Johnson P.-D., Gurin G., « Negative affect, alcohol expectancies and alcohol-related problems », *Addiction*, 1994, 89(5), p. 581-586. Griffin *et al.*

24. Oei T.P.S., Morawska A., « A cognitive model of binge drinking : the influence of alcohol expectancies and drinking refusal self-efficacy », *Addictive Behaviors*, 2004, 29(1), p. 159-179. ; Young R. Mcd., Oei T.P.S., « The predictive utility of drinking refusal self-efficacy and alcohol expectancy : a diary-based study of tension reduction », *Addictive Behaviors*, 2000, 25(3), p. 415-421. ; Young R.M., Connor J.P., Ricciardelli L.A., Saunders J.B., « The role of alcohol expectancy and drinking

refusal self-efficacy beliefs in university student drinking », *Alcohol and Alcoholism*, 2006, 41(1), p. 70-75.

25. Zuckerman M., *Behavioral expressions and biosocial bases of sensation seeking*, New York, Cambridge University Press, 1994 ; Marcelli D., Braconnier A., *Adolescence et psychopathologie*, Paris, Masson, 2004.

26. Masse L.C., Tremblay R.E., « Behavior of boy in Kindergarten and the onset of substance use during adolescence », *Archives of General Psychiatry*, 1997, 54, p. 62-68 ; Martin C.-A., Kelly T.-H., Rayens M.-K. et al., « Sensation seeking, puberty and nicotine, alcohol and marijuana use in adolescence », *Journal of the American Academy of Child and Adolescent Psychiatry*, 2002, 41, p. 1495-1502.

27. Corcos M., Flament M., Jeammet P., *Les Conduites de dépendances. Dimensions psychopathologiques communes*, Paris, Masson, 2003 ; INSERM, *Alcool, dommages sociaux...*, op. cit.

28. Varescon I., *Psychopathologie des conduites addictives. Alcoolisme et toxicomanie*, Paris, Belin, 2005.

29. *Id.*

30. Chabrol H., *Les Toxicomanies de l'adolescent*, op. cit. ; Godeau E. et al., *La Santé des élèves de 11 à 15 ans en France...*, op. cit. ; INSERM, *Alcool, dommages sociaux...*, op. cit. ; Choquet M. et al., *Les 13-20 ans et l'alcool en 2001*, op. cit. ; Choquet M. et al., « Les substances psychoactives chez les collégiens et lycéens... », art. cit. ; Beck F. et al., 2004, « Cannabis, alcool, tabac et autres drogues... », art. cit.

31. Choquet M., Morin D., « La consommation d'alcool des jeunes scolarisés », *Focus Alcoologie*, 8 2005, Institut de recherches scientifiques sur les boissons.

32. Merikangas et al., « Familial transmission of substance use disorders », *Archives of General Psychiatry*, 1998, 55, p. 973-979 ; Madanes C., Protection, paradox, and pretending, *Family Process*, 1980, 19, p. 73-85 ; Madanes et al. « Family ties of heroin addicts », *Arch. Gen. Psychiatry*, 1980, 37, 88 ; Barnes G.M., Farrell M.P., « Parental support and control as predictors of adolescent drinking, delinquency and related problem behaviours », *J. Marr. Fam*, 1992, 54, p. 463-776 ; voir également l'article de Hefez S., « En famille, quand les enfants trinquent », dans cet ouvrage.

33. De Mijolla A., Shentoub S., « Repères théoriques et place de l'alcoolisme dans l'œuvre de Freud » *Revue française de psychanalyse*, 1972, t. XXXVI.

34. Voir Birraux A., « Alcoolique, une identité », dans cet ouvrage.

35. Martin C.-A. *et al.*, « Sensation seeking… », art. cit.

36. Rhode P., Lewinshon P.M., Kahler C.W. *et al.*, « Natural course of alcohol use disorders from adolescence to young adulthood », *Journal of the American Academy of Child and Adolescent Psychiatry*, 2001, 40, p. 83-90 ; Kandel *et al.*, « Psychiatric co morbidity among adolescent with substance use disorders : findings from the MECA study », *Journal of the American Academy of Child and Adolescent Psychiatry*, 1999, 38, p. 693-699.

37. Voir Coslin P., « De la fête à l'abus » dans cet ouvrage.

38. Godeau E., Vignes C., *Vécu scolaire, image de soi et consommation de substances psychoactives chez les adolescents de 11-15 ans, rapport à la MILDT*, 2006 ; INSERM ; Choquet M., « Psychiatric comorbidity… », art. cit. ; Choquet M. *et al.*, « Les substances psychoactives chez les collégiens et lycéens… », art. cit. ; Beck F. *et al.*, « Cannabis, alcool, tabac et autres drogues… », art. cit..

39. Kandel *et al.*, *Les 13-20 ans et l'alcool en 2001*, *op. cit.* ; Giaconna *et al.*, « Major depression and drug disorders in adolescence : general and specific impairment in early adulthood », *Journal of the American Academy of Child and Adolescent Psychiatry*, 2001, 40, p. 1426-1433 ; Brooks J.S., Cohen P., Brook D.W., « Longitudinal study of co-occurring psychiatric disorders and substance use », *Journal of the American Academy of Child and Adolescent Psychiatry*, 1998, 37, p. 322-330.

40. Godeau E. *et al.*, *La Santé des élèves de 11 à 15 ans en France…*, *op. cit.* ; INSERM, *Alcool, dommages sociaux…*, *op. cit.* ; Choquet M. *et al.*, *Les 13-20 ans et l'alcool en 2001*, *op. cit.* ; Choquet M. *et al.*, « Les substances psychoactives chez les collégiens et lycéens… », art. cit. ; Beck F. *et al.*, « Cannabis, alcool, tabac et autres drogues… », art. cit. ; Navarro F. et Godeau E., « Les collègiens et l'alcool » dans cet ouvrage.

41. Thomazeau A.-M., *L'Alcool : un drôle d'ami*, Paris, De la Martinière Jeunesse, 2002.

42. Coslin P.G., *Les Conduites à risque à l'adolescence*, *op. cit.*

43. Marcelli D. et Braconnier A., *Adolescence et psychopathologie*, *op. cit.*

44. *Id.*

45. Choquet M. *et al.*, « Les substances psychoactives chez les collégiens et lycéens… », art. cit. ; Morel A., Reynaud M., « Les modalités de consommation à risques », art. cit. ; Karila L. *et al.*, « Consommations nocives… », art. cit.

46. Morel A., Reynaud M., « Les modalités de consommation à risques », art. cit. ; Karila L. *et al.*, « Consommations nocives… », art. cit.

47. Karila L. *et al.*, « Consommations nocives… », art. cit. ; Morel A., Reynaud M., « Les modalités de consommation à risques », art. cit. ; Navarro F. et Godeau E., « Les collégiens et l'alcool » dans cet ouvrage ; Marcelli D. et Braconnier A., *Adolescence et psychopathologie, op. cit.*

48. Voir Navarro F. et Godeau E., « Les collégiens et l'alcool » dans cet ouvrage.

Bibliographie

« Repères pour la prévention des conduites à risques » (1999), *Bulletin officiel de l'Éducation nationale*, n° 9, p. 29-56.

ADES J., *Les Conduites alcooliques*, Paris, Doin, 1985.

ADES J., « Conduites de dépendance et recherche de sensations », in Bailly D., Venisse J.-L., *Dépendance et conduite de dépendance*, Paris, Masson, 1994, p. 147-166.

ADES J., LEJOYEUX M., *Alcoolisme et psychiatrie. Données actuelles et perspectives*, Paris, Masson, 2003.

AIGRAIN P. *et al.*, « Les différentes sources alcooligènes et leurs évolutions respectives », in Got C. et Weill J. (dir.), *L'Alcool à chiffre ouvert. Consommation et conséquences : indicateurs en France*, Paris, Arslan, 1997, p. 19-40.

Alcool et santé : rapport d'information, Assemblée nationale, 1998, Commission des affaires culturelles familiales et sociales, Mignon H. rapporteur, Paris, Assemblée nationale, rapport n° 983.

ALVIN P. *et al.*, « L'adolescence et l'alcoolisation » (table ronde), *Arch. Pédiatr.*, 2003, 10 (Suppl. 1), p. 137-147*sq.*

ALVIN P., DESCHAMPS J.-P., « Santé, risques et "mises en risque" à l'adolescence. Réflexions sur certaines priorités contemporaines », *Ann. Pédiatr.*, 1998, n° 45 (5), p. 378-384.

ALVIN P., MARCELLI D., « Conduites à risque et accidents », in Alvin P., Marcelli D., *Médecine de l'adolescent*, 2ᵉ édition, Paris, Masson, 2005, p. 317-324.

ANAES, « Recommandations pour la pratique », *Alcoologie et Addictologie*, 2003, n° 25, 4, p. 334-343.

ANGEL P., ANGEL S., *Famille et toxicomanie*, Paris, Éditions universitaires, 1998.

ANGEL P., RICHARD D., VALLEUR M., *Toxicomanies*, Paris, Masson, 2000.

ARCHAMBAULT J.-C., CHABAUD A., *Alcoologie*, Paris, Masson, 1995.

ARVERS P., « L'importance des attitudes parentales vis-à-vis des consommations alcooliques, comparaisons entre l'Angleterre, l'Espagne, la France et la Norvège », in Navarro F., Godeau E., Vialas C., *Les Jeunes et l'Alcool en Europe*, Toulouse, Éditions universitaires du Sud, 2000.

ASSAILLY J.-P., « Prise d'alcool et prises de risques », *La Santé de l'homme*, 1995, n° 120, p. 37-39.

ATGER F.-N., CORCOS M., PERDEREAU F., JEAMMET Ph., « Attachement et conduites addictives », *Annales de médecine interne*, 2001, n° 152, 3.

BABOR T.F., BOHN M.J., KRANZLER H.R., « The Alcohol Use Disorders, « Identification Test (AUDIT) : validation of a screening instrument for use in medical settings », *J. Stud. Alcohol*, 1995, 26, p. 423-432.

BAILLY D., « Clinique et thérapeutique de l'alcoolisme des jeunes », *Nervure*, 1994, n° 7, p. 10-18.

BAILLY D., « Comorbidité de la dépression chez l'enfant et l'adolescent », Vᵉ symposium annuel du FUAG, *Âge, dépression et antidépresseurs*, Lille, 1995.

BAILLY D., « Particularités cliniques de l'alcoolisme de l'enfant et de l'adolescent », in Bailly D., Venisse J.-L., *Addictions et psychiatrie*, Paris, Masson, 1997, p. 107-122.

BAILLY D., BAILLY-LAMBIN I., « Consommation de substances et toxicomanie chez l'enfant et l'adolescent : données épidémiologiques et stratégies de prévention », *Encyclopédie médico-chirurgicale*, Paris, Elsevier, « Pédiatrie », 1999, 4-103 B-10.

BAILLY D., PARQUET Ph.-L., *Les Conduites d'alcoolisation chez les adolescents*, Paris, Masson, 1992.

BAILLY D., VENISSE J.-L., *Dépendance et conduites de dépendance*, Paris, Masson, 1994.

BAILLY D., VENISSE J.-L., *Addictions et psychiatrie*, Paris, Masson, 1999.

BAILLY-LAMBIN I., BAILLY D., « Angoisse de séparation et troubles addictifs », in Bailly D., Venisse J.-L., *Addictions et psychiatrie*, Paris, Masson, 1999, p. 123-139.

BALLION R., *Les Élèves acteurs de prévention. Convention d'études avec le ministère de l'Éducation nationale, de la Recherche et de la Technologie*, Paris, EHESS/CNRS, 2000.

BARNES G.M., FARRELL M.P., « Parental support and control as predictors of adolescent drinking, delinquency and related problem behaviours », *J. Marr. Fam.*, 1992, 54, p. 463-776.

BARROW S.-M., LOVELL A., EHRENBERG A., « Usages de drogue et comorbidités psychiatriques. Synthèse des recherches américaines, documents GDR », *Psychotropes, politique et société*, 1999, 3, p. 1-80.

BAUDIER F., GUILBERT P., « Alcool », in Arènes J., Janvrin M-P., Baudier F. (dir.), *Baromètre santé jeunes 97-98*, Vanves, CFES, « Baromètres », 1998, p. 141-154.

BAUMAN E.K., ENNET S., « On the importance of peer influence for adolescent drug use : commonly neglected considerations », *Addictions*, 1996, 91,2, p. 185-198.

BAZILLE P., *J'ai bu parce que j'avais soif*, Paris, Anne Carrière 1999.

BECK F., LEGLEYE S., *Drogues et adolescence. Usage de drogues et contextes d'usages à la fin de l'adolescence, évolutions récentes, ESCAPAD 2002*, Paris, OFDT, 2003.

BECK F., LEGLEYE S., PERETTI-WATEL P., *Regards sur la fin de l'adolescence. Consommations de produits psychoactifs dans l'enquête ESCAPAD 2000*, Paris, OFDT, 2001.

BECK F., LEGLEYE S., PERETTI-WATEL P., *Santé, mode de vie et usages de drogues à 18 ans, ESCAPAD 2001*, Paris, OFDT, 2001.

BECK F., LEGLEYE S., PERETTI-WATEL P., *Penser les drogues : perception des produits et des politiques publiques. Enquête sur les repré-*

sentations, opinions et perceptions sur les psychotropes (EROPP), Niort, OFDT, 2002.

BECK F., LEGLEYE S., SPILKA S., « Cannabis, alcool, tabac et autres drogues à la fin de l'adolescence : usages et évolutions récentes ESCAPAD 2003 », *Tendances*, n° 39, Paris, OFDT, 2004.

BECK F., LEGLEYE S., SPILKA S., *Santé, mode de vie et usages de drogues à 18 ans. Escapad 2003*, Paris, OFDT, 2004.

BECK F., LEGLEYE S., SPILKA S., GREMY. I., *Les Consommations de drogues des jeunes Franciliens. Exploitation régionale et infrarégionale de l'enquête ESCAPAD 2003*, Paris, OFDT, 2005.

BERAUD J., MARCELLI D., VENISSE J.-L., REYNAUD M., « Les facteurs psychosociaux de risque, de gravité et de protection », in Reynaud M., *Usage nocif de substances psychoactives*, Paris, La Documentation française, 2002.

BERGERET J., « Les conduites addictives. Approche clinique et thérapeutique », in Venisse J.-L. (éd.), *Les Nouvelles Addictions*, Paris, Masson, 1991.

BERTHAUT E., MARCELLI D., « Lien entre consommation de produits et tentative de suicide à l'adolescence », *Neuropsychiatrie de l'enfant et de l'adolescent*, (à paraître).

BJARNASON T., ANDERSSON B., CHOQUET M., ELEKES Z., MORGAN M., RAPINETT G., « Alcohol culture, family structure and adolescent alcohol use : Multilevel modeling of frequency of heavy drinking among 15-16 year old students in 11 European countries », *J. Stud. Alcohol*, 2003, 64 (2), p. 200-208.

BLUM R.W., « Adolescent substance abuse : Diagnostic and treatment issues », *Pediatric Clinics of North America*, 1987, 34 (2), p. 523-531.

BONOMO Y., PROIMOS J., « Substance Misuse : Alcohol, Tobacco, Inhalants, and Other Drugs », *BMJ.*, 2005, 330 (7494), p 777-780.

BROOK J.S. *et al.*, « The psychosocial etiology of adolescent drug use : A family interactionnal approach », *Genetic, Social, and General Psychology Monographs*, 1990, 116, p. 111-165.

CETAF, *État de santé, comportements et fragilité sociale de 105 901 jeunes en difficulté d'insertion professionnelle, rapport d'étude,* 2005.

CHAMPION H.-L., FOLEY K.-L., DURANT R.-H., HENSBERRY R., ALTMAN D., WOLFSON M., « Adolescent sexual victimization, use of alcohol and other substances, and other health risk behaviors », *J. Adolesc. Health.*, 2004, 35 (4), p. 321-328.

CHAN CHEE C., BAUDIER F., DRESSEN C., ARÈNES J. (dir.) *Baromètre santé 94*, Paris, CFES, 1997.

CHAPUIS R., *L'Alcool, un mode d'adaptation sociale*, Paris, L'Harmattan, 1989.

CHASSAING J.-L., *Écrits psychanalytiques classiques sur les toxicomanies*, Le discours psychanalytique, 1998.

CHEVALIER J.-F., « Les personnalités alcooliques », *Rev. Méd.*, 1982, n° 13, p. 313-316.

CHNABI-SOULIER M., COSLIN P., AGOU M.-C., « Les jeunes et l'alcool », *Revue internationale de pédiatrie*, 1987, n° 174, p. 21-28.

CHOQUET M., LEDOUX S., HASSLER C., *Alcool, tabac, cannabis et autres drogues illicites parmi les élèves de collège et de lycée. ESPAD 99 France*, Paris, OFDT/INSERM, 2002.

CHOQUET M., « Des idées de suicide au passage à l'acte : où se situe l'alcool ? », *Bulletin de la Société française d'alcoologie*, n° 1, 1986.

CHOQUET M., « Les problèmes d'alcoolisation chez les jeunes », *Journées parisiennes de pédiatrie*, Paris, Flammarion, « Médecines Sciences », 1988.

CHOQUET M., « Apport de l'épidémiologie à l'étude de l'alcoolisation juvénile. Une évolution marquée par un usage de plus en plus net de l'alcool sur un mode toxicomaniaque », *Revue du praticien*, 1990, n° 109, p. 103-108.

CHOQUET M., « Association alcool-médicaments psychotropes chez les adolescents », *Alcoologie*, n° 3, 1991.

CHOQUET M., « Alcoolisation des jeunes. Quelle fréquence ? Quelle évolution ? Quelle signification ? », in *Alimentation de l'enfant et de l'adolescent*, colloque CERIN, 2004, p. 219-232.

CHOQUET M., « Les adolescents français face à l'alcool en 2001 », *Bulletin d'information en économie de la santé*, n° 79, 2004.

CHOQUET M. *et al.*, « Les jeunes Français face à l'alcool (enquête transversale IREB 2001) », *Les Cahiers de l'IREB*, 2003, n° 16, p. 177-179.

CHOQUET M. *et al.*, *Les 13-20 ans et l'alcool en 2001. Comportements et contextes en France*, Paris, IREB, 2003.

CHOQUET M. *et al.*, « Is alcohol, tobacco, and cannabis use as well as polydrug use increasing in France ? », *Addictive Behaviors*, 2004, 29, p. 607-614.

CHOQUET M., BECK F., HASSLER C., SPILKA S., MORIN D., LEGLEYE S., « Les substances psychoactives chez les collégiens et lycéens : consommations en 2003 et évolutions depuis dix ans », *Tendances*, n° 35, ESPAD 2003/INSERM, Paris, OFDT, 2004.

CHOQUET M., FACY F., MARECHAL C., « Usage de drogues et toxicomanie », in Brücker G., Fassin D., *Santé publique*, Paris, Ellipses, 1989, p. 530-548.

CHOQUET M., HASSLER C., MORIN D., *Santé des 14-20 ans de la Protection judiciaire de la jeunesse (secteur public), sept ans après*, ministère de la Justice, direction de la Protection judiciaire de la jeunesse, Paris, INSERM, 2005.

CHOQUET M., LEDOUX S., *Adolescents : enquête nationale*, Paris, La Documentation française/INSERM, 1994.

CHOQUET M., LEDOUX S., MARECHAL C., « L'alcool et les jeunes en France », *Bulletin du Haut Comité d'étude et d'information sur l'alcoolisme*, n° 2, 1986.

CHOQUET M., LEDOUX S., « Consommation d'alcool par les jeunes en France. Approche épidémiologique de l'alcoolisation et de son évolution », in *Les Jeunes, l'École, la Société : à la recherche de voies nouvelles*, Grenoble, Rectorat/Paris, INRP, 1986.

CHOQUET M., MARECHAL C., « Alcoolisation des jeunes, consommation de drogues et troubles de la conduite : approche épidémiologique et préventive », *Alcoologie,* 1990, n° 12, p. 17-25.

CHOQUET M., MORIN D., « La consommation d'alcool des jeunes scolarisés », *Focus Alcoologie,* 2005, n° 8.

CLDT, *L'Alcool,* Paris, CFES, 2001.

COLBY S.-M., BARNETT N.-P., EATON C.-A., SPIRITO A., WOOLARD R., LEWANDER W. *et al.*, « Potential biases in case detection of alcohol involvement among adolescents in an emergency department », *Pedia. Emerg. Care.,* 18, p. 350-354, 2002.

CORCOS M., *Le Corps insoumis,* Paris, Dunod, 2005.

CORCOS M. *et al.*, « L'adolescence au risque de la toxicomanie. La prise de drogue : une lutte contre la dépression », *Revue du praticien,* 1995, n° 9, 262, p. 23-27.

CORCOS M., FLAMENT M. et JEAMMET Ph., *Les Conduites de dépendance. Dimensions psychopathologiques communes,* Paris, Masson, 2003.

CORCOS M., JEAMMET P., « Conduites de dépendance à l'adolescence : aspects étiopathogéniques et cliniques », *Encyclopédie médico-chirurgicale,* 2000, 37-216- G-30, p. 1-6.

CORCOS M., JEAMMET P. *et al.*, « Dépression et dépressivité dans les troubles addictifs chez l'adolescent », in *Les Dépressions à l'adolescence,* Paris, Dunod, 2005, p. 139-162.

CORDONNIER D., *Événements quotidiens et bien-être à l'adolescence. Vers de nouvelles stratégies d'éducation pour la santé,* Genève, Médecine et Hygiène, 1995.

COSLIN P.G., *Les Adolescents devant les déviances,* Paris, PUF, 1996, rééd. 1999.

COSLIN P.G., « L'adolescent et l'alcool », in Tap P. et Malewska-Peyre H., *Marginalités et troubles de la socialisation,* Paris, PUF, 1993.

COSLIN P.G., *Psychologie de l'adolescent,* Paris, Armand Colin, 2002.

COSLIN P.G., *Les Conduites à risque à l'adolescence,* Paris, Armand Colin, 2003.

COSLIN P.G., *Ces jeunes qui désertent nos écoles,* Paris, SIDES, 2006.

COSLIN P.G. *et al.*, « Les jeunes et l'alcool », *Revue internationale de pédiatrie,* 1987, n° 174, p. 21-28.

CRAPLET M., BECK F., LEGLEY S., JARRAUD D., BEN BOUALI K., FRANQUENOT B., ROSSIGNOL C. et GILKES DUMAS G., « Avec l'alcool où en sommes-nous ? », *Toxibase*, 2004, n° 16, p. 1-17.

CRUM *et al.* (1998), cité in *Santé des enfants et des adolescents. Propositions pour la préserver. Expertise opérationnelle*, Paris, INSERM, 2003.

DE MIJOLLA A., SHENTOUB S.A., *Pour une psychanalyse de l'alcoolisme*, Paris, Payot, 1973.

DE MIJOLLA A., SHENTOUB S.A., « Repères théoriques et place de l'alcoolisme dans l'œuvre de Freud », *Revue française de psychanalyse*, Paris, 1972, t. XXXVI.

DE WIT D.J., ADLAF E.M., OFFORD D.R., OGBORNE A.C., « Age at first alcohol use : a risk factor for the development of alcohol disorders », *Am. J. Psychiatry*, 2001, 158 (9), p. 1530.

DEARDORFF J., GONZALES N.A., CHRISTOPHER S., ROOSA M.-W., MILLSAP R.-E., « Early puberty and adolescent pregnancy : the influence of alcohol use », *Pediatrics*, 2005, 116 (6), p. 1451-1456.

DELAROCHE P., *Adolescence à problème*, Paris, Albin Michel, 1992.

DEMBO R., WOTHKE W., SEEBERGER W., SHEMWELL M., PACHECO K., ROLLIE M., SCHMEIDLER J., KLEIN L., HARTSFIELD A., LIVINGSTON S., « Testing a model of the influence of family problem factors on high-risk youths' troubled behavior : a three-wave longitudinal study », *Journal of Psychoactive Drugs*, 2000, 32 (1), p. 55-65.

DESCOMBEY J.-P., *Précis d'alcoologie clinique*, Paris, Dunod, 2003.

DESCOMBEY J.-P., « L'Alcoolisme, continent noir de la psychanalyse ? », *Rev. Franç. Psychanal.*, 2004, p. 561-572.

DISCOUR V., PEYRE A., « Des polyconsommations à l'adolescence », *Courrier des Addictions*, 2006, n° 8, 4, p. 137-139.

DOLARD-ROCHE E., « Les représentations sociales de l'alcool », *Journal de médecine légale et de droit médical*, 2003, n° 46, 3, p. 211-214.

DRESS, « La santé des adolescents », *Études et Résultats*, 2004, n° 322.

EHRENBERG A., *Individus sous influence*, Paris, Esprit, 1991.

ELLICKSON P.-L., TUCKER J.-S., KLEIN D.-J., « Ten-year prospective study of public health problems associated with early drinking », *Pediatrics*, 2003, 111 (5), p. 949-955.

EXBROYAT J., « Deux enquêtes sur l'âge tendre de l'alcoolisme. Contribution à une éducation pour la santé », *Hyg. et Méd. scolaires*, 1977, n° XXX, p. 153-161.

FARGES F., FARGES S., ANGEL P., « Toxicomanies et conduites d'alcoolisation chez l'adolescent », in Ferrari P. (éd.), *Actualités en psychiatrie de l'enfant et de l'adolescent*, Paris, Flammarion, 2001, p. 303-309.

FELINE A., « L'alcoolisation du sujet jeune », *Rev. Méd.*, 1982, n° 23, 7, p. 325-329.

FELINE A., ADES J., « Aspects actuels de l'alcoolisme du sujet jeune », *Ann. Méd. Psych.*, 1980, n° 138, p. 80-86.

FERNANDEZ L. *et al.*, *Clinique des addictions*, Paris, Masson, 2002.

FERRADJI T., MORO M.R., « Approche transculturelle des dépendances », *Mythes*, 2006, n° 39.

FERRADJI T., « L'exil, entre errance et nostalgie », *Champ psychosomatique*, 2000, n° 20, p. 49-56.

FERRADJI T., « Temporalité et soins dans la migration », *Champ psychosomatique*, 2003, n° 30, p. 75-81.

FERREOL G., *Éléments d'évaluation du module : « La loi, l'alcool et la route »*, rapport de recherche, Lille, tribunal de grande instance et direction de la Réglementation et des libertés publiques, 1996.

FERREOL G., *Adolescence et toxicomanie*, Paris, Armand Colin, « Formation des enseignants », 1999.

FONTAN M., « Les jeunes et l'alcool ou la drogue », in *Mieux connaître l'alcoolique*, Paris, La Documentation française, 1979, p. 92-98.

FONTAN M., « L'alcool et les jeunes », *La Vie médicale*, 1980, n° 24, p. 1123-1130.

FOUNTAIN J., BARTLETT H., GRIFFITHS P., GOSSOP M., BOYS A.,

STRANG J., « Why say no? Reasons given by young people for not using drugs », *Addiction Research*, 1999, 7 (4), p. 339-353.

FREUD A., *Le Moi et les Mécanismes de défense*, Paris, PUF, 1949.

FREUD S., « Deuil et mélancolie », (1915), in *Métapsychologie*, Paris, Gallimard, 1968, p. 147-174.

FREUD S., « Au-delà du principe de plaisir », (1920), in *Essais de psychanalyse*, Paris, 1970, p. 7-85.

FREUD S., *Le Président Thomas Woodrow Wilson. Portrait psychologique*, Paris, Albin Michel, 1967, cité par de Mijolla A. et Shentoub. S., « Repères théoriques… », *Revue française de psychanalyse*, 1972, t. XXXVI, p. 73.

FREUD S., *La naissance de la psychanalyse*, Paris, PUF, 1973, p. 101.

FREUD S., « La sexualité dans l'étiologie des névroses », in *Résultats, idées, problèmes*, Paris, PUF, 1984-1985, vol. 1.

FREUD S., BINSWANGER F., *Correspondance 1908-1938*, trad. Ruth Menahem et M. Strauss, Paris, Calmann-Lévy, 1995.

GENDREAU J., *L'Adolescent et ses « rites » de passage*, Rennes, PUR, 1999.

GIACONNA *et al.*, « Major depression and drug disorders in adolescence : General and specific impairment in early adulthood », *Journal of the American Academy of Child and Adolescent Psychiatry*, 2001, 40, p. 1426-1433.

GODEAU E., DRESSEN C., NAVARRO F., *Les Années collège. Enquête santé HBSC 1998 auprès des 11-15 ans en France*, Paris, CFES, « Baromètres », 1998 ; rééd. 2000.

GODEAU E., GRANDJEAN H., NAVARRO F. (dir.), *La Santé des élèves de 11 à 15 ans en France : 2002. Données françaises de l'enquête internationale HBSC*, Saint-Denis, INPES, 2005.

GODEAU E., VIGNES C., *Vécu scolaire, image de soi et consommation de substances psychoactives chez les adolescents de 11-15 ans*, rapport à la MILDT, 2006.

GODEAU E., VIGNES C., NAVARRO F., MONEGER M.L., « Consommation de cannabis, tabac et alcool chez les élèves de 15 ans en France », *Le Courrier des addictions*, 2004, n° 6, 3, p. 117-120.

GOMEZ H., *La Personne alcoolique. Comprendre le système alcool*, Toulouse, Privat, 1993.

GOMEZ H., *Soigner l'alcoolique*, Paris, Dunod, 2002.

GTNDO, *Élaboration de la loi relative à la politique de santé publique*, Paris, ministère de la Santé, rapport 2003.

GUILLAUMIN J., « Besoin de traumatisme et adolescence », *Adolescence*, 1989, n° 3 (1), p. 127-138.

GUTTON Ph., « Pratiques de l'incorporation », *Adolescence,* 1984, n° 2, 2, p. 315-338.

GUTTON Ph., SLAMA L., « De la conduite au comportement », *Adolescence*, 1994, n° 23.

GUYON L., « Évaluer la prévention des conduites alcooliques et toxicomaniaques : expériences québécoises récentes », in Venisse J.-L., Bailly D., Reynaud M., *Conduites addictives, conduites à risque : quels liens, quelle prévention ?*, Paris, Masson, 2002, p. 187-198.

HAM L.S. *et al.*, « College students and problematic drinking : a review of the literature », *Clinical Psychology Review,* 2003, 23, p. 719-759.

HAUT COMITÉ DE SANTÉ PUBLIQUE, *La Souffrance psychique des adolescents et des jeunes adultes*, Paris, ministère de l'Emploi et de la Solidarité, 2000.

HIBELL B., ANDERSSON B., BJARNASSON *et al.*, *The ESPAD Report 2003. Alcohol and Other Drugs among Students in 35 European Countries. Sweden*, Stockholm, Swedish Council for Information on Alcohol and Other Drugs, 2004.

HOUSEMAN M., « Qu'est-ce qu'un rituel ? », *L'Autre. Cliniques, Cultures et Sociétés,* 2002, n° 3 (3), p. 533-538.

HOUTAUD D'A., « L'image des boissons chez les jeunes », *Bulletin du HCEIA,* 1985, n° 1, p. 37-52.

HOUTAUD D'A., *Quand les 15-20 ans parlent des boissons*, Paris, La Documentation française, 1985.

INPES-MILDT, *Drogues et dépendance,* 2006.

INSERM, *Alcool. Effets sur la santé*, expertise collective de l'INSERM, Paris, INSERM, 2001.

INSERM, *Éducation pour la santé des jeunes. Démarches et méthodes*, expertise collective de l'INSERM, Paris, INSERM, 2001.

INSERM, *Alcool, dommages sociaux. Abus et dépendance*, expertise collective de l'INSERM, Paris, INSERM, 2003.

INSERM-OFDT, *European School Survey Project on Alcohol and Other Drugs (ESPAD)*, Paris, INSERM/OFDT, 2003.

JACQUET M.-M., DESCOMBEY J.-P., « Actualités des cliniques addictives », *Psychologie clinique*, nouvelle série n° 14, Paris, L'Harmattan, 2002.

JEAMMET Ph., « Addictions, dépendance et adolescence. Réflexions sur leurs liens et conséquences sur nos attitudes thérapeutiques », in Venisse J.-L., *Les Nouvelles Addictions*, Paris, Masson, 1991.

JEAMMET Ph., « Vers une clinique de la dépendance. Approche psychanalytique », in *Dépendance et conduites de consommation*, Paris, INSERM, « Questions en santé publique », 1997.

JEAMMET Ph., « Dépendance et séparation à l'adolescence : point de vue psychodynamique », in Bailly D., Venisse J.-L., *Dépendance et conduites de dépendance*, Paris, Masson, 1994.

JEAMMET Ph., CORCOS M., *Évolution des problématiques à l'adolescence : l'émergence de la dépendance et ses aménagements*, Paris, Doin, « Références en psychiatrie », 2ᵉ édition revue et augmentée, 2005 (1ʳᵉ éd., 2001).

JOHNSON P., BOLES S. M., KLEBER H.-D., « The relationship between adolescent smoking and drinking and likelihood estimates of illicit drug use », *Journal of Addictive Diseases*, 2000, 19, (2), p. 75-81.

JOHNSON P.-D., GURIN G., « Negative affect, alcohol expectancies and alcohol-related problems », *Addiction*, 1994, vol. 89, n° 5, p. 581-586.

JOHNSTON L.-D. *et al.*, *Monitoring the Future. National Results on Adolescent Drug Use : Overview of Keys Findings, 2005*, Bethesda, National Institute on Drug Abuse/NIDA, NIH Publication n° 06-5882, 2006.

JULL A., « The CRAFFT test was accurate for screening for substance abuse among adolescent clinic patients », *Evid Based Nurs*, 2003, 6(1), p. 23.

KANDEL D.B., JOHNSON J.-G., BIRD H.-R. *et al.*, « Psychiatric comorbidity among adolescents with substance use disorders : finding from the MECA study. J. Am. Acad. », *Child Adolesc. Psychiatry*, 1999, 38(6), p. 693-699.

KARILA L., « Prise en charge des troubles psychiques et des addictions », Paris, J.B. Baillière-*La Revue du praticien*, 2005.

KARILA L., COUTERON J., REYNAUD M., « Stratégies de repérage et d'évaluation de l'usage nocif de cannabis », in Reynaud M., *Cannabis et santé*, Paris, Flammarion, 2004, p. 153-163.

KARILA L., LEGLEYE S., DONNADIEU S., BECK F., CORRUBLE E., REYNAUD M., « Consommations nocives de produits psychoactifs. Résultats préliminaires de l'étude ADOTECNO », *Alcoologie et Addictologie*, 2004, n° 26 (2), p. 99-109.

KLEIN M., « Le deuil et ses rapports avec les états maniaco-dépressifs », (1940), in *Essais de psychanalyse*, Paris, Payot, 1987, p. 341-369.

KUTHER T.L., HIGGINS-D'ALESSANDRO A., « Attitudinal and normative predictors of alcohol use by older adolescents and young adults », *J. Drug. Educ.*, 2003, 33 (1), p. 71-90.

LE GARREC S., *Ces ados qui en prennent. Sociologie des consommations toxiques adolescentes*, Toulouse, Presses universitaires du Mirail, 2002.

LE POULICHET S., BRUSSET B., CYSSAU C., DAYAN M., JACQUET M. M., JEAMMET Ph., PEDINIELLI J.-L., RIGAUD A., ROUAN G., SCHNEIDER M., WAINTRATER R., *Les Addictions*, Paris, PUF, « Monographies de psychopathologie », 2000.

LECLEF H., PHILIPPOT P., « La consommation d'alcool en milieu étudiant. Enquête épidémiologique », *Alcoologie*, 1999, n° 21, 3, p. 421-428.

LEDOUX S., SIZARET A., HASSLER C. *et al.*, « Consommation de substances psychoactives à l'adolescence. Revue des études de cohorte », *Alcoologie et Addictologie*, 2000, n° 22 (1), p. 19-40.

LEFOUR J., « Les jeunes adultes, le vin et la bière. Deux cultures du "savoir-boire" », *Les Cahiers de l'IREB*, 2005, n° 17.

LEGLEYE S., BECK F., PERETTI-WATTEL P., « Consommateurs d'alcool ou de cannabis à 17 ans. Quelles différences ? », *Alcoologie et addictologie*, 2002, n° 24, 2, p. 127-133.

LEGLEYE S., MENARD C., BAUDIER F., LE NEZET O., « Alcool », in Guilbert P., Baudier F., Gautier A. (dir.), *Baromètre santé 2000*, vol. 2 : *Résultats*. Vanves, CFES, « Baromètres », 2001, p. 123-159.

LEJEUNE D., PARQUET Ph.-L., BAILLY D., « Problèmes posés par l'alcoolisation chez les adolescents », *Annales de pédiatrie*, 1986, vol. 33, n° 8.

LESELBAUM N., « La prévention en milieu scolaire », *Toxibase*, 2003, n° 9, p. 1-15.

LESELBAUM N., CORIDIAN C., DEFRANCE J., *Tabac, alcool, drogues ? Des lycéens parisiens répondent*, Paris, HCEIA, 1984.

LESOURNE O., « Conduites addictives et clivage du moi », *Topique*, 1995, n° 56.

LEYMARIE N. (dir.), *Les Adolescents français face à l'alcool. Comportement et évolution*, Paris, Institut de recherche scientifique sur les boissons, 1998.

LOAS G., CORCOS M., *Psychopathologie de la personnalité dépendante*, Paris, Dunod, 2006.

LONFILS C., « Quelques résultats de l'étude "Santé et bien-être des jeunes". Analyse transversale et longitudinale de la consommation d'alcool », *Les Cahiers de prospective jeunesse*, 2004, n° 32.

LUHTANEN *et al.*, « Alcohol use in College students : effects of level of self-esteel, narcissism, and contingencies of self-worth », *Psychology of Addictive Behaviors*, 2005, vol. 19, n°1, p. 99-103.

MADANES C., DUKES J., HARBIN H., « Family ties of heroin addicts », *Arch. Gen. Psychiatry*, 1980, 37, 88, p. 889-894.

MALLET P., « Se découvrir entre amis, s'affirmer parmi ses pairs. Les relations entre pairs au cours de l'adolescence », in Rodriguez-Tomé H., Jackson S. et Bariaud F., *Regards actuels sur l'adolescence*, Paris, PUF, 1997, p. 109-146.

MARCELLI D., « Du lien précoce au lien d'addiction », *Neuropsychiatrie de l'enfant*, 1994, n° 42, 7, p. 279-284.

MARCELLI D., « Conduites d'essai et conduites à risque : les consommations de produits », in Alvin P., Marcelli D., *Médecine de l'adolescent*, Paris, Masson, 1999, p. 237-247.

MARCELLI D., BRACONNIER A., *L'Adolescence aux mille visages*, Paris, Odile Jacob, 1998.

MARCELLI D., BRACONNIER A., *Adolescence et psychopathologie*, Paris, Masson, 2004.

MARECHAL C., *L'Alcool et les jeunes*, Paris, PUF, 1981.

MARINOT L., « Prévenir la consommation excessive d'alcool », *Acteurs Magazine*, 1998, n° 30, p. 16.

MARTIN C.-A., KELLY T.-H., RAYENS M.-K. *et al.*, « Sensation seeking, puberty and nicotine, alcohol and marijuana use in adolescence », *Journal of the American Academy of Child and Adolescent Psychiatry*, 2002, 41, p. 1495-1502.

MARTY F., « À propos de la résistance narcissique à l'investissement de l'objet à l'adolescence », *Le Carnet psy*, 1998, n° 38, p. 20-22.

MAYER J., FILSTEAD W.J., « The adolescent alcohol involvement scale. An instrument for measuring adolescents' use and misuse of alcohol », *J. Stud. Alcohol*, 1979, 40, p. 291-300.

MC DOUGALL J., *Théâtres du corps*, Paris, Seuil, 1989.

MC DOUGALL J., MARINOV V., BRELET FOULARD F., LANOUZIERE J. *et al.*, *Anorexie, addictions et fragilités narcissiques*, Paris, PUF, 2001.

MEIDANI A., DANY L., WELZER-LANG D., « Manière de boire et rapports sociaux de genre chez les jeunes (18-25 ans) », *Les Cahiers de l'IREB*, 2005, n° 17.

MEMMI, ALBERT, *L'Individu face à ses dépendances*, Paris, Vuibert, 2005.

MENARD C., *Étude quantitative sur l'attitude des Français face à l'alcool*, Vanves, CFES, 1992.

MENARD C., « Consommation d'alcool chez les jeunes en France », in Navarro F., Godeau E., Vialas C., *Les Jeunes et l'Alcool en Europe*, Toulouse, Éditions universitaires du Sud, 2000.

MENETREY A. C., « L'alcool, le tabac, des drogues légales toujours bien présentes », in Michaud P.A., Alvin P. *et al.*, *La Santé des adolescents. Approches, soins et prévention*, Lausanne, Payot ; Paris, Doin ; Presses de l'Université de Montréal, 1997, p. 386-395.

MENKE H., CHOQUET M., « Clinique et épidémiologie de l'alcoolisation juvénile », *Adolescence*, 1990, n° 8, 1, p. 87-102.

MICHAUD P.-A., « Dépister, investiguer et traiter le mésusage d'alcool chez les adolescents », *Alcoologie et Addictologie*, 2003, n° 25.

MICHAUD P.-A., BAUDIER F., SANDRIN-BERTHON B., « L'éducation pour la santé », in Michaud P.A., Alvin P. *et al.*, *La Santé des adolescents. Approches, soins et prévention*, Lausanne, Payot ; Paris, Doin ; Presses de l'Université de Montréal, 1997, p. 611-619.

MICHAUD P.-A., TURSZ A., « La prévention des accidents », in Michaud P.A., Alvin P. *et al.*, *La Santé des adolescents. Approches, soins et prévention*, Lausanne, Payot ; Paris, Doin ; Presses de l'Université de Montréal, 1997, p. 545-553.

MICHEL G., *La Prise de risque à l'adolescence. Pratique sportive et usage de substances psychoactives*, Paris, Masson, « Les âges de la vie », 2001.

MICHEL G., PURPER-OUAKIL D., MOUREN-SIMEONI M.C., « Facteurs de risques des conduites de consommation de substances psychoactives à l'adolescence », *Annales médico-psychologiques*, 2001, vol. 159, issue 9, p. 622-631.

MILDT, *Plan triennal de lutte contre la drogue et de prévention des dépendances 1999, 2000, 2001*, Paris, MILDT, 1999, 109 p. ; Paris, La Documentation française, 2000, 226 p.

MILDT, *Plan gouvernemental de lutte contre les drogues illicites, le tabac et l'alcool 2004-2008*, Paris, MILDT, 2004, 76 p.

MONJAUZE M., *La Problématique alcoolique*, Paris, Dunod, 1991.

MOREL A., REYNAUD M., « Les modalités de consommation à risque », in *Usage nocif de substances psychoactives*, Paris, La Documentation française, 2002, p. 37-44.

MORGAN M., HIBELL B., ANDERSSON B., BJARNASON T., KOKKEVI A., NARUSK A., « The Espad Study : implications for prevention », *Drugs Education, Prevention and Policy*, 1999, 6 (2), p. 243-256.

MORO M.-R., « Recherche de traumatismes chez les adolescents de la "deuxième génération". Analyse ethnopsychiatrique », in Yahyaoui A. (éd.), *Corps, espace-temps et traces de l'exil. Incidences cliniques*, Grenoble, La Pensée sauvage, 1989, p. 111-122.

MORO M.-R., *Enfants d'ici venus d'ailleurs. Naître et grandir en France*, Paris, La Découverte, 2002 ; édition de poche, Hachette Littératures, 2004.

MORO M.-R., MORO I. *et al.*, *Avicenne l'andalouse. Devenir psychothérapeute en situation transculturelle*, Grenoble, La Pensée sauvage, 2004.

MOUREN-SIMEONI, VANTALON V., « Les conduites addictives aux substances licites et illicites chez l'enfant », in Bailly D., Venisse J.-L., *Addictions et psychiatrie*, Paris, Masson, 1999, p. 91-106.

MUSZLAK M., PICHEROT G., « Intoxication alcoolique aiguë de l'adolescent aux urgences. Une enquête prospective multicentrique française », *Alcoologie et Addictologie*, 2005, n° 27 (1), p. 5-12.

NAHOUM-GRAPPE V., MATHELIN M., LE VOT-LFRAH C., *De l'ivresse à l'alcoolisme*, Paris, Dunod, 1989.

NAHOUM-GRAPPE V., « Histoire et anthropologie des conduites d'excès : les "jeunes" et l'"alcool" », in Braconnier A., Chiland C., Choquet M., Pomarède R. (dir.), *Adolescentes, adolescents. Psychopathologie différentielle*, Paris, Bayard, 1995.

NAHOUM-GRAPPE V., *Rapport du groupe de travail relatif à l'interdiction de vente de tabac aux mineurs*, Paris, DGS, ministère de l'Emploi et de la Solidarité, 2000.

NAHOUM-GRAPPE V., « Conduites d'excès et imaginaire social de la jeunesse », in Navarro F., Godeau E. et Vialas C. (éd.), *Les Jeunes et l'Alcool en Europe. Actes du colloque interdisciplinaire*, Toulouse, Éditions universitaires du Sud, 2001, p. 63-78.

NATHAN T., *La Folie des autres*, Paris, Dunod, 1986.

NATHAN T., « Trauma et mémoire. Introduction à l'étude des soubassements psychologiques des rituels d'initiation », *Nouvelle Revue d'ethnopsychiatrie*, 1986, n° 6, p. 7-19.

NATHAN T., « La fonction psychique du trauma », *Nouvelle Revue d'ethnopsychiatrie*, 1987, n° 8, p. 7-9.

OEI T.P.S., MORAWSKA A., « A cognitive model of binge drinking : the influence of alcohol expectancies and drinking refusal self-efficacy », *Addictive Behaviors*, 2004, vol. 29, n°1, p. 159-179.

OFDT, *Drogues et dépendances. Indicateurs et tendances*, Paris, OFDT, 2002.

ORS, *Évaluation sur trois ans du programme CAPRI de prévention des addictions*, Paris, ORS Ile-de-France, 2004.

OUBRAYRIE-ROUSSEL N., SAFONT-MOTTAY C., « Étude comparative de la consommation d'alcool comme mode de réaction chez les adolescents scolarisés », in Navarro F., Godeau E. et Vialas C. (éd.), *Les Jeunes et l'Alcool en Europe. Actes du colloque interdisciplinaire*, Toulouse, Éditions universitaires du Sud, 2001, p. 223-235.

PADIEU R., BEAUGE F., CHOQUET M., MOLIMARD R., PARQUET P., STINUS L., *Dépendance et conduites de consommation*, Paris, INSERM, « Questions en santé publique », 1997.

PAILLARD M.C., BERGERON G., BEDORET J.M., BLANCKAERT D., « Les intoxications éthyliques aiguës de l'enfant (à propos de 32 observations) », *LARC Méd.*, 1982, n° 2, p. 379-380, 382, 385-378.

PAILLE F., *L'Alcool : de l'usage à la dépendance*, Gaillard (74), Laboratoire Roche Nicholas, 2000.

PARQUET Ph., BAILLY D., « Aspects de l'alcoolisation des enfants et des adolescents », *Neuropsychiatrie de l'enfance*, 1988, n° 36 (2-3), p. 97-101.

PARQUET Ph., BAILLY D., LEJEUNE D., GIGNAC C., « Problèmes posés par l'alcoolisation chez les adolescents. À propos d'une enquête en milieu scolaire », *Ann. Pédiatr.*, 1986, n° 33, 8, p. 653-660.

PEDINIELLI J.-L., ROUAN G., BRETAGNE P., *Psychopathologie des addictions*, Paris, PUF, « Nodules », 1997.

PEREZ-DIAZ C., *Alcool et délinquance : recension bibliographique*, Paris, CESDIP (Centre de recherches sociologiques sur le droit et les institutions pénales), 1999.

PEREZ-DIAZ C., « Alcool et délinquance », Paris, *Tendances*, n° 9, OFDT, 2000.

PÉREZ-DIAZ C., *Alcool et délinquance : état des lieux*, Paris, Documents du CESAMES, 2000, n° 7.

PERTHUS I., PICARD V., GERBAUD L., CLEMENT G., LAQUET A., REYNAUD M., GLANDIER Y., « Évaluation des consommations à risque. Intérêt d'un autoquestionaire chez l'adolescent », *Alcoologie et Addictologie*, 2003, n° 25, 2, p. 99-104.

PETILLON C., « Conduites addictives : l'entreprise n'est pas... la fac », *Le Monde*, « Campus », 2006.

PICARD V., GERBAUD L., PERTHUS I., CLEMENT G., GLANDIER P.Y., REYNAUD M., « Place du médecin de famille dans la prévention des conduites d'alcoolisation chez les adolescents », *Rev. Prat. Méd. Gén.*, 2002, n° 16 (575), p. 796-799.

PICARD V., GERBAUD L., PERTHUS I., REYNAUD M., « Étude de la consommation d'alcool en milieu scolaire », *Rev. Prat. Méd. Gén.*, 2002, n° 16 (570), p. 6-10.

PICARD V., REYNAUD M., GERBAUD L., CLEMENT G., PERTHUS I., « Validation d'un test de dépistage de l'usage nocif d'alcool. Enquête sur 844 adolescents de la région de Clermont-Ferrand », *La Revue du praticien. Médecine générale*, 2002, n° 16, (570).

PICHEROT G., MUSZLAK M., DAVID V., DUFILHOL-DRENO L., ALVIN P., ARMENGAUD D. *et al.*, « Intoxication alcoolique aiguë de l'adolescent aux urgences : enquête prospective multicentrique », *Arch. Pédiatr.*, 2003, n° 10, suppl. 1, p. 140-142sq.

Plan gouvernemental de lutte contre les drogues illicites, le tabac et l'alcool 2004-2008, Paris, MILDT (Mission interministérielle de lutte contre la drogue et la toxicomanie), 2004.

POMMEREAU X., « Les addictions », in Le Breton D., *L'Adolescence à risque*, Paris, Autrement, « Mutations ».

Prévention des conduites addictives. Guide d'intervention en milieu scolaire, Paris, DESCO/MILDT, 2006.

RASSIAL J.-J., « L'horreur et le dégoût : alcoolisme et toxicomanie. Communication à l'université de Louvain », *Cliniques méditerranéennes*, 1985, n° 7-8.

REVUE *L'Autre. Cliniques, Cultures et Sociétés*, vol. 2, n° 1, « Adolescences », Grenoble, La Pensée sauvage, 2001.

REYNAUD M., *Les Toxicomanies : alcool, tabac, drogues, médicaments*, Paris, Maloine, 1982.

REYNAUD M., « Les pratiques addictives à l'université », *Le Courrier des addictions*, 2000, n° 1-2, p. 4-7.

REYNAUD M., LE BRETON P., GILOT B., ERVIALLE F., FALISSARD B., « L'alcoolémie est positive dans 2 accidents mortels sur 3 la nuit », *Rev. Prat. Méd. Gén.*, 2002, n° 16, p. 1701-1706.

REYNAUD M., PARQUET P., *Les Personnes en difficulté avec l'alcool : usage, usage nocif, dépendance. Propositions. Rapport de mission 1998*, Paris, CFES, 1999.

REYNAUD M., PARQUET P., LAGRUE G., *Les Pratiques addictives : usage, usage nocif et dépendance aux substances psychoactives. Rapport au directeur général de la Santé*, Paris, Odile Jacob, 2000.

RHODE P., LEWINSHON P.M., KAHLER C.W. *et al,*. « Natural course of alcohol use disorders from adolescence to young adulthood », *Journal of the American Academy of Child and Adolescent Psychiatry*, 2001, 40, p. 83-90.

ROGE B., CHABROL H., *Psychopathologie de l'enfant et de l'adolescent*, Paris, Belin, « Atouts », 2003.

SCHMIDT H., NIC GABHAINN S., *Alcohol Use, in Young People's Health in Context*, HBSC Study, OMS, bureau régional Europe, 2004.

SCHMIDT H. *et al.*, « Drunkenness among young people : a cross-national comparison », *J. Stud. Alcohol*, 2003, 64, p. 650-661.

SCHWEITZER M.-G, PUIG-VERGES N., « Violences externes et premières alcoolisations », *Psy. Fran.* 1992, n° 1, p. 58-68.

SEGAL B.-M., STEWART J.-C., « Substance use and abuse in adolescence : an overview », *Child Psychiatry Hum. Dev.*, 1996, 26(4), p. 193.

SIMMONET-TOUSSAINT C., *Étude des représentations véhiculées par le vin chez les jeunes adultes. Pensées publique, privée et intime à propos du vin*, thèse de doctorat en psychologie, université de Bordeaux-II, 2004.

THOMAZEAU A.-M., *L'Alcool : un drôle d'ami*, Paris, La Martinière Jeunesse, « Hydrogène », 2002.

TILLARD B., *L'Alcool : consommation d'un produit licite vers 14-15 ans. Document de travail*, Lille, Observatoire régional de la santé Nord-Pas-de-Calais, 1997.

TODD B. *et al.*, « Substance use in young adults : associations with personality and gender », *Addictive Behavior*, 2005, 30, p. 259-269.

TOMKIEWICZ S., « Conduites de risque et d'essai chez l'adolescent », in Turz A. (dir.), *Adolescents, risques et accidents*, Paris, Centre international de l'enfance, 1987, p. 59-66.

ULB-PROMES, *La Santé et le Bien-Être des jeunes d'âge scolaire : quoi de neuf depuis 1994 ?*, Bruxelles, ULB-PROMES, 2003.

VALLEUR M., MATYSIAK J.C., *Les Addictions*, Paris, Armand Colin, 2002.

VARESCON I., « Drogues et santé mentale des adolescents », in Langouet G. (dir.), *Les Jeunes et la Santé en France*, Paris, Hachette, 2001, p. 181-201.

VARESCON I., *Psychopathologie des conduites addictives. Alcoolisme et toxicomanie*, Paris, Belin, 2005.

VIGNAU J., KARILA L., « Substance abuse in adolescents », *Rev. Prat.*, 2003, 53(12), p. 1315-9.

WEITZMAN E.-R., NELSON T.-F., WECHSLER H., « Taking up binge drinking in College : The influences of person, social group, and environment », *J. Adolescent Health*, 2003, 32, p. 26–35.

WINNICOTT D.W., « La position dépressive dans le développement affectif normal », (1954-1955), in *De la pédiatrie à la psychanalyse*, Paris, Payot, 1969, p. 231-249.

WINNICOTT D.W., « La crainte de l'effondrement », 1975, *NRP*, 11, p. 3-44.

YOUNG R.M., CONNOR J.P., RICCIARDELLI L.A., SAUNDERS J.B., « The role of alcohol expectancy and drinking refusal self-efficacy beliefs in university student drinking. 2006 », *Alcohol and Alcoholism*, 2006, vol. 41, n°1, p. 70-75.

YOUNG R.McD., OEI T.P.S., « The predictive utility of drinking refusal self-efficacy and alcohol expectancy : a diary-based study of tension reduction », *Addictive Behaviors*, 2000, vol. 25, n°3, p. 415-421.

ZIMMERMANN G., ROSSIER V., BERNARD M., CERCHIA F., QUAR-

TIER V., « Sévérité de la consommation d'alcool et de cannabis chez les adolescents tout-venant et délinquants », *Neuropsychiatrie de l'enfant et l'adolescent,* 2005, n° 53, p. 447-452.

ZOURBAS S., COUTURIER C., « Alcoolisme et jeunesse », *La Revue du praticien,* 1980, n° 30, p. 2449-2450.

ZUCKERMAN M., *Behavioral Expressions and Biosocial Bases of Sensation Seeking,* New York, Cambridge University Press, 1994.

Filmographie

PETIT-JOUVET L., *J'ai rêvé d'une grande étendue d'eau,* Paris, Abacaris Film 2002 (www.clinique-transculturelle.org).

Sites Internet

www.has-sante.fr (section publications)
www.inpes.sante.fr
www.inserm.fr
www.ireb.com
www.mildt.com
www.ofdt.fr
www.toxibase.org
www.who.int

Liste des auteurs

Patrick Alvin : Pédiatre, chef du service de médecine pour adolescents du pôle Mère-Enfant-Adolescent du CHU de Bicêtre (AP-HP). Il a ouvert cette structure pionnière, aux côtés de Victor Courtecuisse, en 1982. Il est l'auteur de plusieurs ouvrages, dont *Médecine de l'adolescent* (Masson, 2005) et *L'Annonce du handicap à l'adolescence* (Vuibert, 2005).

Jean-Pascal Assailly : Psychologue, chercheur à l'INRETS (Institut national de recherches sur les transports et leur sécurité).

Amine Benyamina : Praticien hospitalier (hôpital Paul-Brousse).

Annie Birraux : Psychiatre, psychanalyste, professeur des universités.

Michel Botbol : Psychiatre des hôpitaux, psychanalyste, attaché à la direction de la Protection judiciaire de la jeunesse, président du Comité santé des jeunes de la Fondation de France, directeur de la clinique Dupré de Sceaux de 1997 à 2005.

Renaud Bouthier : Pharmacien, diplômé de l'ESSEC. En 1999, il fonde l'association Avenir Santé dont l'objectif est de mener des actions de prévention en direction des jeunes (accidents de la route, tabac, alcool, sida...). Dans ce cadre, il crée les premiers

enseignements prévention en France dans les facultés de médecine et de pharmacie.

Luc-Henry Choquet : Sociologue du droit, responsable du pôle
Recherche à la direction de la protection judiciaire de la jeunesse
au ministère de la Justice.

Marie Choquet : Docteur en psychologie (université de Louvain)
et épidémiologiste (université Paris-XI), directeur de recherche
à l'INSERM, responsable de l'équipe Santé des Adolescents à
l'U669.

Pierre G. Coslin : Professeur de psychologie de l'adolescent à
l'université René-Descartes, directeur du groupe d'études et de
recherches en psychologie de l'adolescent. Ses travaux portent
principalement sur les attitudes et représentations des déviances,
la consommation de drogues licites et illicites, la violence dans
les collèges, la déscolarisation, les violences familiales et l'enfance
en danger.

Maurice Corcos : Psychiatre, psychanalyste, auteur de *Les Condui-*
tes de dépendance (Masson, 2005) et *Le Corps insoumis* (Dunod,
2006).

Sarah Coscas : Praticien hospitalier, (hôpital Paul-Brousse).

Anne Delaigue : Psychologue clinicienne, psychanalyste, travaille
depuis de longues années à l'École polytechnique, dont elle
dirige le service de psychologie.

Valérie Discour : Psychologue clinicienne.

Taïeb Ferradji : Psychiatre, docteur en psychologie et
psychopathologie, praticien hospitalier dans le service de psychopathologie de l'enfant du professeur Marie-Rose Moro (CHU
Avicenne, AP-HP), responsable de l'unité de pédopsychiatrie

et cothérapeute à la consultation de psychiatrie transculturelle, chargé de cours à la faculté de médecine de Bobigny et au laboratoire de psychopathologie de l'université de Villetaneuse-Paris-XIII, rédacteur en chef de la revue transculturelle *L'Autre*.

Emmanuelle Godeau : Médecin de santé publique, anthropologue (service médical du rectorat de Toulouse, INSERM U558, Toulouse). Investigatrice principale de l'enquête HBSC.

Jocelyne Grousset : Médecin de santé publique à la direction de la protection judiciaire de la jeunesse, ministère de la Justice. Auteur notamment du rapport *La santé des jeunes de 14 à 20 ans pris en charge par les services du secteur public de la protection judiciaire de la jeunesse, sept ans après*, INSERM/ DPJJ, La Documentation française, 2004.

Serge Hefez : Psychiatre des hôpitaux, psychanalyste, thérapeute familial. Il coordonne l'unité de thérapie familiale du service de psychiatrie de l'enfant et de l'adolescent à l'hôpital de La Pitié-Salpêtrière et est responsable d'ESPAS (Espace social et psychologique d'aide aux personnes touchées par le virus du sida). Il est l'auteur de *La Danse du couple*, (Hachette Littératures, 2005), *Quand la famille s'emmêle*, (Hachette Littératures, 2004), *Un écran de fumée : le cannabis dans la famille* (Hachette Littératures, 2005).

Patrice Huerre : Psychiatre des hôpitaux, psychanalyste, expert près la cour d'appel de Paris, médecin chef d'un service de psychiatrie de l'enfant et de l'adolescent dans les Hauts-de-Seine. Il est l'auteur de nombreux ouvrages concernant l'adolescence, dont les derniers sont : *Faut-il plaindre les bons élèves ? Le prix de l'excellence* (Hachette Littératures, 2005), *Je m'en fiche, j'irai quand même : l'autorité avec un adolescent* (Albin Michel, 2006). Il a récemment coordonné les ouvrages collectifs : *L'Absentéisme scolaire, du normal au pathologique* (Hachette Littératures, 2005) et *Cannabis et adolescence : les liaisons dangereuses* (avec François Marty, Albin Michel, 2004).

Laurent Karila : Chef de clinique assistant, chargé d'enseignement (département d'addictologie, hôpital Paul-Brousse, AP-HP, Villejuif, université Paris-XI).

Marie Le Fourn : Docteur en socio-anthropologie, psychologue clinicienne au CMPP de Tours dans le cadre de l'unité adolescent. Elle enseigne également à l'IUFM.

Hélène Lida-Pulik : Psychiatre pour adolescents, médecin chef de service à la clinique Georges-Heuyer (FSEF), auteur de nombreuses publications dans des revues spécialisées et scientifiques, ancienne interne et chef de clinique-assistante des Hôpitaux de Paris.

Viviane Mahler : Économiste, journaliste spécialisée jeunesse-éducation, auteur de *Ados, comment on vous manipule* (Albin Michel, 2004).

François Marty : Psychologue, psychanalyste, professeur des universités, directeur du laboratoire de psychologie clinique et de psychopathologie (EA 1512), de l'université Paris-V, président du Collège international de l'adolescence (CILA).

Éric Mathevet : (étudiant en Évaluation des politiques publiques) réalise au sein d'Avenir Santé un travail de recherche sur les stratégies des alcooliers en direction des jeunes. Ce travail, financé par la direction générale de la Santé, est réalisé en partenariat avec l'université Lyon-II.

Marie-Rose Moro : Professeur de psychiatrie de l'enfant et de l'adolescent (université de Paris-XIII), chef de service au Centre hospitalier universitaire Avicenne (Bobigny, AP-HP). Elle dirige la revue transculturelle, *L'Autre*.
Site : www.clinique-transculturelle.org

Félix Navarro : Médecin de santé publique, conseiller technique du recteur de l'académie de Toulouse, coordonnateur national de l'enquête HBSC.

Élodie Passeri : Étudiante en master 2 de psychologie clinique et psychopathologie à l'Institut de psychologie, de l'université Paris-V.

Alexandre Peyre : Diplômé du DESS de psychologie de l'enfant et de l'adolescent de l'université Paris-V. Psychologue à la consultation jeunes consommateurs du service addictions de l'hôpital Paul-Guiraud de Villejuif et à l'ECIMUD de l'hôpital du Kremlin-Bicêtre. Coresponsable de la mission Rave et Squat de Médecins du Monde. Ancien président de la FENEPSY (Fédération nationale des étudiants en psychologie). Ancien chef de projet du programme d'échange de seringues de l'Association Liberté dans les Hauts-de-Seine.

Georges Picherot : Chef de service de clinique médicale pédiatrique et des urgences pédiatriques de Nantes, plus spécialement chargé de l'unité d'accueil des adolescents.

Michel Reynaud : Professeur de psychiatrie et d'addictologie (hôpital universitaire Paul-Brousse, Villejuif, université Paris-XI).

Élisabeth Rossé : Psychologue à l'hôpital Marmottan.

Marjorie Tollec : Étudiante en master 2 de psychologie clinique et psychopathologie à l'Institut de psychologie, de l'université Paris-V.

Joséphine Truffaut : Étudiante en master de psychologie clinique et psychopathologie à l'Institut de psychologie de l'université Paris-V.

Tevkika Tunaboylu-Ikiz : Psychanalyste, membre de la Société psychanalytique de Paris, professeur de psychologie à l'université d'Istanbul, cofondatrice de l'Association psychanalytique d'Istanbul et de la Société de Rorschach et des tests projectifs en Turquie.

Nicole Vacher-Neill : Psychiatre, chef de service (clinique Georges-Heuyer), expert près la cour d'appel de Paris.

Marc Valleur : Psychiatre, chef de service de l'hôpital Marmottan. Auteur de *Les Pathologies de l'excès, sexe, alcool, drogue, jeux… Les dérives de nos passions* (avec Jean-Claude Matysiak, Jean-Claude Lattès, 2006).

Table

Claude Allard
L'Enfant au siècle des images

Gérard Bonnet
*Défi à la pudeur. Quand la pornographie
devient l'initiation sexuelle des jeunes*

Patrick Delaroche
La Peur de guérir

Fernando Geberovich
No satisfaction. Psychanalyse du toxicomane

Jean-Michel Hirt
L'Insolence de l'amour. Fictions de la vie sexuelle

Ouvrage collectif dir. par Patrice Huerre
et François Marty
Cannabis et adolescence. Les liaisons dangereuses

Roland Gori et Pierre Le Coz
*L'empire des coachs. Une nouvelle forme
de contrôle social*

Jean-Marie Jadin
Côté divan, côté fauteuil. Le psychanalyste à l'œuvre

Pr Daniel Marcelli
La Surprise, chatouille de l'âme

L'Enfant, chef de la famille

Les Yeux dans les yeux, l'énigme du regard

Serge Tisseron
Comment Hitchcock m'a guéri :
que cherchons-nous dans les images ?

Vérité et mensonges de nos émotions

Dr Alain Gérard
Du bon usage des psychotropes :
le médecin, le patient et les médicaments